HARRAP'S

ITALIEN

MÉTHODE INTÉGRALE

Lydia Vellacio
Maurice Elston

HARRAP

Édition publiée en France en 2006
par Chambers Harrap Publishers Ltd
7 Hopetoun Crescent, Edinburgh EH7 4AY
Grande-Bretagne

Publié par Hodder & Stoughton en 2003 sous le titre *Teach Yourself Italian.*

ISBN 0245 50692 6

Traduction
Laurence Larroche
Debora Mazza

Relecture critique
Pierre Méthivier

Coordination éditoriale
Julie Lehoux

Direction éditoriale
Patrick White

Prépresse
Susan Lawrie
Sharon McTeir

Dêpot légal : décembre 2005
Maquette et photocomposition : Chambers Harrap Publishers Ltd, Edinburgh
Impression et reliure : Legoprint, Italy

table des matières

table des matières

Merci d'avoir choisi notre méthode d'italien *Harrap's*

Cette méthode est-elle adaptée à vos besoins ?

Si vous êtes un(e) grand(e) débutant(e) sans notions préalables d'italien et que vous comptez travailler seul(e), vous avez choisi la bonne méthode. De même, si vous vous remettez à l'italien après une interruption plus ou moins longue, ou si vous comptez travailler en groupe, dans le cadre de cours de langue, vous constaterez que cet ouvrage répond parfaitement à vos attentes.

Un peu tous les jours...

L'apprentissage d'une langue c'est un peu comme le jogging : pour en tirer profit, il faut en faire régulièrement ! Le mieux serait de travailler avec un camarade, ce qui vous permettrait de tester votre italien et de ne pas vous décourager dans les moments difficiles.

Le contenu et la structure de l'ouvrage

Nous avons choisi de présenter la langue italienne dans le contexte de situations quotidiennes et de mettre l'accent avant tout sur l'utilisation de la langue. Cela dit, nous montrons également comment fonctionne cette dernière afin de vous permettre de construire vos propres phrases.

Cette méthode se divise en 25 chapitres plus une partie consacrée aux annexes, en fin d'ouvrage. Elle s'accompagne de deux CD, dont vous aurez besoin si vous souhaiter tirer le meilleur parti possible de votre apprentissage.

Les 25 chapitres

Chacun se divise en plusieurs rubriques, même si ces dernières se recoupent parfois un peu :

Objectifs

Il s'agit de la liste de ce que vous apprendrez au cours du chapitre, et plus concrètement de ce que vous serez capable de *dire* en italien une fois le chapitre terminé.

Présentation des nouvelles structures

Elle se fait généralement à partir de dialogues. Vous trouverez des encadrés pour vous aider à comprendre le nouveau vocabulaire. Le vocabulaire et les structures grammaticales à retenir sont présentés de façon progressive, en mettant à profit ce qui a été appris dans les chapitres précédents.

Mise en pratique des points nouveaux

Les activités de mise en pratique sont elles aussi progressives, avec en premier celles qui impliquent surtout la *reconnaissance* de la langue. À mesure que vous apprendrez à manipuler la langue et que vous prendrez confiance en vous, les activités s'orienteront plutôt vers la *production*, à l'écrit et à l'oral.

Description des formes grammaticales

Cette partie est consacrée à la grammaire et a pour but de vous permettre de construire des phrases correctes. Des explications et un glossaire grammatical sont destinés à ceux qui ne sont pas à l'aise en grammaire.

Prononciation et intonation

L'acquisition d'une prononciation et d'une intonation authentiques fait partie intégrante de l'apprentissage de la langue. Les différences entre certains sons italiens et leurs équivalents français ne sont pas toujours évidentes, c'est pourquoi nous avons inclu dans les chapitres d'apprentissage des conseils spécifiques de prononciation.

ⓘ La vie en Italie

C'est ici que vous trouverez des renseignements sur l'Italie et sur certains aspects de la vie quotidienne, que ce soit le rôle central de la famille dans la société ou le fonctionnement de la sécurité sociale.

Les annexes

Elles contiennent

- les *tests d'auto-évaluation* et leurs corrigés
- les solutions des exercices
- un glossaire des termes grammaticaux
- un lexique italien-français et français-italien
- un index grammatical

Comment utiliser la méthode d'italien *Harrap's*

Au début de chaque chapitre, vérifiez bien les points que vous êtes censé(e) apprendre. Lisez les explications et le vocabulaire qui vous sont donnés. Puis prenez connaissance des dialogues en essayant de comprendre en gros de quoi il est question. Reprenez ensuite en détail chacun des dialogues en approfondissant le vocabulaire et les nouvelles structures abordées.

Évaluez vos progrès

Au fur et à mesure que vous faites les exercices, vérifiez soigneusement vos réponses en fin d'ouvrage car il est malheureusement trop facile de laisser passer ses propres erreurs. Pour éviter ce problème, si vous travaillez avec un(e) camarade, chacun(e) peut vérifier les réponses de l'autre. La plupart des exercices ont une solution bien précise, mais certains sont un peu plus « ouverts », notamment lorsqu'on vous demande de parler de vous. Dans ce cas, nous fournissons le plus souvent une réponse-type que vous pouvez ensuite adapter à votre situation personnelle.

Avant de passer au chapitre suivant, vérifiez bien que vous maîtrisez tout le nouveau lexique du chapitre en cours. Cachez les parties en français et essayez de trouver la traduction des mots et expressions italiens. Si vous n'avez pas de difficultés particulières, cachez les parties en italien et essayez de retrouver le vocabulaire. Il est probable que vous trouviez cet exercice plus difficile. Pour apprendre plus facilement les mots et expressions, vous pouvez essayer de vous remémorer le contexte dans lequel ils ont été employés au cours du chapitre. À la fin des chapitres 6, 12, 18 et 25, nous vous proposons de faire les *tests d'auto-évaluation* p. 286 pour évaluer vos progrès.

Grammaire

Nous nous sommes efforcés de présenter les explications grammaticales de façon aussi simple que possible car nous savons que, pour certains, la grammaire est un sujet rébarbatif. Mais au bout du compte, c'est à vous de décider si vous voulez passer beaucoup de temps sur les points de grammaire : certains se débrouillent mieux en apprenant par cœur des expressions-clés, d'autres ont besoin de comprendre exactement comment fonctionne la langue qu'ils étudient.

Comment utiliser cette méthode si vous disposez des enregistrements

La méthode comprend 2 CD enregistrés par des locuteurs natifs. Les dialogues, les parties Prononciation et certains exercices ont été enregistrés. Ils sont précédés du signe .

Cette méthode d'apprentissage a été conçue de manière à ce que vous puissiez travailler avec ou sans les enregistrements. L'utilisation des CD constitue toutefois une aide supplémentaire qui vous permettra d'améliorer votre compréhension orale et votre prononciation de l'italien.

Ecoutez d'abord les dialogues dans leur intégralité afin d'en saisir le sens général puis, après avoir pris connaissance des questions, écoutez l'enregistrement une seconde fois pour pouvoir y répondre. Essayez, dans un premier temps, de travailler sans regarder le texte. N'hésitez pas à multiplier ensuite les écoutes pour vous familiariser avec la langue italienne et retenir les expressions-clés. Nous vous conseillons d'écouter l'enregistrement dès que vous avez un moment de libre : lors d'un trajet en bus ou en métro, dans la salle d'attente du dentiste ou en voiture. Ne vous contentez pas de mettre l'enregistrement en bruit de fond pendant que vous pensez à autre chose : il est indispensable de comprendre et d'assimiler ce que vous entendez pour pouvoir le reproduire correctement et aisément.

L'italien « en direct »

Reportez-vous au chapitre 25 (p. 283 notamment) pour de plus amples renseignements sur les médias italiens. Si vous souhaitez lire la presse, nous vous conseillons de commencer par l'actualité internationale, car vous connaîtrez certainement mieux les sujets abordés. Pour ce qui est de la radio et de la télévision, les émissions les plus faciles à comprendre sont les jeux et les publicités, dans lesquels on retrouve constamment les mêmes expressions. Limitez-vous, dans un

premier temps, à une minute d'écoute environ : vous verrez que certains Italiens ont un débit absolument phénoménal !
L'Institut Culturel Italien (Istituto Italiano di Cultura) est également une bonne source d'informations. Il en existe plusieurs branches en France ; l'adresse parisienne est : 50 rue de Varenne, 75007 Paris, le site Internet à l'adresse suivante : http://www.iicparis.com.

L'italien dans le monde

L'italien est parlé par environ 60 millions de personnes en Italie (y compris la Sicile et la Sardaigne), le canton suisse du Tessin, la Corse, ainsi que certaines régions d'Istrie, de Dalmatie et de l'ex-Yougoslavie. Les mouvements migratoires massifs des 100 dernières années ont vu l'établissement de communautés italianophones dans le monde entier, notamment aux États-Unis, au Brésil, en Argentine et, plus récemment, en Australie. Le rôle important de l'Italie au cours de l'histoire dans des domaines tels que l'architecture, la peinture, la musique, ou la banque est à l'origine de nombreux mots qui sont venus enrichir la langue française.

01

scusi!

excusez-moi !

Dans ce chapitre vous apprendrez à :

- attirer l'attention d'une autre personne
- dire quelles langues vous parlez
- poser et répondre à des questions simples
- dire « je ne sais pas »
- saluer poliment
- accepter ou refuser ce que l'on vous propose

 1 Parla francese? *Parlez-vous français ?*

Il portiere (*le portier*) d'un petit hôtel de Rome a du mal à communiquer avec ses clients étrangers. Il cherche un Italien qui parle français et allemand et qui puisse lui venir en aide. Il s'adresse à **la signorina Anna Muti** (*mademoiselle Anna Muti*), dont il a entendu dire qu'elle parle plusieurs langues.
À partir du texte, répondez oralement aux questions suivantes :

a Comment le portier lui demande-t-il : « Parlez-vous français ? »

Portiere	Scusi, signorina!
Sig.na M.	Sì...? Prego?
Portiere	Parla francese?
Sig.na M.	Sì. Parlo francese e inglese.
Portiere	Ah, benissimo! Parla anche tedesco, vero?
Sig.na M.	No. Mi dispiace. Non parlo tedesco.

Sì...? Prego?	*Oui... ? Je peux vous aider ?*
Benissimo!*	*Très bien ! Parfait !*
Parla anche tedesco, vero?	*Vous parlez aussi l'allemand, n'est-ce pas ?*
No. Mi dispiace.	*Non. Je regrette.*
e	*et*

* Cf. paragraphe sur l'accent tonique (pp. 6–7)

b Comment Anna dit-elle : « Je parle français et anglais » ?

c Comment dit-elle : « Je ne parle pas allemand » ?

Référez-vous à la liste de langues qui suit. Cochez celles qui figurent dans le dialogue. Essayez de deviner à quelles langues correspondent les autres mots. En cas de doute, consultez le lexique en fin d'ouvrage.

italiano ☐	**russo** ☐	**tedesco** ☐	**cinese** ☐	**giapponese** ☐
spagnolo ☐	**greco** ☐	**francese** ☐	**inglese** ☐	**portoghese** ☐

d Vous voulez dire que vous parlez les langues suivantes. Complétez les phrases.
____ inglese. ____ francese. ____ tedesco.

e Vous voulez dire que vous ne parlez pas les langues suivantes. Complétez les phrases.
____ cinese. ____ giapponese. ____ russo.

f Demandez : « Parlez-vous italien ? » ____

Parla signifie aussi *il parle* ou *elle parle*.

Pablo Serra parla spagnolo.	*Pablo Serra parle espagnol.*
Anna Muti parla italiano.	*Anna Muti parle italien.*

g Identifiez la légende qui correspond à chaque image (la première est déjà faite), et complétez les légendes pour **Gérard Dupont** et **Helga Weil**.

i ii iii iv

Pablo Serra parla spagnolo.

Anna Muti parla italiano.
Gérard Dupont ______ .

Betty Warren parla inglese.
Helga Weil ______ .

2 Sì, è lì *Oui, il est là*

Deux clients demandent un renseignement au portier. Le premier est **una signora** (*une femme*) qui lui demande où se trouvent l'ascenseur et le téléphone.

a Comment fait-elle pour attirer l'attention du portier et lui demander où se trouve l'ascenseur ?

Signora	Scusi, l'ascensore, per favore?
Portiere	L'ascensore? Sì, è lì.
Signora	E il telefono?
Portiere	È qui, a sinistra.
Signora	Grazie.
Portiere	Prego.

l'ascensore	*l'ascenseur*
per favore	*s'il vous plaît*
è qui, a sinistra	*il est là, à gauche*
prego	*de rien, je vous en prie*

b Comment dit-elle : « Merci » ?

c À votre tour, comment feriez-vous pour attirer l'attention de quelqu'un et lui demander où se trouve le téléphone ?

 3 Non lo so *Je ne sais pas*

Le deuxième client est **un signore** (*un homme*), qui lui demande où se trouvent la gare et la banque. **Il portiere**, nouvellement arrivé à Rome, ne peut pas répondre à toutes les questions.

a Il y a une autre façon de dire « s'il vous plaît » dans ce dialogue. Quelle est-elle ?

Signore	Scusi, la stazione, per piacere?
Portiere	Sempre dritto, poi a destra. Dopo il semaforo.
Signore	E la banca?
Portiere	Mi dispiace. Non lo so.

sempre dritto	*tout droit*
poi	*puis*
a destra	*à droite*
dopo	*après*
il semaforo	*les feux (de signalisation)*

b Comment le portier dit-il « Je regrette » ?

c À votre tour, comment feriez-vous pour attirer l'attention de quelqu'un et lui demander où se trouve la banque ?

d Si on vous posait la même question, comment diriez-vous : « Je ne sais pas » ?

e Si vous avez l'enregistrement, écoutez les dialogues ci-dessus et notez la place de l'accent tonique dans les mots suivants (vérifiez vos réponses avec le corrigé p. 295) :

Esempio (exemple): **scusi**
sinistra, stazione, ascensore, grazie, telefono

Observez les panneaux suivants. Les légendes qui se trouvent sous ces panneaux sont-elles *vraies* ou *fausses* (**vero o falso**) ? Corrigez le cas échéant.

f	g	h	i
STAZIONE →	← POSTA	MUSEO →	POLIZIA →
La stazione è a sinistra	**La posta è a destra**	**Il museo è a destra**	**La polizia è a sinistra**

j Quelqu'un vous demande : **Scusi! Il duomo?** (*la cathédrale*)

DUOMO ↑ Regardez le panneau. Quelle doit être votre réponse ?

k **La posta** veut dire *la poste*. À votre avis, que signifient **il museo** et **la polizia** ?

4 Buongiorno. Come sta? *Bonjour. Comment allez-vous ?*

Un professore (*un professeur*) rencontre **Giulia**, l'une de ses étudiantes. Ils se disent bonjour. Comment le professeur salue-t-il **Giulia** ? Que dit **Giulia** en partant ?

Professore	Buongiorno, signorina Giulia.
Giulia	Buongiorno, professore. Come sta?
Professore	Bene, grazie. E lei?
Giulia	Molto bene, grazie.
Professore	Ci vediamo domani! Arrivederci!
Giulia	Arrivederci, professore.

E lei?	*Et vous ?*
(molto) bene	*(très) bien*
Ci vediamo domani!	*À demain !*

5 Un gelato? *Une glace ?*

Il professore entre dans un café où l'attend un groupe d'amis, dont **un dottore** (*un médecin*). Il leur propose de boire quelque chose.

a Comment le professeur propose-t-il une glace à la jeune femme ?

Professore	Un tè, signora?
Signora	No, grazie.
Professore	Un gelato, signorina?
Signorina	Sì, grazie.
Professore	E per lei, dottore? Un caffè o una birra?
Dottore	Un caffè e una pasta, grazie.

per	pour
o	ou
una pasta	un gâteau

BAR ITALIA
acqua minerale
tè
caffè
birra
espresso
limonata
cioccolata

b Quelles sont les expressions équivalentes à *non, merci* et *oui, merci* ?

c Devinez de quelles boissons parlent les interlocuteurs dans ce dialogue. Vous pouvez vérifier vos réponses dans le lexique en fin d'ouvrage.

d Lisez à haute voix les mots inscrits sur l'ardoise du **Bar Italia** (p. 5). Cherchez le vocabulaire que vous ne connaissez pas dans le lexique. Si vous disposez de l'enregistrement, écoutez attentivement la liste de boissons qui suit le dialogue et cochez celles que vous reconnaissez sur l'ardoise. Il devrait en rester une : de quelle boisson s'agit-il ?

Pour chaque image, répondez comme dans l'exemple. ✓= acceptez, × = refusez.
Esempio: Un caffé? No, grazie.

× 

e ✓ 

f × 

g ✓ 

Prononciation

Voyelles

Il y a cinq voyelles en italien : **a, e, i, o, u**. Le **a**, le **i** et le **u** représentent chacun un seul son. Lorsque la voyelle est accentuée, elle s'allonge légèrement.
Le **a** italien se prononce comme dans le mot *chat* : pasta, limonata, parla, banana.
Le **i** italien se prononce comme dans le mot *machine* : sì, sinistra, scusi, birra.
Le **u** se prononce comme dans le mot *poule* : un, una, museo, scusi, cappuccino

ATTENZIONE! *Attention !* Veillez à prononcer le **u** italien comme dans *poule* ET NON comme dans *dur*.

Le **e** peut avoir deux sons différents :
comme dans le mot ***haie*** : **è**, prego, telefono, destra, caffè.
comme dans le mot *pré* : **e**, francese, piacere, sera, arrivederci

Le **o** peut avoir deux sons différents :
comme dans le mot *porte* : no, po', posta.
comme dans le mot *dôme* : Roma, come, parlo

Accent tonique

1 L'accent tonique porte généralement sur l'avant-dernière syllabe : prego, stazione, limonata.
2 Si la voyelle finale d'un mot porte un accent écrit, il faut le marquer : caffè.
3 Il arrive que l'accent tonique porte sur l'avant avant-dernière syllabe : telefono, grazie, utile, semaforo.

Dans ce livre, les irrégularités d'accent tonique sont indiquées, à la première occurrence du mot ainsi que dans le *Lexique italien-français* pp. 324-53, par un trait sous la syllabe accentuée.

Accents écrits

En théorie, il existe deux types d'accent en italien : l'accent grave (`) pour les voyelles ouvertes (**verità, caffè, così, andrò, gioventù**) et l'accent aigu (´) pour les voyelles fermées (**perché, ventitré**). Dans cet ouvrage, nous avons cependant privilégié la langue courante en mettant systématiquement un accent grave sur les voyelles, même lorsqu'elles sont considérées comme fermées. L'accent écrit est la marque de l'accent tonique, mais il permet également de distinguer deux mots à l'orthographe identique : **e** *et* ; **è** *est*.

Grammaire

1 Pour dire « s'il vous plaît » et « merci »

grazie	*merci*
prego	*de rien, je vous en prie*
per favore / **per piacere**	*s'il vous plaît*

Bien que **grazie** signifie normalement *merci* et **per piacere** ou **per favore** *s'il vous plaît*, vous devez veiller à toujours employer **sì, grazie/no, grazie** lorsqu'on vous propose quelque chose :

Un caffè, dottore?	*Un café(, monsieur) ?*
Sì, grazie.	*Oui, merci* ou *oui, s'il vous plaît.*
Un cioccolato, signora?	*Un chocolat(, madame) ?*
No, grazie.	*Non, merci.*

Pour répondre à des remerciements, les Italiens répondent souvent **prego** :

Grazie.	*Merci.*
Prego.	*De rien, je vous en prie.*

Lorsque **Prego?** est utilisé en tant que question, il signifie *Je peux vous aider ?* ou *Pardon ?*

2 Parlo, parla *Je parle, vous parlez*

(Io) parlo	*Je parle.*
(Lei) parla	*Vous parlez.*

Parla peut également vouloir dire *il/elle parle.*

Les pronoms* (**io** *je*, **lei** *vous*, etc.) ne sont employés que pour mettre en relief, établir un contraste ou éviter une ambiguïté. Le contexte permet généralement de comprendre si **parla** se rapporte à *vous*, *il* ou *elle*.

3 Domande e risposte *Questions et réponses*

Pour poser une question, les Italiens ne modifient pas l'ordre des mots. Les questions se forment de la même manière que les affirmations. Seule l'intonation est différente.

Parla italiano?	*Parlez-vous italien ?*
Sì. Parlo italiano e francese.	*Oui. Je parle italien et français.*
Parla francese?	*Parle-t-il/elle français ?*

L'ajout de **vero** (mot à mot : *vrai*) en fin de question équivaut au *n'est-ce pas ?* ou au *non ?* français.

Maria parla tedesco, vero?	*Maria parle allemand, n'est-ce pas ?*
No. Parla spagnolo.	*Non. Elle parle espagnol.*
È lì, vero?	*C'est là, non ?*
Sì. È lì.	*Oui. C'est là.*

4 La négation

Dans les phrases négatives on utilise **non** avant le verbe :

Parlo	*je parle*
non parlo	*je ne parle pas*
Anna parla francese, ma non parla tedesco.	*Anna parle français, mais elle ne parle pas allemand.*
Non è qui Roberto?	*Robert n'est pas là ?*

* Si vous avez des doutes sur la signification exacte des mots, noms, pronoms, etc., consultez le *Glossaire de termes grammaticaux* p. 321.

5 Comment saluer son interlocuteur et quel titre lui donner

Buongiorno *bonjour*
Buonasera *bonsoir*
Buonanotte *bonne nuit*
Arrivederci *au revoir* (quel que soit le moment de la journée)

Notez les différents sens des mots suivants ainsi que leurs formes abrégées, tels qu'ils apparaissent dans les dialogues :

signore (sig.) *monsieur, M.*
signora (sig.ra) *dame, madame, Mme*
signorina (sig.na) *demoiselle, mademoiselle, Mlle*
professore (prof.) *professeur*
dottore (dott.) *diplômé de l'enseignement supérieur, pas seulement en médecine*

En règle générale, lorsqu'ils veulent être polis, les Italiens tout comme les Français s'adressent à leur interlocuteur en employant son titre :

Buongiorno, signora. *Bonjour, madame.*
Buonasera, signorina. *Bonsoir, mademoiselle.*
Grazie, dottore. Arrivederci! *Merci(, monsieur). Au revoir !*

6 Noms et articles au singulier

La plupart des mots italiens se terminent par une voyelle.
Les noms d'êtres animés masculins, y compris les prénoms masculins, se terminent généralement en **-o** – Carlo, Franco, amico *ami*.
Les noms d'êtres animés féminins, y compris les prénoms féminins, se terminent généralement en **-a** – Anna, Maria, amica *amie*.
Les noms de choses se terminent généralement en **-o** ou **-a** – gelato, posta.
S'ils se terminent en **-o** ce sont des noms masculins.
S'ils se terminent en **-a** ce sont des noms féminins.
Certains noms se terminent en **-e** et peuvent être soit masculins, soit féminins. Il vous faudra donc apprendre systématiquement leur genre lorsque vous les rencontrerez. La règle veut cependant que les noms en **-ore** soient le plus souvent masculins et ceux en **-zione** le plus souvent féminins : il dottore, il professore, la stazione, la lezione (*la leçon*).

il, un (*le, un*) s'emploient devant les noms masculins.

la, una (*la, une*) s'emploient devant les noms féminins.

l' (*le, la, l'*) s'emploie devant les noms masculins ou féminins commençant par une voyelle.

Masculin		Féminin	
il cioccolat**o** **il** muse**o** **il** dottor**e** **l'**amic**o** **un** cappuccin**o** **un** gelat**o** **un** tè	*le chocolat* *le musée* *le docteur* *l'ami* *un cappuccino* *une glace* *un thé*	**la** birr**a** **la** polizi**a** **la** lezion**e** **l'**amic**a** **una** past**a** **una** parol**a** **una** stazion**e**	*la bière* *la police* *la leçon* *l'amie* *un gâteau* *un mot* *une gare*

Come si dice in italiano?
Comment dit-on cela en italien ?

1	Pour attirer l'attention de quelqu'un	**Scusi!**
	Pour répondre à quelqu'un qui attire votre attention	**Prego?**
2	Pour demander à quelqu'un s'il parle français	**Parla francese?**
	Pour dire que vous parlez français et italien	**Parlo francese e italiano.**
3	Pour dire que vous ne parlez pas espagnol	**Non parlo spagnolo.**
4	Pour poser une question simple	**Il museo, per favore?**
	Pour dire que quelque chose se trouve : ici/là/ à droite/à gauche/tout droit	**È: qui/lì/a destra/a sinistra/sempre dritto.**
	Pour demander quelque chose	**Una birra, per piacere. Un tè, per favore.**
5	Pour dire :	
	bonjour	**Buongiorno!**
	bonsoir	**Buonasera!**
	bonne nuit	**Buonanotte!**
	au revoir	**Arrivederci!**
6	Pour proposer un café à quelqu'un	**Un caffè?**
	Pour accepter/refuser ce que l'on vous propose	**Sì, grazie./No, grazie.**
7	Pour dire que vous ne savez pas	**Non lo so.**
8	Pour dire merci	**Grazie.**
	Pour répondre à des remerciements	**Prego.**

Maintenant cachez la colonne de droite et essayez de retrouver les expressions italiennes.

Exercices

1

* granité au citron

Observez ce schéma représentant un groupe d'amis à une table de café. En allant dans le sens des aiguilles d'une montre, notez la boisson que commande chacun en veillant à bien utiliser **un** et **una**.

Esempio:

- **a** Franco: **'Un caffè, per favore.'**
- **b** Anna: ____
- **c** Alfredo: ____
- **d** Maria: ____
- **e** Roberto: ___
- **f** Rita: ____
- **g** Carlo: ____
- **h** Olga: ____

2 Le serveur apporte les commandes. Aidez-le en lui précisant quelle boisson est destinée à chacun. N'oubliez pas l'article **il** ou **la**.

Esempio: Il caffè è per Franco.

3 Regardez le tableau ci-dessous. Il récapitule les langues que parlent Olga et ses amis. Pour parler d'Olga vous diriez :

Olga parla inglese, francese e spagnolo.

Que diriez-vous de **a Franco, b Rita, c Carlo** ?

d Comment diriez-vous par écrit que **Carlo** parle allemand mais (**ma**) ne parle pas français ?

	inglese	francese	tedesco	spagnolo
Olga	✓	✓		✓
Franco	✓			
Rita		✓		✓
Carlo			✓	✓

e Comment diriez-vous : « Je ne parle pas espagnol » ?
f Comment diriez-vous : « Parlez-vous français ? »
g Mettez-vous à la place d'**Olga** et dites quelles langues vous parlez ; quelles langues vous ne parlez pas.

4 **Ora tocca a te!** *À vous maintenant !* Un touriste vous arrête dans la rue pour vous demander son chemin. Complétez la partie du dialogue qui vous correspond :

Turista	Scusi!
Vous	*(Répondez-lui).*
Turista	La posta, per favore?
Vous	*(Elle est là, à gauche).*
Turista	E la stazione?
Vous	*(Tout droit).*
Turista	Grazie.
Vous	*(De rien).*

Comparez vos réponses à celles du dialogue p. 295, puis servez-vous de ce dernier pour jouer le rôle du touriste.

ⓘ Les bars et les cafés

L'expression italienne la plus courante pour désigner un bar ou un café est **il bar**. On y sert des boissons alcoolisées et non-alcoolisées. Dans beaucoup d'établissements on règle d'abord les consommations à la caisse, puis on présente le reçu (**scontrino**) au comptoir pour obtenir la commande. Les consommations servies à table sont plus chères. Tant que vous serez à proximité, ne jetez pas le reçu que l'on vous aura donné dans un café, un restaurant ou un magasin, la police pouvant exiger de le vérifier... non pas pour vous contrôler, mais pour s'assurer que le vendeur ne fraude pas le fisc !

02

in giro per la città

en ville

Dans ce chapitre vous apprendrez à :

- identifier certains lieux et certains bâtiments
- demander et dire où se trouvent les choses et les gens
- commander une consommation et demander l'addition

1 Cos'è? *Qu'est-ce que c'est ?*

Franco guide **Roberta** à travers la ville

a Quels mots utilise-t-il pour lui montrer la cathédrale ?

Franco	Ecco il duomo!
Roberta	E cos'è questo?
Franco	Questo è il Museo Nazionale.
Roberta	Bello! E questo palazzo? Cos'è? È una banca?
Franco	Sì. Questa è la Banca Commerciale.

questo/questa	*ce/cette*
bello/bella	*beau/belle*
palazzo	*bâtiment*

b Comment dit-il : « Le musée national » et « la Banque de commerce » ?

c Comment diriez-vous : « Voici le musée » ?

2 Dov'è? *Où se trouve... ?*

Roberta veut savoir où se trouvent l'hôtel Europa et les magasins.

a Comment **Franco** dit-il : « Après le consulat des États-Unis » ?

b Dans ce dialogue il y a deux mots différents pour dire *rue*. Quels sont-ils ? Comment dit-on *la grand-rue* ?

Roberta	Dov'è l'Albergo Europa? Non è qui?
Franco	No. È più avanti. Dopo il consolato americano.
Roberta	Ma dove sono i negozi?
Franco	I grandi magazzini sono in Via Roma: la strada principale.
Roberta	Ah, sì! Vicino a Villa Millefiori.
Franco	No, no. Sono vicino a Piazza Municipio.

più avanti	*plus loin*
i negozi	*les magasins*
i grandi magazzini	*les grands magasins*
vicino a	*près de*
Piazza Municipio	*la place de la mairie*
è	*c'est, il/elle est*
sono	*ils/elles sont*

c Comment diriez-vous : « Où se trouve la place de la mairie, s'il vous plaît ? »
d Comment diriez-vous : « C'est près de la Via Roma » ?
e Comment diriez-vous : « Où sont les magasins, s'il vous plaît ? »

3 Cosa prende? *Qu'est-ce que vous prendrez ?*

Franco et **Roberta** sont maintenant au **Bar-Ristorante Roma**. Chacun annonce ce qu'il va prendre. Puis **Franco** appelle le serveur (**cameriere**).

a Comment **Franco** dit-il : « Je prendrai une pizza et un verre de vin » ?
b Comment demande-t-il à **Roberta** : « Qu'est-ce que vous prendrez ? »
c Comment dit-on *vin rouge* en italien ?

Franco	Io prendo una pizza e un bicchiere di vino. Lei, Roberta, cosa prende?
Roberta	Un panino al formaggio.
Franco	Cameriere! Un panino al formaggio e una pizza.
Cameriere	Va bene. E da bere?
Roberta	Un'acqua minerale naturale con limone.
Franco	E per me, vino, vino rosso. E poi, due caffè.

un bicchiere di vino	*un verre de vin*
Cosa prende?	*Qu'est-ce que vous prendrez ?*
un panino al formaggio	*un sandwich au fromage*
va bene	*très bien, d'accord*
e da bere?	*et comme boisson ?*
un'acqua minerale	*une eau minérale*
con/senza	*avec/sans*
poi, due...	*après, deux...*

d Comment demanderiez-vous une eau minérale gazeuse ?
e Comment demanderiez-vous un verre de vin ?

4 Il conto, per favore! *L'addition, s'il vous plaît !*

a Comment le serveur leur demande-t-il s'ils désirent autre chose ?

Cameriere	Ecco: Il panino e l'acqua minerale per la signorina, e il vino e la pizza per lei. Altro?
Franco	No, grazie. Il conto, per favore.
Roberta	E lo zucchero...!
Cameriere	Subito, signorina.

lo zucchero	*le sucre*
subito	*tout de suite*

b Comment Roberta demande-t-elle le sucre ?

c Comment diriez-vous : « le sucre, s'il vous plaît » ?

Voici les chiffres de 0 à 10 en italien :

0	1	2	3	4	5	6	7	8	9	10
zero	**uno, una**	**due**	**tre**	**quattro**	**cinque**	**sei**	**sette**	**otto**	**nove**	**dieci**

5 Un tavolo per dieci persone *Une table pour dix*

Una guida (guide) entre dans le **bar-ristorante** avec un groupe de touristes et passe la commande pour tout le monde.

a Combien commande-t-elle de bières, de sandwiches et de glaces ?

Guida	Un tavolo per dieci persone.
Cameriere	Va bene qui?
Guida	Sì. Va bene. Sette birre e cinque tramezzini con prosciutto crudo.
Cameriere	E per i bambini? I gelati sono molto buoni.
Guida	Allora: un gelato misto e un'aranciata fresca.
Cameriere	Ecco: le birre, i tramezzini, il gelato e l'aranciata.

Va bene qui?	*Ça vous va ici ?*
i tramezzini	*les sandwiches*
prosciutto crudo	*jambon cru*
i bambini	*les enfants*
allora	*alors*
i gelati sono molto buoni	*les glaces sont très bonnes*
misto/a	*panaché/e*
fresco/a	*frais/fraîche*

Prononciation

Consonnes

La plupart des consonnes italiennes correspondent à peu près à leurs équivalents français, mais les consonnes doubles (**mm, gg, cc,** etc.) doivent être prononcées distinctement : le redoublement du son est plus net qu'en français.

Attention notamment à **c** et **g** devant **e** et **i** :

c suivi de **e** ou **i** se prononce **tch** : vi**ci**no, **ci**nque, die**ci**, di**ce**, **ce**nto, uffi**ci**o, farma**ci**a.

c suivi de **a, o, u** ou d'une consonne se prononce comme le **c** de *compte* ou le **qu** de *quatre* : ban**ca**, **co**n, **ca**meriere, **co**sa, **co**me.

ch se prononce comme dans ***ch**orale* : **che**, bi**cchi**ere, zu**cche**ro, ma**cchi**na

g suivi de **e** ou **i** se prononce **dj** : **ge**lati, form**aggi**o, An**ge**la, **gi**ro.

g suivi de **a, o, u** ou d'une consonne se prononce comme dans ***g**arde* : **gr**anita, ne**go**zio, **gu**ida, alber**go**, alber**ghi**

gn se prononce comme en français: si**gn**ore, si**gn**ora, si**gn**orina.

Grammaire

1 Qu'est-ce que... ? Où... ?

Cosa, **che cosa** et **che** signifient tous *que* ou *qu'est-ce que*.

Cos'è est la contraction de **cosa + è** ; le **-a** final tombe pour faciliter la prononciation.

Che cos'è? / **Cos'è?**		*Qu'est-ce que c'est ?*
Cosa / **Che cosa** / **Che**	**prende?**	*Qu'est-ce que vous prendrez ?*

Dov'è est la contraction de **dove** (*où*) **+ è**. Le **e** final de **dove** tombe, également pour faciliter la prononciation.

Dov'è?	*Où est-ce/il/elle ? Où êtes-vous ?*
Dov'è la stazione?	*Où est la gare ?*
Dov'è Roberto?	*Où est Robert ?*
Dove sono i negozi?	*Où sont les magasins ?*

2 Verbes

Parlo et **Parla** (voir Chapitre 1) sont deux formes du verbe **parlare** *parler*. Voici les deux formes équivalentes du verbe **prendere** *prendre* :

prend-o *je prends* ; **prend-e** *vous prenez, il/elle prend.*

È *vous êtes, il/elle/c'est*, et **sono** *ils sont*, sont deux formes du verbe **essere** *être* (Chapitre 3, p. 29).

3 Le pluriel des noms

Les noms qui se terminent en **-o** (masc.) font leur pluriel en **-i** :

muse**o**	muse**i** (*musées*)

Les noms qui se terminent en **-a** (fém.) font leur pluriel en **-e** :

birr**a**	birr**e** (*bières*)

Les noms qui se terminent en **-e** (masc. ou fém.) font leur pluriel en **-i** :

masc. : ristorant**e**	ristorant**i** (*restaurants*)
fém. : stazion**e**	stazion**i** (*gares*)

Les noms qui se terminent par une consonne ou une voyelle accentuée ne changent pas au pluriel :

caff**è**	due caff**è** (*deux cafés*)
ba**r**	tre ba**r** (*trois bars*)

4 Les articles

un' s'emploie uniquement devant des noms féminins commençant par une voyelle : **un'a**cqua minerale.

En revanche, **un** (*masc.*) s'emploie devant une consonne ou une voyelle : **un a**lbergo (*un hôtel, une auberge*), **un a**scensore (*un ascenseur*), **un g**elato.

Remarque : **un** amic**o** (sans apostrophe) mais **un'** amic**a** (avec apostrophe car il s'agit de l'article féminin).

lo (*le*) et **uno** (*un*) s'emploient devant des noms masculins singuliers commençant par **z** ou par **s + consonne** :

***uno* scontrino**	un ticket/reçu	***uno st*udente**	un étudiant
***lo* zucchero**	le sucre		
***lo* scontrino**	le ticket/reçu	***lo st*udente**	l'étudiant

Pluriel

il devient **i** devant les noms masculins pluriels : ***il* museo, *i* muse*i*** ; ***il* duomo, *i* duom*i*.**

la devient **le** devant les noms féminins pluriels : ***la* birra, *le* birre** ; ***la* stazione, *le* stazion*i*.**

5 Fonctionnement de l'article devant *piazza, via*

La piazza *la place*, **la via** *la rue* ; mais lorsque le nom de la place ou de la rue est cité, on omet l'article : **Piazza Municipio, Via Roma.**

6 Les adjectifs

De même qu'en français, les adjectifs s'accordent en genre et en nombre avec le nom qu'ils qualifient :

il vino rosso	*le vin rouge*
la mela rossa	*la pomme rouge*
pane fresco	*du pain frais*
un'aranciata fresca	*une orangeade fraîche*

Questo/questa s'accordent eux aussi :

Questo palazzo è bello.	*Ce bâtiment est beau.*
Questa piazza è bella.	*Cette place est belle.*

7 Les chiffres

un, una est à la fois article et nombre cardinal (*un, une*). De même qu'en français, c'est le seul chiffre qui s'accorde avec le nom qui suit. Lorsqu'il n'est pas suivi d'un nom, on emploie **uno, una** : **un museo** mais **(numero) uno** *(numéro) un*. Pour les chiffres de 0 à 10, voir p. 16.

Quanti caffè...? Uno!	*Combien de cafés... ? Un !*
Quante pizze...? Una!	*Combien de pizzas... ? Une !*

8 Con *avec* ; senza *sans*

Un panino con il prosciutto crudo	*un sandwich au* jambon cru (mot à mot : « un sandwich *avec* du jambon cru»)
Un'acqua minerale con gas	*une eau minérale gazeuse*
Un'acqua minerale senza gas	*une eau minérale plate*
con/senza: limone, zucchero, latte, burro	*avec/sans citron, sucre, lait, beurre*

Comment dit-on... ?

1	Qu'est-ce que c'est ?	**Cos'è?/Cos'è questo/questa?**
	C'est...	**È un museo. È una banca.**
2	Qu'est-ce que c'est... ?	**Cosa sono?/Cosa sono Standa e Upim?**
	Ce sont...	**Sono grandi magazzini.**

3	Où est/où se trouve... ?	**Dov'è?/Dov'è la posta?** **Dov'è Franco?**
	Il/elle est...	**È qui, è lì, ecc.**
4	Où sont/où se trouvent... ?	**Dove sono i negozi?** **Dove sono Anna e Roberta?**
5	Qu'est-ce que vous prendrez ?	**Cosa prende?**
	Je prendrai...	**(Io) prendo un tè...**
6	Je prendrai... avec...	**Prendo un tè con latte.**
7	Je prendrai... sans...	**Prendo un caffè senza zucchero.**
8	L'addition, s'il vous plaît !	**Il conto, per favore!**

Exercices

1 Voici quelques noms de villes et de monuments ou lieux célèbres : **Milano, Firenze, Londra, Parigi, Pisa, Napoli, Roma, Venezia. Il Colosseo, Piazza San Marco, il Vesuvio, il Ponte Vecchio, la Torre Eiffel, il Palazzo del Parlamento, la Torre Pendente, La Scala.**

Entraînez-vous à les répéter.

2 Regardez les illustrations ci-dessous. Faites correspondre le nom du lieu ou du monument à celui de la ville où il se trouve, comme dans l'exemple.

a

La Scala: Milano

b

c

d

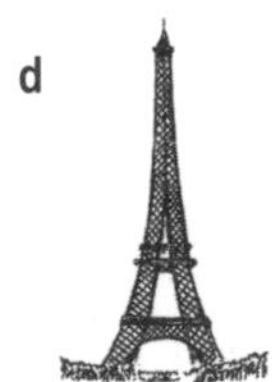

e

f

g

h

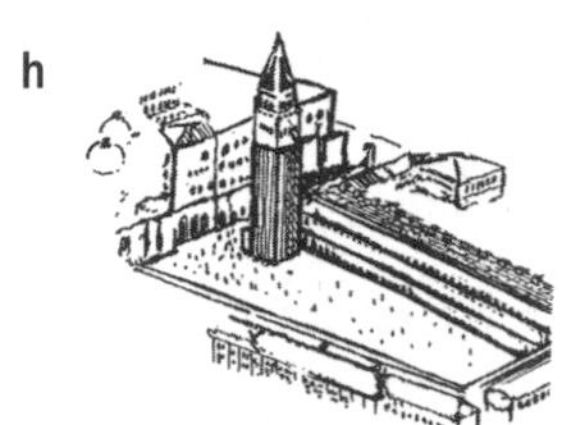

Vérifiez vos réponses.

3 Pour dire *à Rome*, *à Venise*, etc., utilisez **a : a Roma, a Venezia.**
Dov'è La Scala? A Milano. *Où est La Scala ? À Milan.*

Créez, sur ce même modèle, des questions et des réponses pour **il Colosseo, il Vesuvio** et **la Torre Eiffel**.

Maintenant dites où se trouvent les autres lieux célèbres. Commencez par : **La Scala è...**

4 En vous aidant du plan ci-dessous et de l'exemple, formulez des questions et des réponses sur les lieux suivants :

- a **il consolato americano**
- b **Piazza Garibaldi**
- c **il duomo**
- d **l'Albergo Miramare**

Esempio: **Scusi, dov'è il consolato spagnolo?**
È a sinistra, dopo il consolato americano .

Consolato Spagnolo
Consolato Americano
Posta
Stazione
Piazza Garibaldi
Albergo Miramare
Museo Nazionale
Duomo
★

Lei è qui
Vous êtes ici

e Maintenant répondez à la question suivante : **Dove sono i consolati?**

5 Qu'est-ce que c'est ?
Triez les mots suivants selon trois catégories, Boissons, Plats, Lieux, et faites précéder chacun de **il, la** ou **l'** :

banca duomo limonata piazza pizza pasta museo
birra formaggio albergo acqua minerale panino
aranciata tè prosciutto

6 Avec ou sans ? **Con** ou **senza** ?
Comment prennent-ils leur thé ? Avec ou sans sucre, etc. ? Regardez le tableau et faites deux phrases, l'une sur **Marta** et l'autre sur **Filippo**. Commencez par : **Marta prende il tè...**

	limone	latte	zucchero
Marta		✓	✓
Filippo	✓		×

Ora tocca a te! Et vous, comment prenez-vous votre thé ?

7 Qu'est-ce que c'est ? **Cos'è questo/questa?**

Regardez les illustrations p. 6 et formulez une question et une réponse pour chacune en employant **Cos'è questo ?** ou **Cos'è questa ?** selon que le nom est masculin ou féminin.

8 Voici une autre série de panneaux en italien : combien d'entre eux comprenez-vous ? Vérifiez ceux que vous ne connaissez pas dans le lexique en fin d'ouvrage :

ⓘ Les villes italiennes

Au sens strict, **palazzo** veut dire *palais*, mais le mot s'utilise couramment pour désigner tout bâtiment ou immeuble important.

Bien que **strada** signifie *route* ou *rue*, les Italiens ne l'emploient jamais pour désigner une rue en particulier. C'est le mot **via** qui s'utilise dans ce cas.
Dans les villes italiennes, **la piazza** est au cœur de la vie de quartier. C'est là qu'on se retrouve pour un rendez-vous entre amoureux, pour prendre un café ou pour bavarder. L'une des places italiennes les plus célèbres est **Piazza San Marco** (la place Saint-Marc) à Venise.

Les grands magasins les plus connus sont **Upim**, **Standa**, **La Rinascente** et **Coin**. On les trouve dans la plupart des villes italiennes. Upim et Standa pratiquent les prix les plus raisonnables et comportent parfois un rayon alimentation très fourni. Les heures d'ouverture varient d'une région à l'autre. La plupart des magasins sont ouverts de 8h30/9h30 à 12h30/13h, puis de 15h30/16h à 19h/20h. Beaucoup d'entre eux ferment une demi-journée par semaine, le plus souvent le lundi matin ou, pour les magasins d'alimentation, le mercredi après-midi. D'autres sont fermés pendant une journée entière. C'est le cas des pharmaciens, des salons de coiffure et de certains restaurants. Il existe parfois un système de tour de garde pour les jours de fermeture. Les grands magasins sont en règle générale ouverts toute la journée (**orario continuato**) ; c'est aussi de plus en plus le cas des magasins de plus petite taille, surtout lorsqu'ils sont situés au centre ville ou à des endroits très touristiques.

La **pizza** est une spécialité de Naples et de la région de la **Campania**. On trouve des pizzas de toutes les tailles, soit dans les **pizzerie** (sortes de restaurants plutôt bon marché), soit dans les **rosticcerie**, qui font des plats à emporter et ont parfois quelques tables pour consommer sur place. Il est également possible de faire découper un morceau de **pizza**, qui s'appelle dans ce cas **pizza al metro** ou **al taglio**. On peut commander son **taglio** (*coupe*) au poids, à la taille ou au prix.

Toutes les villes italiennes citées dans le présent chapitre ont un site Internet :

Firenze	http://www.comune.firenze.it
Milano	http://www.comune.milano.it
Napoli	http://www.comune.napoli.it
Pisa	http://www.comune.pisa.it
Roma	http://www.comune.roma.it
Venezia	http://www.comune.venezia.it

03

come si chiama?

comment vous appelez-vous ?

Dans ce chapitre vous apprendrez à :

- échanger des renseignements sur votre vie (tutoiement et vouvoiement)
- vous présenter et présenter d'autres personnes ; répondre à quelqu'un qui se présente

 Voici comment se disent les quatre premiers nombres ordinaux en italien :

1er, 1ère	2ème	3ème	4ème
primo, prima	**secondo, seconda**	**terzo, terza**	**quarto, quarta**

 1 A che piano...? *À quel étage... ?*

Il signor Russo demande à **il portiere** à quel étage habitent **i signori Nuzzo** (*M. et Mme Nuzzo*) : ils l'ont invité à une soirée.

a Comment demande-t-il à quel étage ils habitent ?

Sig. Russo A che piano abitano i signori Nuzzo, per favore?
Portiere Terzo piano, numero 20. Quarta porta a destra.
Sig. Russo Grazie mille.
Portiere Prego.

porta *porte*
grazie mille *merci beaucoup*

2 Come si chiama? *Comment vous appelez-vous ?*

Il sig. Russo fait la connaissance de **la sig.na Finzi**.

a Comment dit-il : « Comment vous appelez-vous ? » Comment se présente-t-il ?

b Comment dit-elle : « D'où êtes-vous ? » Quelle est la réponse de Sig. Russo ?

Sig. Russo Come si chiama?
Sig.na Finzi Sandra Finzi. E lei?
Sig. Russo Mi chiamo Marco Russo.
Sig.na Finzi Di dov'è?
Sig. Russo Sono di Napoli.
Sig.na Finzi Io sono di Torino.

 3 Di dove sei? *D'où es-tu ?*

Un peu plus loin, deux jeunes gens, **Elena** et **Massimo**, font connaissance de façon plus décontractée. Comparez ce dialogue avec le précédent.

a Comment Elena dit-elle : « Comment t'appelles-tu ? » Comparez avec la question que **il Sig. Russo** posait à son interlocutrice dans le deuxième dialogue.

b Comment dit-elle : « Je suis de Milan » ?

c Comment lui demande-t-il son métier et comment dit-elle : « je suis secrétaire » ?

Elena	Come ti chiami?
Massimo	Massimo. E tu?
Elena	Elena. Sei di Milano?
Massimo	No. Sono di Firenze. E tu, di dove sei?
Elena	Io sono di Milano.
Massimo	Che cosa fai?
Elena	Sono segretaria.
Massimo	Io sono ragioniere. Lavoro in banca.

Che cosa fai?	*Qu'est-ce que tu fais comme métier ?*
ragioniere (m)	*comptable*
Lavoro in banca.	*Je travaille dans une banque.*

 4 Di che nazionalità è? *Quelle est votre nationalité ?*

Il sig. Russo parle à **la sig.na Galli**.

a Comment lui demande-t-il sa nationalité et comment dit-elle : « Je suis italienne » ?

b Comment dit-il : « Moi aussi je suis italien » ?

c Comment la sig.na Galli dit-elle : « Elle est grecque » ?

Sig. Russo	Di che nazionalità è, signorina?
Sig.na Galli	Sono italiana. Sono di Palermo.
Sig. Russo	Anch'io sono italiano. Chi è questa bella ragazza?
Sig.na Galli	Maria Toffalis. È greca. Non parla italiano.
Sig. Russo	Ho capito. È qui in vacanza?
Sig.na Galli	Chi, io? Sono a Roma per studiare informatica.

Chi è...?	*Qui est... ?*
ragazza	*(jeune) fille*
Ho capito	*Je comprends (mot à mot : j'ai compris)*
per studiare	*pour étudier*
l'informatica	*l'informatique*

 5 Quanti anni hai? *Quel âge as-tu ?*

Elena et **Massimo** sont interrompus par **Ugo**. **Massimo** se présente en premier, puis il présente **Elena**.

a Comment **Massimo** se présente-t-il à **Ugo** ?
b Comment présente-t-il **Elena** à **Ugo** ? Comment **Elena** réagit-elle ?
c Comment **Massimo** demande-t-il son âge à **Elena** et comment répond-elle ?

Massimo	Io sono Massimo, e questa è Elena.
Elena	Piacere.
Ugo	Piacere, Ugo.
Massimo	Dunque... Elena, quanti anni hai?
Elena	Ho diciotto anni.
Massimo	Beata te! Io ho ventisei anni.

C'est alors que **Sandra**, qui s'apprête à partir, s'aperçoit de la présence de son ami **Massimo** et le salue.

Sandra	Ciao, Massimo!
Massimo	Ciao! Come stai?
Sandra	Non c'è male, grazie. E tu?
Massimo	Abbastanza bene, grazie. Ci vediamo più tardi. Ciao!
Sandra	Ciao!

Piacere	*Enchanté(e)*
Dunque...	*Je disais donc...*
Beata te!	*Tu en as de la chance !*
Ciao! Come stai?	*Bonjour ! Comment ça va ?*
non c'è male	*pas mal*
abbastanza bene	*assez bien*
ci vediamo più tardi	*à plus tard*

 6 Quanti figli ha? *Combien avez-vous d'enfants ?*

Pour finir, **Ugo** parle à **la sig.ra Dini**.

a Comment **la sig.ra Dini** dit-elle qu'elle est mariée ?
b (Voir illustration et question p. 28)
c Comment **Ugo** lui demande-t-il combien elle a d'enfants ?
d Comment demande-t-il leur âge ?
e Comment **la sig.ra Dini** dit-elle que sa fille n'a que quatre ans ?

Ugo	È sposata?
Sig.ra Dini	Sì. Sono sposata.
Ugo	Quanti figli ha, signora?
Sig.ra Dini	Due: Luisa e Paolo.
Ugo	Quanti anni hanno?
Sig.ra Dini	Il ragazzo ha undici anni e va a scuola. La bambina ha solo quattro anni.
Ugo	Ah, sono piccoli! Io non sono sposato. Mio fratello invece è sposato. Ma è separato.
Sig.ra Dini	Quanti fratelli e quante sorelle ha?
Ugo	Ho un fratello e una sorella. Io sono il secondo.

b Quanti fratelli e quante sorelle ha **Nino**?

figli	*enfants (fils, fille)*
ragazzo	*garçon*
va a scuola	*va à l'école*
piccolo/a	*petit(e), jeune*
invece	*par contre, en revanche*
fratello, sorella	*frère, sœur*

 Prononciation

Consonnes (suite)

le **s** italien peut se prononcer de deux façons :
s comme dans *soleil* : **s**econdo, **s**olo, Ma**ss**imo, **s**ono, **s**uo
z comme dans *musique* (en général entre deux voyelles) : mu**s**ica, scu**s**i, spo**s**ato, inglese

sc suivi de **e** ou de **i** se prononce comme le **ch** de ***ch**emin* : a**sc**ensore

z peut avoir deux sons :
ts : sta**z**ione, gra**z**ie, raga**zz**a
dz : **z**ero, pran**z**o, gorgon**z**ola

Grammaire

1 Les pronoms sujet

singulier		pluriel	
io **tu** **lei** **lui, lei**	*je* *tu* *vous (vouvoiement singulier)* *il, elle*	**noi** **voi** **loro**	*nous* *vous* *ils, elles*

Pour dire *bonjour* ou *au revoir* à quelqu'un que l'on tutoie (comme dans le dialogue 5 p. 27), on emploie **ciao!** La forme verbale qui correspond à **tu** se termine normalement en **-i**. **Lei** équivaut à la fois à *vous* (vouvoiement singulier, qu'il s'agisse d'un homme ou d'une femme) et à *elle*. Le contexte devrait suffire à déterminer la fonction du pronom.

2 Les verbes

Présent (irrégulier) de *essere* et de *avere*

Présent	**essere**	*être*	**avere**	*avoir*
(io)	**sono**	*je suis*	**ho**	*j'ai*
(tu)	**sei**	*tu es*	**hai**	*tu as*
(lei) *(vouvoiement singulier)*	**è**	*vous êtes*	**ha** *(vouvoiement singulier)*	*vous avez*
(lui, lei)	**è**	*il, elle est*	**ha**	*il, elle a*
(noi)	**siamo**	*nous sommes*	**abbiamo**	*nous avons*
(voi)	**siete**	*vous êtes (pl)*	**avete**	*vous avez (pl)*
(loro)	**sono**	*ils, elles sont*	**hanno**	*ils, elles ont*

Le pluriel de **tu** et de **lei** est le même : **voi**.

Présent (régulier) des verbes en *-are*

L'infinitif des verbes réguliers se termine en **-are**, **-ere** ou **-ire**. Pour former le présent des verbes en **-are**, ajoutez au radical (**parl-**) les terminaisons en gras. Voir encadré p. 30.
Notez que, au présent, la première personne du singulier se termine toujours en **-o** quel que soit le verbe.

Présent		**parl-are** *parler* (verbe régulier en **-are**)
(io)	parl-**o**	*je parle*
(tu)	parl-**i**	*tu parles*
(lei)	parl-**a**	*vous parlez (vouvoiement singulier)*
(lui, lei)	parl-**a**	*il, elle parle*
(noi)	parl-**iamo**	*nous parlons*
(voi)	parl-**ate**	*vous parlez (pl)*
(loro)	parl-**ano**	*ils, elles parlent*

Au fil de ce chapitre, vous avez rencontré les formes **abitano** (de **abitare**), **lavoro** (de **lavorare**) et **studiare**. Ces trois verbes se conjuguent comme **parlare**. Notez toutefois qu'à la deuxième personne du singulier (**tu**) des verbes en **-iare**, le **-i** final n'est pas redoublé : tu stud**i**.

Remarquez que, quel que soit le verbe, l'accent tonique tombe sur la même voyelle à la première personne du singulier et à la troisième personne du pluriel : **parlo parlano; abito abitano; studio studiano; telefono telefonano** (de **telefonare** *téléphoner*)

3 Les titres

Signore *(M.)*, **Signora** *(Mme)*, **Signorina** *(Mlle)*, **Signori** *(M. et Mme)*

Les titres qui se terminent en **-ore**, tels que **signore**, **dottore** et **professore**, perdent le **-e** final lorsqu'ils sont suivis d'un nom propre : **Buongiorno, dottore!** devient **Buongiorno,** dott**or** **Nuzzo!**; **Buongiorno,** profess**ore!** devient **Buongiorno,** profess**or** **Salviati!**

Lorsqu'on ne s'adresse pas directement à une personne, mais qu'on parle d'elle à quelqu'un d'autre, il faut employer l'article défini devant le titre : **il signore, la signora,** etc.

Dov'è **il dottore**?	*Où est le docteur ?*
Dov'è **il dottor** Nuzzo?	*Où est le docteur Nuzzo ?*

Bien que **signori** soit un masculin pluriel, il peut désigner indifféremment plusieurs hommes ou un homme et une femme :

I signori Spada *M. et Mme Spada*

De même, **ragazzi** peut signifier soit *garçons*, soit *garçons et filles* ; **figli** peut signifier soit *fils*, soit *enfants* (fils et filles), etc.

4 Les chiffres (suite)

Les adjectifs ordinaux, comme tous les autres adjectifs, s'accordent avec le nom :

il prim**o** pian**o**	*le premier étage*
la terz**a** port**a**	*la troisième porte*
il second**o** dialog**o**	*le deuxième/second dialogue*
la quart**a** strad**a** a destra	*la quatrième rue à droite*

5 Comment vous appelez-vous ?

(lei) Come si chiama? est la façon la plus courante de demander son nom à quelqu'un.

(io) Mi chiamo Antonia.	*Je m'appelle Antonia.*
(lei) Come si chiama?	*Comment vous appelez-vous ?*
(tu) Come ti chiami?	*Comment t'appelles-tu ?*

6 Les adjectifs (suite)

Les adjectifs, comme les noms, sont de deux types :

ceux qui se terminent en **-o/-a :** piccol**o/a** *petit(e)* ; ricc**o/a** *riche* ;
ceux qui se terminent en **-e :** intelligent**e** *intelligent(e)* ; interessant**e** *intéressant(e)*.

Comme nous l'avons vu au chapitre 2, p. 19, les adjectifs s'accordent avec le nom qu'ils qualifient. Notez les terminaisons en gras dans les exemples qui suivent :

Masculin singulier	Féminin singulier
un giardin**o** piccol**o** *un petit jardin*	un**a** cas**a** piccol**a** *une petite maison*
un uom**o** ricc**o** *un homme riche*	un**a** donn**a** ricc**a** *une femme riche*
un ragazz**o** intelligent**e**	un**a** ragazz**a** intelligent**e**
un garçon intelligent	*une fille intelligente*
un dottor**e** frances**e**	un**a** ragioner**a** frances**e**
un docteur français	*une comptable française*

Le pluriel des adjectifs se forme comme le pluriel des noms (voir chapitre 2, p. 18) Lorsqu'un adjectif pluriel se rapporte à des noms masculins et féminins, il se met au masculin.

Masculin pluriel	Féminin pluriel
i gelat**i** italian**i**	**le** pizz**e** italian**e**
i dottor**i** ingles**i**	**le** ragionier**e** ingles**i**
i ristorant**i** frances**i**	**le** lezion**i** interessant**i**

Quanti, quante sont également des adjectifs et doivent s'accorder avec le nom qu'ils qualifient :

Quant**i** fratell**i** e quant**e** sorell**e** ha?	*Combien de frères et sœurs avez-vous ?*

7 Moi aussi

Notez la valeur intensive du pronom sujet placé après **anche** :

Mangia anche lei? Sì. Mangio anch'io!	*Vous mangez vous aussi ? Oui, je mange moi aussi.*
Aspettate anche voi?	*Vous attendez vous aussi ?*
Sì. Aspettiamo anche noi.	*Oui, nous attendons nous aussi.*

8 Qui ?

Chi ? s'emploie pour parler des personnes :

Chi è questa ragazza?	*Qui est cette fille ?*
(È) Maria.	*(C'est) Maria.*

Notez la façon dont on répond à cette question lorsqu'intervient un pronom personnel :

Chi è ? Sono **io.**	*Qui est-ce ? C'est moi.*
È **lui**, è **lei**.	*C'est lui, c'est elle/vous*

9 L'âge

Quanti anni **ha** Bruno?	*Quel âge a Bruno ?*
Ha trentaquattro anni.	*Il a trente-quatre ans.*

10 Emploi du possessif pour parler des membres de la famille

De même qu'en français, **mio/mia** *mon/ma*, **tuo/tua** *ton/ta*, **suo/sua** *votre* sont des adjectifs et doivent s'accorder avec le nom qu'ils qualifient. Employez **tuo/tua** lorsque vous tutoyez, et **suo/sua** lorsque vous vouvoyez. Attention notamment à **suo/sua** qui signifie non seulement *votre* mais aussi *son/sa* selon le contexte.

mio fratello	*mon frère*
sua sorella	*sa sœur, votre sœur*
suo padre	*son père, votre père*

Comment dit-on... ?

1	Pour demander son nom à quelqu'un **a** en le vouvoyant **b** en le tutoyant	**Come si chiama?** (vouvoiement)/ **Come ti chiami?** (tutoiement)
	Pour dire son nom	**Mi chiamo.../Sono...**
2	Pour demander d'où est son interlocuteur **a** en vouvoyant **b** en tutoyant	**Di dov'è?** (vouvoiement)/**Di dove sei?** (tutoiement)
	Pour dire d'où l'on vient (de quelle ville)	**Sono di Londra, sono di Parigi, ecc.**
3	Pour demander son métier à son interlocuteur **a** en vouvoyant **b** en tutoyant	**Che cosa fa?** (vouvoiement)/ **Che cosa fai?** (tutoiement)
4	Pour demander la nationalité de son interlocuteur **a** en vouvoyant **b** en tutoyant	**Di che nazionalità è?** (vouvoiement)/**Di che nazionalità sei?** (tutoiement)
	Pour dire sa nationalité	**Sono inglese, sono francese, ecc.**
5	Pour demander son âge à quelqu'un **a** en vouvoyant **b** en tutoyant	**Quanti anni ha?** (vouvoiement)/ **Quanti anni hai?** (tutoiement)
	Pour donner son âge	**Ho venticinque anni, ho ventotto anni, ecc.**
6	Pour demander et dire qui est telle personne	**Chi è questa ragazza? È Maria.**
	Pour se présenter/ présenter d'autres personnes	**Io sono.../Questo/questa è...**
	Pour répondre a quelqu'un qui se présente	**Piacere.**

Exercices

1 Répétez les nombres de 11 à 50. Faites particulièrement attention aux nombres suivants : 21, 28, 31, 38, 41 et 48. Quelle différence y a-t-il entre ces six nombres et les autres nombres de 20 à 50 ?

11 undici	**12** dodici	**13** tredici	**14** quattordici	**15** quindici	**16** sedici
17 diciassette	**18** diciotto	**19** diciannove	**20** venti	**21** ventuno	**22** ventidue
23 ventitré	**24** ventiquattro	**25** venticinque	**26** ventisei	**27** ventisette	
28 ventotto	**29** ventinove	**30** trenta	**31** trentuno	**32** trentadue	**33** trentatré
34 trentaquattro	**35** trentacinque	**36** trentasei	**37** trentasette	**38** trentotto	
39 trentanove	**40** quaranta	**41** quarantuno	**42** quarantadue		
43 quarantatré	**44** quarantaquattro		**45** quarantacinque		**46** quarantasei
47 quarantasette		**48** quarantotto	**49** quarantanove		**50** cinquanta

2 Sur les plaques qui apparaissent ci-dessous et en haut de la page 35 figurent le nom de cinq personnes et leur profession. À l'aide de l'enregistrement ou des informations données sous chaque plaque, inscrivez en dessous des professions l'étage où ces personnes habitent et le numéro de leur appartement, comme montré en exemple sur la première plaque. (Le chiffre romain est celui de l'étage.)

Esempio	a	b
Dott. Colombo **PROFESSORE** **II 21**	**Prof. P. Russo** **ARCHITETTO**	**Carlo Pini** **RAGIONIERE**
Secondo piano numero ventuno.	**Primo piano, numero dodici.**	**Quarto piano, numero quarantasette.**

c

Olga Fulvi DENTISTA

Primo piano,
numero tredici.

d

Anna Biondi GIORNALISTA

Terzo piano,
numero trentotto.

3 En vous aidant des renseignements figurant sur les plaques ci-dessus, notez la profession de chacune des personnes. **Esempio: Il dottor Colombo è professore.**

4 Tout comme en français, les langues sont désignées par des noms masculins : **greco, russo, ecc.** (voir p. 2). Les adjectifs de nationalité correspondants s'accordent avec le nom qu'ils qualifient : Ug**o** è italian**o** ; Pipp**a** è italian**a**. Voici une liste de pays et de personnes. Saurez-vous deviner, à partir du nom de pays, quelle est la nationalité de ces personnes ? Rappel : *allemand/e* se dit **tedesco, tedesca**.

Esempio: L'Inghilterra: Rita e Olga. Rita e Olga sono inglesi.

a **la Germania:** Helga.
b **la Francia:** Gérard e Philippe.
c **la Spagna:** Juanita.
d **la Russia:** Ivan e Natasha.
e **l'Italia:** Anna e Pina.

5 Maintenant dites de quelle ville vient chacun. **Esempio: Londra. Rita e Olga sono di Londra.**

a Bonn b Nizza c Barcellona d Omsk e Trento.

6 Pour finir, dites dans quelle ville habite chacun. **Esempio: Rita e Olga abitano a Londra.**

7 Voici le début d'une lettre adressée par **Luisa** à sa nouvelle correspondante, **Anna**.

Roma, 3 novembre
Cara Anna,
Mi chiamo Luisa. Ho quindici anni. Sono di Trento, ma abito a Roma. Ho una sorella. Si chiama Vittoria e ha tredici anni. Mio padre è francese e mia madre è italiana...

Rédigez le début de la réponse de Anna à Luisa, dans laquelle elle lui donne les renseignements suivants. Pour commencer, dites : Cara Luisa,

Âge : 17 ans	Père : italien
Ville d'origine : **Siena**	Mère : allemande
Ville où elle habite : **Lucca**	Frère : **Luigi**, 18 ans

ⓘ Comment se comporter en société

Il sig. Russo dit (Dialogue 4, p. 26) : **Chi è questa bella ragazza?**

Savoir comment faire et recevoir des compliments est un élément essentiel de la vie quotidienne en Italie. Il ne s'agit pas d'être grossier ni condescendant. Les compliments sont liés à un autre trait de la culture italienne : **fare bella figura**, c'est-à-dire « faire bonne figure, faire bonne impression. » Il est important de bien se présenter, que ce soit par la mise, la façon de se tenir ou le comportement en général. Il est tout aussi important, si ce n'est plus, de ne pas faire mauvaise impression : **fare brutta figura**.

04

quant'è?

c'est combien ?

Dans ce chapitre vous apprendrez :

- à vous renseigner sur les horaires d'ouverture des magasins
- les jours de la semaine
- à demander combien coûte un objet et à régler vos achats
- à parler des coloris, des tailles et des pointures

Voici comment on dit « à telle heure », « à... et quart », « à... et demie », etc. :

alle due *à 2 h*; **alle tre** *à 3 h*; **alle due e un quarto** *à 2 h et quart*; **alle tre e un quarto** *à 3 h et quart*; **alle quattro e mezza** *à 4 h et demie*; **alle cinque e mezza** *à 5 h et demie*; **alle sei meno un quarto** *à 6 h moins le quart*; **alle sette meno un quarto** *à 7 h moins le quart*; **all'una** *à 1 h*; **all'una e un quarto** *à 1 h et quart*; **all'una e mezza** *à 1 h et demie*

1 A che ora apre il tabaccaio?
À quelle heure ouvre le bureau de tabac ?

Comment **B** dit-il « À huit heures » ?

A Scusi, signore, a che ora apre il tabaccaio?
B Alle otto.
A E a che ora chiude?
B Alle dodici.

 Les jours de la semaine

Répétez la liste des jours de la semaine **i giorni della settimana** en faisant particulièrement attention à la place de l'accent tonique.
lunedì, martedì, mercoledì, giovedì, venerdì, sabato, domenica.

2 Che giorno parte? *Quel jour partez-vous ?*

Il tabaccaio (*le buraliste*) demande à **il dottore**, qui est un client régulier, quel jour il compte partir pour Paris.

Quels sont les équivalents des mots « matin » et « soir » qui apparaissent dans le dialogue ?

Tabaccaio Che giorno parte per Parigi? Giovedì o venerdì?
Dottore Giovedì.
Tobaccaio Quando ritorna?
Dottore Parto giovedì mattina e ritorno domenica sera.

Répétez maintenant cette liste de nombres.

1000	2000	20,000	120,000	220,000
mille	**duemila**	**ventimila**	**centoventimila**	**duecentoventimila**

Attenzione! Le pluriel de **mille** (1000) est **mila. Cento** (100) est invariable : **duecento** (200); **seicento** (600), etc.

L'**euro** est divisé en 100 **centesimi** : **10,20** se dit **dieci euro e venti centesimi** ou, plus communément, **dieci euro e venti**.

Pour les nombres de 60 à 100, voir p. 58.

 3 Vorrei tre francobolli *Je voudrais trois timbres*

Le docteur achète ensuite trois timbres, des cartes postales et des journaux.

a Quel est le prix du timbre ci-dessous ?
b Comment **il tabaccaio** dit-il : « Voulez-vous celles-ci ? »
c Combien de cartes postales et combien de journaux **il dottore** veut-il acheter ?

Dottore	Vorrei tre francobolli.
Tabaccalo	Per l'estero?
Dottore	Sì. Per la Francia. E tre cartoline.
Tabaccaio	Queste sono belle. Vuole queste?
Dottore	Sì. E questi due giornali.
Tabaccaio	E poi...?
Dottore	Nient'altro, grazie. Quant'è?
Tabaccaio	I giornali, €1,76; le cartoline, €1,20; i francobolli, €1,23.
Dottore	Mi dispiace, non ho spiccioli. Ho solo un biglietto da cinquanta.
Tabaccaio	Non importa. Ecco il resto.
Dottore	Grazie. Buonasera.

per l'estero	*pour l'étranger*
la cartolina	*la carte postale*
il giornale	*le journal*
nientr'altro	*rien d'autre, c'est tout*
non ho spiccioli	*je n'ai pas de monnaie*
solo	*seulement*
un biglietto	*un billet (de banque)*
non importa	*ça ne fait rien, ce n'est pas grave*

d Regardez les billets ci-dessous. Avec lequel **il dottore** a-t-il payé : **i, ii, iii** ou **iv** ?

i

ii

iii

iv

Fontana di Trevi

e È una cartolina di Londra o di Roma?

4 A che ora aprono i negozi?

À quelle heure les magasins ouvrent-ils ?

a Comment **A** dit-il « Vous êtes bien aimable » ?

b Écrivez en chiffres l'heure à laquelle les magasins ouvrent et celle à laquelle ils ferment.

A Scusi, a che ora aprono i negozi la mattina?

B Alle nove.

A E a che ora chiudono?

B All'una.
A E di pomeriggio?
B Aprono alle quattro e chiudono alle otto.
A Grazie. Molto gentile.
B Prego. Si figuri!

di pomeriggio	*l'après-midi*
si figuri!	*de rien !, je vous en prie !*
molto gentile	*vous êtes très aimable*

5 Vorrei un vestito *Je voudrais une robe*

a Comment **la commessa** (*vendeuse*) dit-elle : « Vous désirez ? »
b Comment la cliente dit-elle : « Combien coûte-t-elle ? »
c Comment dit-elle : « Le chemisier est trop cher » ?

Commessa Buongiorno, signora. Desidera?
Cliente Vorrei un vestito e una camicetta.
Commessa Di che colore, signora?
Cliente Il vestito? Bianco o nero.
Commessa Che taglia?
Cliente La quaranta.
Commessa Ecco: questo nero è semplice, ma elegante.
Cliente Infatti. È molto carino. Lo posso provare?
Commessa Certo, signora. Di qua, prego.
Cliente Sì. Questo va bene. Quanto costa?
Commessa Cinquantanove euro. Non costa molto.
Cliente No. Non è caro.
Commessa E la camicetta, signora? Non vuole la camicetta?
Cliente No. La camicetta è troppo cara.

un vestito	*une robe*
una camicetta	*un chemisier*
bianco/a, nero/a	*blanc/blanche, noir(e)*
che taglia?	*quelle taille ?*
carino/a	*joli(e)*
Lo posso provare?	*Je peux l'essayer ?*
Di qua, prego	*Par ici, s'il vous plaît*
Questo va bene	*Celle-ci va bien*

6 Quanto costano queste scarpe? *Combien coûtent ces chaussures ?*

a Comment **il cliente** dit-il : « Je voudrais une paire de sandales marron » ?
b Comment **il commesso** dit-il : « Quelle pointure » ?

Cliente	Scusi, quanto costano queste scarpe?
Commesso	Centosessanta euro.
Cliente	Sono bellissime! Ma sono troppo care. Prendo un paio di sandali marroni.
Commesso	D'accordo. Che numero?
Cliente	Il quarantuno.
Commesso	Ecco...
Cliente	Sì. Sono proprio comodi.
Commesso	Desidera altro, signore?
Cliente	No, grazie. Quant'è?
Commesso	Paga alla cassa.

d'accordo	*d'accord, très bien*
proprio comodo/a	*très confortable*
Paga alla cassa.	*Vous devez payer à la caisse.*

Prononciation

Consonnes (suite)

gu devant une voyelle se prononce comme dans *bara**gou**iner* : lin**gu**a, **gu**ida, **gu**anto

qu devant une voyelle se prononce comme dans *a**qu**atique* : **qu**i, ac**qu**a, **qu**arto, **qu**aranta

Soulignez, dans les mots suivants, la syllabe qui porte l'accent tonique : **lunedì, sabato, domenica, aprono, chiudono** (solutions p. 297).

Grammaire

1 Présent (verbes réguliers en *-ere* et *-ire*)

Comme pour les verbes en **-are**, on ajoute les terminaisons en gras au radical, obtenu en supprimant le **-ere** ou le **-ire** de l'infinitif. Comparez les terminaisons pour **lei**, **voi** et **loro** avec celles des verbes en **-are** (p. 30).

Prendere *prendre* se conjugue comme **chiudere**. **Sentire** *entendre* ou *sentir* et **partire** *partir* se conjuguent comme **aprire**.

Présent **chiud-ere** *fermer* (verbe régulier en **-ere**)		
(io)	**chiud-o**	*je ferme*
(tu)	**chiud-i**	*tu fermes*
(lei)	**chiud-e**	*vous fermez (vouvoiement singulier)*
(lui, lei)	**chiud-e**	*il, elle ferme*
(noi)	**chiud-iamo**	*nous fermons*
(voi)	**chiud-ete**	*vous fermez (pl)*
(loro)	**chiud-ono**	*ils, elles ferment*

Présent **apr-ire** *ouvrir* (verbe régulier en **-ire**)		
(io)	**apr-o**	*j'ouvre*
(tu)	**apr-i**	*tu ouvres*
(lei)	**apr-e**	*vous ouvrez (vouvoiement singulier)*
(lui, lei)	**apr-e**	*il, elle ouvre*
(noi)	**apr-iamo**	*nous ouvrons*
(voi)	**apr-ite**	*vous ouvrez (pl)*
(loro)	**apr-ono**	*ils, elles ouvrent*

2 A che ora...? *À quelle heure... ?*

Pour dire *à deux heures, trois heures, quatre heures*, etc. jusqu'à *midi*, on emploie **alle** : **alle due, alle tre, alle quattro, alle dodici**. Pour dire *à midi*, on peut dire soit **alle dodici**, soit **a mezzogiorno**. *À minuit* se traduit par **a mezzanotte**. *À une heure* se dit **all'una** ; *vers une heure* se dit **verso l'una**.

Ci vediamo verso l'una, verso le due, ecc.	*On se retrouve vers une heure, deux heures, etc.*

3 Di che colore...? *De quelle couleur... ?*

azzurro *bleu*	**bianco** *blanc*	**giallo** *jaune*
grigio *gris*	**nero** *noir*	**rosso** *rouge*

il vestit**o** giall**o**	*la robe jaune*
i vestit**i** giall**i**	*les robes jaunes*
la gonn**a** ross**a**	*la jupe rouge*
le gonn**e** ross**e**	*les jupes rouges*

Pour dire « de quelle couleur est/sont... ? » :
Di che colore è?/Di che colore sono?

Di che colore è la giacca?	*De quelle couleur est la veste ?*
Di che colore sono i guanti?	*De quelle couleur sont les gants ?*

La giacca è grigi**a** e i guant**i** sono ner**i**.	*La veste est grise et les gants sont noirs.*

Les adjectifs de couleur se terminant par **-e** au singulier (m. et f.), comme **verde** *vert* et **marrone** *marron*, se terminent en **-i** au pluriel (m. et f.).

Singulier			Pluriel	
il vestito	*robe, costume*	verd**e**/marron**e**	**i** vestit**i**	verd**i**/marron**i**
la maglietta	*T-shirt*		**le** magliett**e**	

Les adjectifs de couleur suivants restent invariables au pluriel : **beige** *beige* **blu** *bleu marine* **rosa** *rose* **viola** *violet(te)*.

4 Quant'è? *Ça fait combien ?*

Quant'è est la forme contractée de **quanto è**. Elle s'utilise notamment lorsqu'on achète plusieurs choses et que l'on veut connaître le montant total :

Quant'è (in tutto)?	*Ça fait combien (en tout) ?*

5 Un paio, due paia *Une paire, deux paires*

Le pluriel de **paio** (m.) *paire* est **paia** (f.) : **un paio** mais **due paia**.

un paio di guanti	*une paire de gants*
due paia di scarpe	*deux paires de chaussures*

6 Combien est-ce que ça coûte ?

Veillez à bien utiliser le pluriel **costano** lorsque vous demandez le prix de plusieurs articles :

Quanto costa il vestito?	*Combien coûte la robe/le costume ?*
Quanto costano queste scarpe?	*Combien coûtent ces chaussures ?*

7 Très

Il existe une façon très italienne de dire *très* : on remplace la voyelle finale de l'adjectif par **-issimo/a** au singulier et **-issimi/e** au pluriel :

bello/a → bell- → bellissimo/a	*très beau/belle*
caro/a → car- → carissimo/a	*très cher/chère*
una camicia bellissima	*une très belle chemise*
due quadri carissimi	*deux tableaux très chers*

8 Je n'ai pas de...

Dans les phrases négatives, telles que *je n'ai pas de monnaie*, *je n'ai pas d'amis*, le *de/d'* français n'a pas d'équivalent :

Non ho spiccioli.	*Je n'ai pas de monnaie.*
Non ho soldi.	*Je n'ai pas d'argent.*

Dans les questions négatives, le *de/d'* peut se traduire ou non :

Non ha (degli) amici italiani?	*Vous n'avez pas d'amis italiens ?*

9 Les pays

Tout comme en français, les noms de pays sont précédés en italien de l'article défini :

L'Italia ha circa 60 milioni di abitanti.	*L'Italie a environ 60 millions d'habitants.*
Vorrei due francobolli per la Svizzera.	*Je voudrais deux timbres pour la Suisse.*

10 Comment écrire les nombres

Notez que les nombres s'écrivent toujours en un seul mot, même s'ils sont très longs :

Quant'è? Centoventisei euro.	*Ça fait combien ? 126 euros.*
centomila persone	*cent mille personnes*

11 À bientôt !

Ci vediamo signifie, mot à mot, *nous allons nous rencontrer*.

Ci vediamo	**stamattina** **dopo** **oggi** **stasera**	*À*	*plus tard, dans la matinée* *tout à l'heure* *plus tard, dans la journée* *ce soir*

Autres exemples avec **ci vediamo** :

Ci vediamo	**domani** **dopodomani**	**mattina**	*À*	*demain* *après-demain*	*matin*
	lunedì **martedì**	**pomeriggio** **sera**		*lundi* *mardi*	*après-midi* *soir*

12 Prépositions

Voici une liste de prépositions employées en italien. Les équivalents français qui figurent en regard sont approximatifs, d'autant que le sens peut varier considérablement selon le contexte ; ils peuvent toutefois aider à la compréhension :

di	*de*	**a**	*à*	**da**	*de, par*
in	*en, dans*	**con**	*avec*	**su**	*sur*
per	*pour*	**tra/fra**	*entre, parmi*	**senza**	*sans*

Comment dit-on... ?

1 Comment demander à quelle heure ouvre/ferme un endroit	**A che ora apre/chiude?**
Comment dire à quelle heure il ouvre/ferme	**Apre/chiude alle.../all'.../a...**
2 Comment demander à quelqu'un quel jour il compte partir	**Che giorno parti** (tutoiement)/ **parte** (vouvoiement)?
Comment dire quel jour vous comptez partir	**Parto lunedì/giovedì, ecc.**
3 Comment dire ce que vous désirez (acheter)	**Vorrei una cartolina, un francobollo, ecc.**
4 Comment se renseigner sur...	
le coloris	**Di che colore?**
la taille	**Che taglia?**
la pointure	**Che numero?**
5 Comment demander le prix d'un ou plusieurs articles	**Quanto costa?/Quanto costano?**
Comment demander quel est le montant total	**Quant'è?**

Exercices

a CONSOLATO

b BANCA

c MUSEO

d 

e GRANDI MAGAZZINI

1 Notez en chiffres les horaires d'ouverture et de fermeture des cinq établissements donnés.

a La mattina il consolato apre alle nove e mezza e chiude all'una.
b Il pomeriggio la banca apre alle tre e chiude alle quattro.
c Il museo apre alle nove e chiude alle due.
d L'Istituto Europeo apre alle nove e chiude all'una e mezza.
e I grandi magazzini aprono alle nove e chiudono alle sette e mezza.

2 Faites correspondre les mots ci-dessous et les illustrations qui leur correspondent. Consultez le lexique si vous ne connaissez pas certains mots.

i jeans	**la camicia**
i pantaloni	**le scarpe**
la gonna	**i sandali**
la camicetta	**la cravatta**
la giacca	**la maglietta**
i guanti	**il vestito**

3 Demandez **a** combien coûte le T-shirt ; **b** combien coûte le pantalon ; **c** combien coûtent les chaussures. Écrivez en toutes lettres le prix de chacun des articles.

4 **a** Notez ce qu'a acheté **Carlo** en vous aidant du tableau ci-dessous. Les vêtements qu'il a achetés figurent dans la colonne de gauche. Les chiffres correspondent au nombre d'articles achetés. En haut du tableau, vous trouverez les coloris que **Carlo** a choisis (**comprare** *acheter*).

	rosso	giallo	nero	verde
maglietta	1	3		
cravatta		1		1
paio di scarpe			2	
paio di pantaloni		1		1

Commencez par : **Carlo compra una...**

b En supposant que **Carlo** a payé les prix donnés p. 47, quel est le montant total de ses achats ?

5 **Ora tocca a te!** Complétez la partie du dialogue qui vous correspond.

Tabaccaio Desidera?
Vous *Deux timbres.*
Tabaccaio Per l'estero?
Vous *Oui. Pour la France.*
Tabaccaio Altro?
Vous *Une carte postale de Rome et ce journal.*
Tabaccaio Poi...
Vous *C'est tout. Ça fait combien ?*
Tabaccaio Due euro e dieci.
Vous *Voilà.*

6 Que signifient à votre avis les mots **CHIUSO**, **APERTO** et **SALDI** sur les écriteaux ci-dessous ? Vous pouvez vérifier dans le lexique.

7. Regardez cette publicité et cherchez dans le lexique les mots que vous ne connaissez pas. Sur quels articles porte la promotion ? Quand aura-t-elle lieu ?

ⓘ Les prix

Dans les marchés et les petits commerces on peut souvent marchander ou demander une remise, à moins qu'un écriteau ne signale que les prix sont fixes (**prezzi fissi**).

ⓘ *Tabaccaio* Bureau de tabac

En Italie, la vente du tabac et du sel sont des monopoles d'État. On les trouve tous deux dans les bureaux de tabac, **Sali e Tabacchi** qui vendent également des timbres. On peut aussi y acheter **carta bollata** et **marche da bollo**. La **carta bollata** est un papier timbré officiel qui sert à diverses opérations administratives, par exemple l'établissement de contrats. Les **marche da bollo** sont des timbres fiscaux que l'on appose entre autres sur les reçus officiels.

05

il colloquio

l'entretien d'embauche

Dans ce chapitre vous apprendrez à :

- parler de l'endroit où vous vous rendez (pays, ville)
- demander pourquoi... et dire parce que…
- demander et dire comment s'écrit un mot
- demander et dire l'heure
- demander les coordonnées de quelqu'un

 1 Dove vai? *Où vas-tu ?*

Barbara dit à son amie **Beatrice** qu'elle va à Bologne pour y passer un entretien d'embauche (**il colloquio**).

a Comment Barbara dit-elle : « Je vais à Bologne » ?
b Comment Barbara dit-elle : « En train » ?
c Comment Beatrice dit-elle : « Pour dix jours seulement » ?

Beatrice	Dove vai?
Barbara	Vado a Bologna per un colloquio.
Beatrice	Come vai? In macchina?
Barbara	In treno. Ma anche tu parti, no?
Beatrice	Sì. Vado in Inghilterra con la mia amica francese. Andiamo a Londra.
Barbara	Per quanto tempo?
Beatrice	Oh! Solo per dieci giorni.
Barbara	Andate in albergo o a casa di amici?
Beatrice	Andiamo in una piccola pensione. Gli alberghi sono cari.

in macchina	*en voiture*
in treno	*en train*
andiamo	*nous allons*
per quanto tempo?	*pour combien de temps ?*
a casa di amici	*chez des amis*
una pensione	*une pension*

 2 Quanto tempo ci vuole? *Combien de temps faut-il ?*

Barbara demande à **un passante** *un passant* s'il sait où se trouve l'usine de chaussures.

a Elle demande son chemin d'une façon légèrement différente de celle que vous avez apprise précédemment : notez la différence puis répétez la question.

b Comment **il passante** dit-il : « Ce n'est pas loin » ?

Barbara	Scusi, sa dov'è la fabbrica di scarpe?
Passante	Certo, signora. Sempre dritto dopo la chiesa.
Barbara	È lontano da qui?
Passante	No. Non è lontano. È vicino.
Barbara	Quanto tempo ci vuole?

Passante	A piedi, mezz'ora.
Barbara	E in autobus?
Passante	Solo cinque minuti.
Barbara	Ho capito. Che ore sono adesso, per piacere?
Passante	Sono le dieci.
Barbara	Già le dieci? Allora prendo l'autobus.

FERMATA
7 PIAZZA CAVOUR **19** DUOMO

c Qu'est-ce que **una fermata** ?

la chiesa	*l'église*
lontano	*loin*
a piedi	*à pied*
mezz'ora	*une demi-heure*
Che ore sono?	*Quelle heure est-il ?*
adesso	*maintenant*
già	*déjà*

3 Il suo nome? *Votre nom ?*

Barbara passe un entretien avec **il dottor Verga, Direttore del Personale** *directeur du personnel.*

a Quelle expression emploie-t-il pour lui demander d'épeler son nom ?
b Comment Barbara dit-elle : « Mon mari est suisse » ?
c Comment dit-elle : « Je comprends tout » ?

Dottor Verga	Il suo nome, signora?
Barbara	Barbara Setzler.
Dottor Verga	Setzler?... Come si scrive?
Barbara	Dunque: S come Salerno, E come Empoli, T come Torino, Z come Zara, L come Livorno, E come Empoli, R come Roma.
Dottor Verga	Non è italiana?
Barbara	Sì. Sono italiana. Mio marito è svizzero.
Dottor Verga	Capisce l'inglese?
Barbara	Capisco tutto, ma non parlo bene.

Come si scrive?	Comment est-ce que cela s'écrit ?
marito	mari
tutto	tout

 4 Qual è il suo indirizzo? *Quelle est votre adresse ?*

L'entretien se poursuit. **Barbara** donne son lieu de naissance.

a Comment dit-elle : « Je suis née à Lucca, mais j'habite Sienne » ?
b Comment **il dott. Verga** dit-il : « Combien de langues parlez-vous ? »

Dottor Verga	Dove abita?
Barbara	Sono nata a Lucca, ma abito a Siena.
Dottor Verga	Dove lavora?
Barbara	A Firenze: in uno studio legale.
Dottor Verga	Perché vuole cambiare il suo lavoro attuale?
Barbara	Perché vorrei usare le lingue che conosco.
Dottor Verga	Quante lingue parla?
Barbara	Quattro. Tre abbastanza bene.
Dottor Verga	Qual è il suo indirizzo?
Barbara	Via Lazio 68.
Dottor Verga	E il numero di telefono?
Barbara	Il mio numero di telefono è 0577 3355541.

il studio legale	le cabinet d'avocat
Perché vuole cambiare...?	Pourquoi voulez-vous changer de... ?
cambiare	changer (de)
attuale	actuel(le)
le lingue che conosco	les langues que je parle
abbastanza bene	assez bien

 Prononciation

L'alphabet italien comprend 21 lettres : a, b, c, d, e, f, g, h, i , l, m, n, o, p, q, r, s, t, u, v, z. Pour épeler les noms, on fait généralement référence à l'initiale d'un nom de ville :

a	**A come Ancona**	h	**Acca come Hotel**	q	**Cu come Quebec**
b	**Bi come Bari**	i	**I come Imola**	r	**Erre come Roma**
c	**Ci come Capri**	l	**Elle come Livorno**	s	**Esse come Salerno**
d	**Di come Domodossola**	m	**Emme come Modena**	t	**Ti come Torino**
e	**E come Empoli**	n	**Enne come Napoli**	u	**U come Urbino**
f	**Effe come Firenze**	o	**O come Ostia**	v	**Vi come Verona**
g	**Gi come Genova**	p	**Pi come Palermo**	z	**Zeta come Zara**

Les lettres suivantes ne font pas partie de l'alphabet italien mais peuvent servir à épeler des noms d'origine étrangère :

j I lunga come Jazz
k Kappa come Kaiser
y Ipsilon come York
w Doppia vu come Washington
x Ix come raggi X

Grammaire

1 Verbes

La forme **vai** *tu vas*, qui apparaît dans le Dialogue 1 (p. 51), fait partie du verbe irrégulier **andare** *aller*.

Présent	**andare**	*aller*			
(io)	**vado**	*je vais*	**(noi)**	**andiamo**	*nous allons*
(tu)	**vai**	*tu vas*	**(voi)**	**andate**	*vous allez (pl)*
(lei)	**va**	*vous allez (vouvoiement singulier)*			
(lui, lei)	**va**	*il/elle va*	**(loro)**	**vanno**	*ils/elles vont*

Capisce est une forme du verbe **capire** *comprendre*. Il s'agit d'un autre type de verbe en **-ire** où les désinences en gras s'ajoutent au radical, **cap-**.

Présent	**capire**	*comprendre*			
(io)	**cap-isco**	*je comprends*	**(noi)**	**cap-iamo**	*nous comprenons*
(tu)	**cap-isci**	*tu comprends*	**(voi)**	**cap-ite**	*vous comprenez (pl)*
(lei)	**cap-isce**	*vous comprenez (vouvoiement singulier)*			
(lui, lei)	**cap-isce**	*il/elle comprend*	**(loro)**	**cap-iscono**	*ils/elles comprennent*

Les verbes les plus courants conjugués sur le modèle de **capire** sont : **finire** *finir*, **preferire** *préférer* et **pulire** *nettoyer*.

> fin-**isco**, fin-**isci**, fin-**isce**, fin-**iamo**, fin-**ite**, fin-**iscono**; prefer-**isco**, prefer-**isci, ecc.**; pul-**isco**, pul-**isci, ecc**.

Ho capito (mot à mot : *J'ai compris*) est l'expression la plus communément employée pour dire que l'on comprend son interlocuteur :

Ripeto?	*Je répète ?*
No, no. Va bene. Ho capito.	*Non, non. C'est bon.* *Je comprends* ou *j'ai compris.*

2 Andare a/in... *Aller à...*

Avec les noms de ville, on emploie **andare a...** ; avec les pays, on emploie **andare in...**

Vado a Nizza, a Pisa...	Je vais à Nice, à Pise...
Andiamo in Italia, in Francia, in Portogallo, ecc.	Nous allons en Italie, en France, au Portugal, etc.

3 Articles : gli *les*

Gli (pluriel de **lo** et de **l'**) s'emploie devant les mots masculins pluriels commençant par une voyelle, un **s** + consonne ou un **z** :

Singulier		Pluriel	
		amici	*les amis*
l' + voyelle		**alberghi**	*les hôtels*
	gli	**uffici**	*les bureaux*
lo + s + consonne		**studenti**	*les étudiants*
		stranieri	*les étrangers*
lo + z		**zii**	*les oncles*

amico *ami* devient **amici** au pluriel, mais **amica** *amie* devient **amiche** au pluriel.

Attention aux mots se terminant par **-co, -ca, -go, -ga**. Il est souvent nécessaire d'ajouter un **h** au pluriel pour conserver le son **c** ou **g** du singulier (voir *Prononciation*, Chapitre 2) : **la banca, le banche** (*les banques*) ; **il lago, i laghi** (les lacs).

4 Pourquoi...? Parce que...

Perché signifie à la fois *pourquoi* et *parce que* :

Perché non va in albergo?	*Pourquoi est-ce que vous n'allez pas à l'hôtel ?*
Perché gli alberghi sono cari.	*Parce que les hôtels sont chers.*

5 Excusez-moi, savez-vous où se trouve... ?

De même qu'en français, l'expression **Scusi, sa dov'è...?** est fréquemment employée comme équivalent de **Dov'è...?**

6 Combien de temps faut-il ?

Quanto tempo ci vuole? sert à demander combien de temps il faut pour faire quelque chose, et **Ci vuole...** sert à dire combien de temps il faut :

Quanto tempo ci vuole per andare a casa di Maria?	Combien de temps faut-il pour aller chez Maria ?
Ci vuole un'ora.	Il faut une heure.
Ci vuole un quarto d'ora.	Il faut un quart d'heure.

Avec un nom au pluriel : **ore** *heures*, **minuti** *minutes*, **giorni** *jours*, etc., **ci vuole** devient **ci vogliono**.

Quanto tempo ci vuole per ritornare?	Combien de temps faut-il pour rentrer ?
Ci vogliono cinque minuti.	Il faut cinq minutes.

7 Quelle heure est-il ?

Pour demander l'heure, on peut dire soit **Che ora è?** soit **Che ore sono?**, mais la réponse dépendra du nombre d'heures. On emploie toujours **sono le...** dans la réponse, à moins qu'il ne soit *une heure*, *midi* ou *minuit*. **Sono le due, sono le cinque, sono le sei,** mais **è l'una e mezza, è mezzogiorno, è mezzanotte**.

Les pendules (**gli orologi**) ci-dessous illustrent l'emploi de **e** (*et*) et de **meno** (*moins*).

meno		e
11.40 Sono le dodici **meno** venti	**12.00** Sono le dodici È { mezzogiorno / mezzanotte	**12.05** Sono le dodici **e** cinque
12.45 È l'una **meno** un quarto	**1.00** È l'una	**1.15** È l'una **e** un quarto
2.45 Sono le tre **meno** un quarto	**3.00** Sono le tre	**5.30** Sono le cinque **e** mezza
5.50 Sono le sei **meno** dieci	**11.00** Sono le undici	**4.20** Sono le quattro **e** venti

8 Les moyens de transport

andare in/a...	*aller en/à...*		
Vado in	**aereo** **autobus** **bicicletta** **macchina** **metropolitana** **treno** **vaporetto**	*Je vais en*	*avion* *bus* *vélo* *voiture* *métro* *train* *bateau*
mais... **Vado a piedi**		*Je vais à pied*	

9 Adjectifs possessifs

Lorsqu'on parle d'***un seul membre*** de sa famille (**mio fratello, sua sorella ecc.**; voir Chapitre 3, p. 32), **mio, tuo, ecc**. ne sont pas précédés de l'article ; seule exception : **loro** (**il loro fratello, la loro sorella ecc.**) Dans tous les autres cas, l'article défini est obligatoire et doit se placer avant le possessif :

Le mie sorelle e i tuoi fratelli vanno a casa. *Mes sœurs et tes frères rentrent à la maison.*

Voici les adjectifs possessifs correspondant aux trois premières personnes du singulier :

Singulier			Pluriel		
	Masc.	Fém.	Masc.	Fém.	
(io)	**il mio**	**la mia**	**i miei**	**le mie**	*mon, ma, mes*
(tu)	**il tuo**	**la tua**	**i tuoi**	**le tue**	*ton, ta, tes*
(lui/lei)	**il suo**	**la sua**	**i suoi**	**le sue**	*son, sa ; votre, vos* (vouvoiement singulier)

il mio orologio; il suo orologio ma montre ; sa montre
la mia città; la sua città ma ville ; sa ville ; votre ville
i miei amici; i suoi amici mes amis ; ses amis ; vos amis
le mie amiche; le sue amiche mes amies ; ses amies ; vos amies

10 Je suis né(e) à...

Dov'è nato/a? *Où êtes-vous né(e) ?*
Sono nato/a a Roma. *Je suis né(e) à Rome.*

11 Comment est-ce que cela s'écrit ?

Pour demander l'orthographe d'un mot, on dit en italien **Come si scrive?** Le **si** impersonnel s'emploie fréquemment en italien, de même que le *on* ou le *se* français.

Come si dice in italiano?	*Comment est-ce que cela se dit en italien ?*
Qui si parla francese.	*Français parlé.* (Mot à mot : *ici on parle français*)
In questo ristorante si mangia bene.	*On mange bien dans ce restaurant.*

Comment dit-on... ?

1	*Où allez-vous ?* *Où vas-tu ?* *Je vais à...* (pays, ville)	**Dove va?** **Dove vai?** **Vado in Italia, a Genova.**
2	*Pourquoi... ?* *Parce que...*	**Perché...?** **Perché...**
3	*Comment est-ce que cela s'écrit ?*	**Come si scrive?**
4	*Quelle heure est-il ?* *Il est...*	**Che ora è?/Che ore sono?** **È l'una.../Sono le due...**
5	Comment demander ses coordonnées à quelqu'un	**Qual è il suo** (vouvoiement)**/il tuo** (tutoiement) **indirizzo?** **Qual è il suo** (vouvoiement)**/il tuo** (tutoiement) **numero di telefono?**

À partir de ce chapitre, seule la forme **lei** (vouvoiement singulier) apparaîtra dans le paragraphe *Comment dit-on... ?*, sauf si le **tu** est plus adapté à notre propos.

Exercices

1 Les chiffres et les nombres (suite)

Dites tout d'abord à haute voix les chiffres ronds compris entre 60 et 100.

60	70	80	90	100
sessanta	**settanta**	**ottanta**	**novanta**	**cento**

Puis entraînez-vous à prononcer les nombres suivants.

61	68	82	88	91
sessantuno	**sessantotto**	**ottantadue**	**ottantotto**	**novantuno**

97	98	99	100
novantasette	**novantotto**	**novantanove**	**cento**

Pour finir, voici la liste des adjectifs numéraux ordinaux de 5 à 10. Répétez-les aussi.

5ème	6ème	7ème	8ème	9ème	10ème
quinto/a	**sesto/a**	**settimo/a**	**ottavo/a**	**nono/a**	**decimo/a**

2 Dans les huit adresses ci-dessous, les numéros de rue sont écrits en toutes lettres. Écrivez-les en chiffres.

a Via Nazionale settantasei
b Via Quattro Novembre ottantacinque
c Via Cavour sessantotto
d Via Martelli settantanove
e Via Romolo centosettanta
f Via Mercuri centonovantotto
g Via Vittorio Emanuele centosettantasette
h Via Terni centodue

3 Dites où vont **Carlo**, **Roberto**, etc., et comment ils se rendent à leur destination (pp. 55 et 57).

a **Carlo** ____ in ufficio ____.

b **Roberto** ____ Parigi ____.

c **Franco** ____ Roma ____.

d **Anna** ___ a casa ___.

e **I bambini** —— a scuola ___.

f **Francesca** ___ Milano ___.

4 Imaginez maintenant une conversation avec **Carlo** : vous pourriez par exemple adapter les renseignements de l'exercice 3 en faisant les questions et les réponses :

– Dove vai, Carlo? – Vado in ufficio.
– Come vai? – In bicicletta.

Écrivez une conversation du même type avec **Franco**, **Anna** et **Francesca**.

5 Écrivez les heures ci-dessous en toutes lettres, en commençant par **È...** ou **Sono...** (voir p. 56):

a 10.05 **b** 12.45 **c** 2.50 **d** 3.20 **e** 5.45 **f** 6.30
g 12.00 (midi) **h** 12.00 (minuit)

6 **Ora tocca a te!** Vous passez un court entretien avec **i dirigenti** *la direction*. Vous êtes Patricia Brun, vous avez 33 ans et vous êtes Suisse. Vous travaillez dans **un'agenzia di viaggi** *une agence de voyages*. Complétez la partie du dialogue qui vous correspond.

Dirigente Il suo nome?
Vous *Patricia Brun.*
Dirigente Brun? Come si scrive?
Vous *Épelez votre nom.*
Dirigente È francese, vero?
Vous *Non. Je suis suisse, mais je vis à Paris.*
Dirigente Quanti anni ha?
Vous *J'ai 33 ans.*
Dirigente Che lavoro fa?
Vous *Je travaille dans une agence de voyages.*
Dirigente Parla inglese e tedesco?
Vous *Je comprends tout mais je ne parle pas bien.*

7 De quoi traite ce guide ?

ⓘ Les autobus

L'autobus est le **moyen de transport** le plus courant dans les villes italiennes, même s'il existe encore des tramways et des trolleybus. Si vous n'avez pas de billet au moment de monter dans l'autobus, vous êtes passible d'une amende (**la multa**). Les billets s'achètent à l'avance, normalement par carnets de 10 (**un blocchetto**), dans les bureaux de tabac, les marchands de journaux ou les bars. Dans les villes, les billets sont également vendus individuellement.

ⓘ D'autres sites Internet

http://www.lucca.turismo.toscana.it
http://www.siena.turismo.toscana.it

06

alla stazione

à la gare

Dans ce chapitre vous apprendrez à :

- acheter un billet de train et réserver une place
- demander l'horaire de départ du prochain train, etc.
- demander de quel quai il part
- demander s'il y a un changement et où vous devez changer

 1 A che ora parte il prossimo treno? *À quelle heure part le prochain train ?*

À la gare, **un viaggiatore** *un voyageur* est en train d'acheter un billet pour Turin.

a Comment **l'impiegato** *l'employé (des réservations)* dit-il « à 3 h 25 » ?
b Comment **il viaggiatore** dit-il : « De quel quai ? »

Viaggiatore	Vorrei un biglietto per Torino.
Impiegato	Prima o seconda classe?
Viaggiatore	Prima classe. A che ora parte il prossimo treno?
Impiegato	Alle quindici e venticinque. Fra dieci minuti.
Viaggiatore	Da che binario?
Impiegato	Dal binario diciotto.
Viaggiatore	A che ora arriva a Torino?
Impiegato	Alle venti e cinquanta.
Viaggiatore	Devo cambiare?
Impiegato	No. È diretto. Guardi, signore, l'orario dei treni è là in fondo.

prossimo/a	*prochain(e)*
fra dieci minuti	*dans dix minutes*
Da che/quale binario?	*De quel quai ?*
Guardi...	*Regardez...*
Devo cambiare?	*Est-ce que je dois changer ?*
l'orario dei treni	*l'horaire des trains*
là in fondo	*là-bas*

 2 Vorrei prenotare... *Je voudrais réserver...*

À la gare, un homme s'apprête à réserver trois places pour le lendemain matin, mais une grève (**sciopero**) est annoncée.

a Comment **A** dit-il : « Trois places pour demain matin » ?
b Vous connaissez maintenant les deux sens des mots **espresso** et **biglietto** : quels sont-ils ?

A Vorrei prenotare tre posti per domani mattina.
B Domani? Impossibile!
A Perché impossibile?
B Perché domani c'è sciopero.

A Un altro sciopero? Ci sono sempre scioperi. Tre posti per dopodomani, allora.
B C'è un espresso alle dieci e quaranta.
A Va bene. Tre biglietti, andata e ritorno.

ci sono sempre...	*il y a toujours des...*
meglio	*mieux*
dopodomani	*après-demain*
andata e ritorno	*aller et retour*

3 C'è un treno diretto...?
Est-ce qu'il y a un train direct... ?

Un voyageur souhaite se rendre à Florence et demande l'horaire des trains (**l'orario dei treni**) au guichet des renseignements (**Ufficio Informazioni**).

a Comment **l'impiegato** dit-il : « Il a deux minutes de retard » ?
b « Le train part du quai 9. » Quel est l'équivalent de cette phrase en italien ?

Viaggiatore C'è un treno diretto per Firenze o devo cambiare?
Impiegato Se vuole prendere l'espresso, deve aspettare tre ore, fino alle diciotto e quarantacinque.
Viaggiatore Non c'è un treno prima delle sette meno un quarto?
Impiegato L'Eurostar. Ma deve cambiare a Bologna.
Viaggiatore È in orario l'Eurostar?
Impiegato No. È in ritardo di due minuti.
Viaggiatore Meno male! Da quale binario parte?
Impiegato È in partenza dal binario nove. Se ha già il biglietto, può pagare il supplemento in treno.

Se vuole prendere...	*Si vous voulez prendre...*
aspettare	*attendre*
fino a	*jusqu'à*
prima di	*avant*
in orario/in ritardo	*à l'heure/en retard*
meno male!	*heureusement !, tant mieux !*
può pagare	*vous pouvez payer*

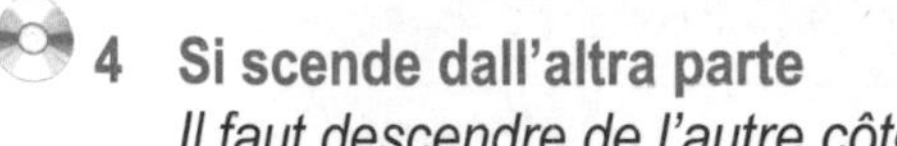

4 Si scende dall'altra parte
Il faut descendre de l'autre côté

Il signor Neri demande à un autre passager si le bus (**l'autobus**) qu'ils ont pris dessert la gare centrale.

a Comment **il sig. Neri** dit-il : « Où est l'arrêt du bus numéro 68 ? »
b Comment **il passeggero** dit-il : « Je descends aussi au prochain arrêt » ?
c Quelles sont les trois traductions de « s'il vous plaît » que vous avez rencontrées jusqu'à présent ?

Sig. Neri Va alla stazione centrale quest'autobus, per favore?
Passeggiero No, signore. Deve prendere il 68.
Sig. Neri E dov'è la fermata del 68, per cortesia?
Passeggiero Davanti all'università. Dopo il municipio.
Sig. Neri Grazie. Può dirmi quando devo scendere?
Passeggiero Certamente. Alla prossima fermata.
Sig. Neri Ho capito. Scendo e vado davanti all'università.
Passeggiero Guardi, alla prossima fermata scendo anch'io.
Sig. Neri Allora scendiamo insieme. Si scende da qui?
Passeggiero No. Si scende dall'altra parte. Da qui si sale solamente.

per cortesia	*s'il vous plaît*
davanti a	*devant*
Può dirmi...?	*Pouvez-vous me dire... ?*
insieme	*ensemble*
da qui	*par ici*
si sale (**salire** irr.)	*on monte*
solamente	*seulement*

Prononciation

a + i **vai, stai, ai binari**
e + u **l'Albergo Europa, l'Istituto Europeo, l'Unione Europea**
i + e **le mie amiche, i miei amici, l'impiegato**
u + o **può, vuoi andare, i suoi fratelli.**

Grammaire

1 L'orario dei treni *Les horaires des trains*

En Italie comme en France, tous les horaires officiels sont donnés selon un système allant de 0 h à 24 h : **dodici e quindici** 12 h 15; **quindici e quarantacinque** 15 h 45; **diciotto e trenta** 18 h 30; **venti e cinquanta** 20 h 50.

2 Premier, deuxième, prochain...

Pour demander l'horaire de départ du premier, deuxième, prochain ou dernier train :

A che ora parte	**il primo treno?** **il secondo treno?** **il prossimo treno?** **l'ultimo treno?**	*À quelle heure part*	*le premier train ?* *le deuxième train?* *le prochain train ?* *le dernier train ?*

3 Au, du : *a, da* + article défini

Lorsque les prépositions ci-dessus se combinent avec l'article défini, on les appelle prépositions contractées. Elles sont l'équivalent du *au* (à + le) et du *du* (de + le) français. Nous avons déjà vu comment **alle (a + le)** s'emploie avec les heures (Chapitre 4, p. 43). Pour former une préposition contractée, commencez toujours par placer l'article défini devant le nom, comme dans la colonne 1 ci-dessous. Puis rappelez-vous que **a + il** se contracte en **al**. Dans tous les autres cas, on met **a** devant l'article et on redouble le **« l »** s'il y en a un.

il cinema	**a + il = al**		**al** cinema		*au cinéma*
lo sportello	**a + lo = allo**		**allo** sportello		*au guichet*
l'entrata	**a + l' = all'**		**all'**entrata		*à l'entrée*
la biglietteria	**a + la = alla**	**(davanti)**	**alla** biglietteria	*(devant) la*	*billetterie*
i bambini	**a + i = ai**		**ai** bambini		*aux enfants*
gli studenti	**a + gli = agli**		**agli** studenti		*aux étudiants*
le ragazze	**a + le = alle**		**alle** ragazze		*aux filles*

Vicino a *près de* fonctionne comme **davanti a** :

Ci vediamo vicino alla fontana! *On se retrouve près de la fontaine !*
Il cinema è vicino all'albergo. *Le cinéma est près de l'hôtel.*

Da + article défini se contracte exactement de la même manière. N'oubliez pas que **da + il** devient **dal** :

Il ristorante è lontano dal centro. Le restaurant est loin du centre.
L'albergo è lontano dall'aeroporto. L'hôtel est loin de l'aéroport.

4 Du, de la, des : *di* + article défini

Lorsque **di** se combine avec l'article défini, il devient **de**. Une fois cette modification opérée, et si vous n'oubliez pas que **di + il** devient **del**, vous verrez que le modèle **a + article défini** fonctionne ici aussi.

il mare	**di + il = del**	l'acqua **del** mare	*l'eau de mer*
lo sport	**di + lo = dello**	La Gazzetta **dello** Sport	*La Gazette des Sports*
l'autobus	**di + l' = dell'**	la fermata **dell'**autobus	*l'arrêt d'autobus*
la stazione	**di + la = della**	l'orologio **della** stazione	*l'horloge de la gare*
i negozi	**di + i = dei**	le vetrine **dei** negozi	*les vitrines des magasins*
gli affari	**di + gli = degli**	il mondo **degli** affari	*le monde des affaires*
le vacanze	**di + le = delle**	la fine **delle** vacanze	*la fin des vacances*

5 Devo...? *Est-ce que je dois...?*

Devo vient de **dovere** *devoir*. Il se traduit par *je dois* ou *il faut que je...* **Vuol(e)** et **vorrei** viennent de **volere** *vouloir*. **Dovere** et **volere** sont tous deux irréguliers (pour **vuol** voir p. 163).

Présent	**dovere**	*devoir*		
(io)	**devo**	*je dois*	**(noi) dobbiamo**	*nous devons*
(tu)	**devi**	*tu dois*	**(voi) dovete**	*vous devez (pl)*
(lei) *(vouvoiement singulier)*	**deve**	*vous devez*		
(lui, lei)	**deve**	*il/elle doit*	**(loro) devono**	*ils/elles doivent*

Présent	**volere**	*vouloir*		
(io)	**voglio**	*je veux*	**(noi) vogliamo**	*nous voulons*
(tu)	**vuoi**	*tu veux*	**(voi) volete**	*vous voulez (pl)*
(lei) *(vouvoiement singulier)*	**vuole**	*vous voulez*		
(lui, lei)	**vuole**	*il/elle veut*	**(loro) vogliono**	*ils/elles veulent*

Nous ommettrons dorénavant la forme en **lei** (vouvoiement singulier) dans les tableaux de conjugaison, étant donné qu'elle est toujours identique à la troisième personne du singulier.

6 C'è, ci sono *Il y a*

C'è = ci + è.

Il existe en italien deux formes distinctes pour dire *il y a* ou *y a-t-il... ?* : **c'è** lorsqu'on parle d'une seule chose ou personne, **ci sono** lorsqu'il y en a plusieurs. À la forme négative, elles deviennent **non c'è** et **non ci sono**.

C'è/non c'è un espresso per Firenze?	*Il y a un/il n'y a pas d'express pour Florence?*
No, perché c'è sciopero	*Non, parce qu'il y a une grève.*
Ci sono/non ci sono treni la domenica?	*Il y a des/il n'y a pas de trains le dimanche ?*

7 Avant

Remarquez comment s'utilise **prima di** avec les heures. **Di** se combine avec **l'** et **le** pour former **dell'** et **delle** :

prima dell'una, prima delle due, prima delle sei, ecc.
avant une heure, avant deux heures, avant six heures, etc.

mais **prima di mezzogiorno, prima di mezzanotte** *avant midi, avant minuit.*

8 Acheter un billet

Bien que **comprare** signifie *acheter*, la façon habituelle de dire *acheter un billet* est **fare il biglietto** (mot à mot : *faire le billet*).

9 Dans 10 minutes

Fra fait toujours référence à l'avenir :

Fra dieci minuti	Dans 10 minutes.
Fra mezz'ora.	Dans une demi-heure.
Fra un paio di settimane.	Dans deux semaines.

10 En retard, à l'heure

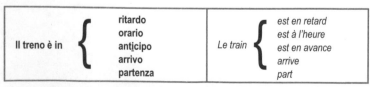

Il treno è in	**ritardo** **orario** **anticipo** **arrivo** **partenza**	*Le train*	*est en retard* *est à l'heure* *est en avance* *arrive* *part*

Comment dit-on... ?

1	Je voudrais... un billet de deuxième classe ... un aller simple/ un aller-retour	**Vorrei... un biglietto di seconda classe** **... un biglietto di andata/ andata e ritorno**
2	À quelle heure part le prochain train, etc. ?	**A che ora parte il prossimo treno, ecc.?**
3	De quel quai part-il ?	**Da che binario parte?**
4	Est-ce que je dois changer... ? ... où ? Est-ce qu'il y a un train direct ?	**Devo cambiare?** **Dove?** **C'è un treno diretto?**
5	Je voudrais réserver une place	**Vorrei prenotare un posto**

Exercices

1 Les quatre dialogues ci-dessous, se déroulent tous à un guichet de réservation. Pour chacune de ces conversations, remplissez les détails manquants dans le tableau qui suit le dialogue **d**.

a **A** Un biglietto per Siena.
B Andata?
A Sì. Andata. Seconda classe.
B Quindici euro e cinquanta.
A A che ora parte il treno?
B Alle sedici e venti dal binario tre.

b **A** Buongiorno. Vorrei due biglietti per Roma.
B Seconda classe?
A Prima classe. Quando parte il treno?
B Parte alle dieci e quaranta e arriva a Roma alle quindici e venti.
A Da che binario parte?
B Dal binario quindici.

c **A** A che ora parte l'ultimo treno per Genova?
B Alle ventitré e cinquantacinque.

A Dal binario dodici?
B No. L'ultimo treno parte dal binario sette.
A Un biglietto, allora. Seconda classe.

d A Uno per Novara. Prima classe.
B Solo andata?
A Andata e ritorno. Quant'è?
B Trentaquattro euro e quarantacinque.
A A che ora parte il treno?
B Alle diciotto e trenta. Primo binario. Buon viaggio!

	Destinazione	Numero di biglietti	Classe	Ora di partenza	Binario
a					
b					
c					
d					

2 Complétez les phrases en employant une seule fois chacune des prépositions contractées figurant dans l'encadré ci-dessous.

a Non so il prezzo ____ orologio.
b Il professore parla ____ studenti.
c L'appartamento ____ ragazze italiane è molto bello.
d Vuoi comprare la macchina ____ zio di Giulia?
e Vuole accompagnare Mario ____ stadio domenica prossima?
f L'orario ____ autobus è lì.
g A che ora va ____ istituto?
h Il treno parte ____ diciotto e quindici.
i Il direttore ____ fabbrica è occupato.
j Aspettiamo Massimo davanti ____ bar.

dell'	**dello**	**della**	**degli**	**delle**
al	**allo**	**all'**	**agli**	**alle**

3 Reliez les éléments des deux colonnes ci-dessous pour former des phrases.

i Voglio comprare le scarpe

a Perché non ho il suo numero di telefono.

ii	Lucia deve andare alla biglietteria	**b**	perché è disoccupato (au chômage).
iii	Devo prendere l'autobus	**c**	perché voglio andare a lavorare in Italia.
iv	Perché non telefoni a Mario?	**d**	perché ho un messaggio importante per lei (pour elle)
v	Giorgio non ha soldi	**e**	perché ci sono i saldi.
vi	Studio l'italiano	**f**	perché è troppo caro.
vii	Devo vedere Francesca	**g**	perché c'è lo sciopero dei treni.
viii	Non compro il vestito	**h**	Perché non ho il suo indirizzo.
ix	Perché non scrivi a Fabrizio?	**i**	perché vuole fare il biglietto per Livorno.

4 Voici une liste de bâtiments (**edifici**) et de monuments (**monumenti**) situés à diverses adresses. En vous inspirant de l'exemple ci-dessous, qui porte sur la première ligne, construisez une phrase pour chaque ligne, en vous aidant de **c'è** ou **ci sono** selon le cas :

Esempio: In Via Rossini ci sono due banche.

Via Rossini: La Banca Commerciale, La Banca Nazionale del Lavoro.
Via Terni: L'Albergo Alba, l'Albergo Luxor, l'Albergo Rialto.
Piazza Dante: Il Palazzo Visconti.
Piazza Cavour: Il Bar Parini, il Bar Stella, il Bar Verdi, il Bar Marotta.
Roma: (L'Aeroporto) Ciampino, (l'Aeroporto) Fiumicino.

5 Construisez, à partir des deux phrases fournies, une phrase contenant **fra**, comme dans l'exemple :

Esempio: **Sono le nove meno un quarto. Adriano va a scuola alle nove.**
Adriano va a scuola *fra* un quarto d'ora.

- **a** Sono le dieci. Pina va in banca alle undici.
- **b** È mezzogiorno. Giorgio va al colloquio alle tre.
- **c** Sono le sei e mezza. Enrico ritorna a casa alle sette meno un quarto.
- **d** Sono le undici e venti. Carlo va in discoteca alle undici e mezza.
- **e** Sono le sette e mezza. Il treno arriva alle sette e trentacinque.

6 **Ora tocca a te!** Vous souhaitez réserver trois billets de train pour Florence. Complétez la partie manquante du dialogue.

Impiegato	Sì... Prego?
Vous	*Je voudrais réserver trois billets pour après-demain, jeudi.*
Impiegato	Destinazione?
Vous	*Florence.*
Impiegato	Vuole partire la mattina o la sera?
Vous	*Est-ce qu'il n'y a pas un train direct à onze heures ?*
Impiegato	No, ma c'è un espresso che parte a mezzogiorno.
Vous	*D'accord. Trois billets pour jeudi, alors. En deuxième classe.*

7 Regardez ces deux prospectus.

Viaggi meglio
e spendi meno, con la
Carta Amicotreno.
CARTA
AMICOTRENO
N. Tessera 0000
Titolare CARLO ROSSI
Valida fino al
00/00
Nuova Carta Amicotreno.
Il viaggiare intelligente che diventa conveniente.

FERROVIE
DELLO STATO

Per informazioni: ✆ 167-431784

*Si applica la tariffa "ragazzi". Lo sconto non è cumulabile con altre riduzioni e non è valido per viaggi interamente compresi nella provincia di Trento.

Ferrovie dello Stato S.p.A.	
Informazioni viaggiatori	
Civitavecchia	076624975
Tivoli	077420268

a Quels sont les deux avantages offerts par la carte **Amicotreno** ?

b **Ferrovie dello Stato** est-elle une société d'État ou une société privée ?

c Quel est le numéro à appeler pout tout renseignement sur la carte **Amicotreno**?

d Quels sont les deux numéros à appeler pout tout renseignement sur les voyages en train ?

ⓘ Les chemins de fer italiens

Le système de compostage des billets (**per convalidare il biglietto**) avant la montée dans le train est le même qu'en France.
Il existe un site Internet sur le réseau de chemin de fer italien : http://www.trenitalia.com

Reportez-vous à présent au *Test d'auto-évaluation I* (p. 286).

07

al ristorante

au restaurant

Dans ce chapitre vous apprendrez à :

- demander/dire si un endroit est ouvert ou fermé
- passer une commande au restaurant
- demander plus de pain/vin, etc.
- dire que vous en avez assez
- demander au serveur ce qu'il vous conseille comme plat
- dire que ce n'est pas grave

 1 Buon appetito! *Bon appétit !*

À partir de ces quelques bribes de conversation, entourez la lettre qui correspond à chaque situation. Essayez de deviner avant de vérifier !

A La scène se passe :

	a	juste avant le repas.
Buon appetito	**b**	immédiatement après le repas.
Grazie altrettanto	**c**	à la caisse.
	d	juste avant la fin du repas.

B La personne qui parle en second :

	a	veut encore du vin.
Un altro po' di vino ?	**b**	n'aime pas le vin.
No. Basta così	**c**	refuse le vin qu'on lui repropose.
	d	veut un verre de vin rouge.

C La personne qui parle en second dit que :

	a	la chaise est propre.
Scusi è occupato questo posto ?	**b**	la place est prise.
No. È libero. Prego, si accomodi!	**c**	la chaise est bancale.
	d	la place est libre.

D La personne qui parle en second veut :

	a	choisir à la carte.
Il menù a prezzo fisso?	**b**	le menu à prix fixe.
No. Alla carta.	**c**	la carte des vins.
	d	le plat du jour.

 2 Che facciamo? *Qu'est-ce qu'on fait ?*

Voici un dialogue entre un homme et sa femme pour décider s'ils vont manger à l'hôtel ou ailleurs.

a Comment **il marito** dit-il : « Excellente idée » ?

Marito Dunque. Che facciamo oggi? Mangiamo qui in albergo?
Moglie No. Usciamo! Andiamo a pranzo fuori! Magari, stasera torniamo qui per la cena.
Marito Ottima idea!

Usciamo!	*On sort !*
pranzo	*déjeuner*
magari	*peut-être*
tornare = ritornare	*revenir*
cena	*dîner*
ottima idea	*excellente idée*

3 'Da Peppino' è aperto *'Da Peppino' est ouvert*

Ayant décidé de sortir, ils se renseignent.

a Comment **il signore** dit-il « Mais il est fermé aujourd'hui » ?
b Comment **il marito** dit-il : « Y a-t-il un bon restaurant près d'ici ? »

Marito	Scusi, signore, c'è un buon ristorante qui vicino?
Signore	Sì. Il ristorante 'Da Peppino'. È buono e non è caro. Ma oggi è chiuso.
Signora	No. La trattoria è chiusa. 'Da Peppino' è aperto.
Marito	Allora, andiamo lì, no...?
Moglie	Come vuoi!

la trattoria	*le petit restaurant* (voir p. 86)
Come vuoi!	*Comme tu veux !*

4 Conosco un ristorante vicino al mare *Je connais un restaurant au bord de la mer*

Voici une autre personne qui renseigne quelqu'un sur un restaurant.

a Comment la première personne dit-elle : « tous les jours sauf le lundi » ?

A Conosco un ristorante vicino al mare dove si mangia molto bene.
B Quando è aperto?
A Tutti i giorni, eccetto il lunedì.

5 Vogliono ordinare? *Vous souhaitez commander ?*

Avant de lire ce dialogue, reportez-vous au paragraphe ⓘ (pp. 85–6), qui contient des renseignements sur les repas au restaurant ainsi que du vocabulaire concernant la nourriture.

Le serveur dit à **Anna** et **Silvia** que, si elles préfèrent déjeuner en terrasse, **all'aperto**, elles devront attendre. Elles décident de rester dedans.

a Comment le serveur dit-il : « Il y a beaucoup de monde aujourd'hui » ?
b Comment **il cameriere** dit-il : « C'est une spécialité de la maison » ?

Cameriere	Ecco il menù. Vogliono ordinare subito? Se preferiscono pranzare all'aperto, devono aspettare un po'. C'è molta gente oggi.
Anna	No. Non fa niente. Pranziamo qui. Per antipasto io prendo prosciutto y melone.
Silvia	Io, coppa di gamberetti. E per primo, risotto alla milanese.
Anna	Risotto anche per me.
Cameriere	Mi dispiace, ma il risotto non c'è. È finito.
Silvia	Allora, spaghetti alle vongole.
Anna	E per me, lasagne al forno.
Cameriere	Benissimo. E per secondo piatto: carne o pesce?
Anna	Carne: bistecca ai ferri. E per contorno patatine fritte e fagiolini.
Cameriere	Bene. Bistecca anche per lei, signorina?
Silvia	No, no. Non mangio carne. Che cosa mi consiglia?
Cameriere	Il fritto misto di pesce. È una specialità della casa. E il pesce è freschissimo.
Silvia	Beh... no. Preferisco sogliola alla griglia con insalata verde.
Cameriere	D'accordo. E da bere? Vino rosso o vino bianco?
Anna	Rosso. Mezza bottiglia di Barolo. E ci porti un po' di ghiaccio per l'acqua, per piacere.
Silvia	E un po' di vino bianco... locale.

Non fa niente	Ça ne fait rien, ce n'est pas grave
Che cosa mi consiglia?	Qu'est-ce que vous me conseillez ?
E da bere?	Et comme boissons ?
ci porti	apportez-nous
un po' di ghiaccio	des glaçons

6 Tutto bene? *Tout va bien ?*

Il cameriere demande si elles prendront un dessert.

a Comment **il cameriere** dit-il : « Un peu plus de vin ? »
b Comment **Silvia** dit-elle : « Pour moi rien » ?

Cameriere	Tutto bene...? Un altro po' di vino?
Silvia	No. Va bene. Basta così. Grazie.
Cameriere	Dolce o frutta?
Anna	Formaggio, e una macedonia.
Silvia	Per me niente. Solo un caffè e un amaro.

Va bene.	*Ça va.*
Basta così.	*Ça suffit, merci.*
Per me niente.	*Pour moi rien.*
un amaro	*un digestif (au goût amer)*
un altro po'?	*encore un peu ?*

Prononciation

Doppie consonanti *Doubles consonnes*

Primo pia**tt**o, patatine fri**tt**e, spaghe**tt**i, un po' di ghia**cc**io, una bo**tt**iglia di la**tt**e, una bi**rr**a, fru**tt**a, forma**gg**io, biste**cc**a, e**cc**e**tt**o.

Grammaire

1 Verbes

Présent (irrégulier) de **fare** *faire*, et **uscire** *sortir*.

Présent **fare** *faire*			
(io) faccio **(tu) fai** **(lui, lei)* fa**	*je fais* *tu fais* *il/elle fait*	**(noi) facciamo** **(voi) fate** **(loro) fanno**	*nous faisons* *vous faites (pl)* *ils/elles font*

* Comme nous l'avons vu au Chapitre 6, p. 67, la forme **lei** correspondant au vouvoiement singulier (« vous ») ne sera plus mentionnée puisqu'elle est identique à la 3ème personne du singulier : (**lei fa** = *vous faites*)

Présent **uscire** *sortir*			
(io) esco **(tu) esci** **(lui, lei) esce**	*je sors* *tu sors* *il/elle sort*	**(noi) usciamo** **(voi) uscite** **(loro) escono**	*nous sortons* *vous sortez* *ils/elles sortent*

Uscire suivi de **da** signifie sortir de, quitter :

Escono dall'ufficio alle due. *Ils quittent le bureau à deux heures.*
Usciamo dalla banca a mezzogiorno. *Nous quittons la banque à midi.*
La mattina esco *di casa* alle otto. *Le matin je pars de chez moi à huit heures.*

2 Le présent comme temps du futur proche

En italien comme en français, le présent de l'indicatif s'emploie pour exprimer une intention ou une suggestion :

Mangiamo qui stasera? *On mange ici ce soir ?*
Oggi prendo l'autobus. *Aujourd'hui je prends l'autobus.*

La terminaison en **-iamo** de la première personne du pluriel du présent de l'indicatif est aussi celle de l'impératif :

Andiamo! *Allons-y !, On y va !*
Usciamo! *Sortons !, On sort !*

La distinction se fera grâce au contexte et au ton employé.

3 Emploi de *buono/a*

Le mot **buono/a** s'abrège presque toujours en **buon** devant un nom masculin singulier. Il fonctionne de la même façon que l'article indéfini **un/uno/una**. Il intervient souvent dans des expressions de souhaits ou de vœux, comme en français :

Buon divertimento! *Amusez-vous bien !*
Buona giornata! *Bonne journée !*
Buon appetito! *Bon appétit !*
Buon Natale! *Joyeux Noël !*
Buon Anno! *Bonne année !*
Buon viaggio! *Bon voyage !*

4 Tutto/a *Tout(e)*

Tutto/a a le même emploi que le mot *tout(e)* en français.
Au singulier il signifie *tout(e)* :

Tutta la famiglia è in vacanza.	*Toute la famille est en vacances.*
Mangia tutto.	*Il mange tout.*
È tutto per me.	*Tout est pour moi.*

Le pluriel, **tutti/e**, signifie *tous/toutes* :

Tutti i negozi sono aperti.	*Tous les magasins sont ouverts.*
Usciamo tutti i giorni.	*Nous sortons tous les jours.*

5 Le lundi

En italien comme en français, lorsque les jours de la semaine sont précédés de l'article défini, ils prennent un caractère distributif (= chaque) :

È chiuso il lunedì.	*C'est fermé le lundi.*
È aperto la domenica.	*C'est ouvert le dimanche.*

6 Les gens

La gente est un mot singulier :

La gente parla.	*Les gens causent.*
In piazza c'è poca gente.	*Il y a peu de gens sur la place.*

7 Très, beaucoup de, trop

Molto peut avoir une fonction adverbiale (*très*) ou adjectivale (*beaucoup de*). Il est invariable en tant qu'adverbe.

È *molto* brava. (adverbe)	*Elle est très bonne/douée.*
Questi musei sono *molto* interessanti. (adverbe)	*Ces musées sont très intéressants.*
Il negozio all'angolo ha molta roba. (adj.)	*Le magasin du coin a beaucoup de choses.*
In Italia ci sono molti mercati.	*Il y a beaucoup de marchés en Italie.*

Troppo se comporte de la même façon :

La camicetta è troppo cara. (adverbe)	*Le chemisier est trop cher.*
In classe ci sono troppi studenti. (adj.)	*Il y a trop d'étudiants en cours.*

8 Souhaitez-vous commander ?

Le pluriel de **tu** et de **lei** est **voi**. Mais, dans le Dialogue 5, le serveur dit : « **Vogliono ordinare?** » Cette troisième personne du pluriel, qui correspond au pronom **loro**, est très employée par les employés des bars, des hôtels et des magasins lorsqu'ils s'adressent à plus d'une personne.

9 Non fa niente *Ça ne fait rien, ce n'est pas grave*

Les mots négatifs tels que **niente** *rien* doivent, en italien comme en français, être accompagnés de **non** : **Non voglio niente** *Je ne veux rien*. Les expressions négatives les plus courantes sont : **non... niente** *ne... rien* ; **non... mai** *ne... jamais* ; **non... nessuno** *ne... personne*.

Lino non mangia niente.	*Lino ne mange rien.*
Non bevo mai a quest'ora.	*Je ne bois jamais à cette heure-ci.*
Non c'è nessuno a casa.	*Il n'y a personne à la maison.*
Non capisce niente!	*Il ne comprend rien !*

10 Al, alla *Au, à la*

a + l'article défini sert à décrire le mode de préparation d'un plat ou d'une boisson. **Risotto alla milanese** est donc un *risotto à la milanaise*, c'est-à-dire préparé à la mode de Milan (voir **Informazioni**, pp. 85–6). De même, **un tè al limone** est *un thé au citron*.

11 Da *À*

Dans de nombreuses expressions, **da** suivi d'un infinitif se traduit par *à* :

Cosa c'è da bere?	*Qu'est-ce qu'il y a à boire ?*
Ho molto da fare.	*J'ai beaucoup de choses à faire.*
Non c'è niente da mangiare.	*Il n'y a rien à manger.*

Vous trouverez des exemples de cet usage tout au long de cet ouvrage.

12 Du, de la...

Le fonctionnement du partitif italien est très proche de celui du français :
Vorrei: del formaggio, del pane, del vino, dell'acqua.
Je voudrais : du fromage, du pain, du vin, de l'eau.
Une différence toutefois : en italien, le partitif ne s'emploie pas dans les phrases négatives :

Non ho pane.	*Je n'ai pas de pain.*

On emploie aussi couramment un **po' di** à la place du partitif :

Vorrei: un po' di formaggio, un po' di pane, un po' di vino, un po' d'acqua.	*Je voudrais : du fromage, du pain, du vin, de l'eau.*

13 Basta così *Ça suffit*

De même que pour **costa, costano** (Chapitre 4, p. 44), il faut bien veiller à faire la distinction entre le singulier et le pluriel lorsqu'on emploie **basta** :

Mezza bottiglia basta.	*Une demi-bouteille suffit.*
Tre euro bastano.	*Trois euros suffisent.*

Comment dit-on... ?

1	Pour dire qu'un endroit est ouvert/fermé ou pour demander s'il est ouvert/fermé	**È aperto/a(?) / È chiuso/a(?)**
2	Pour commander un repas	**Per antipasto, per primo, per secondo, per contorno, prendo...**
3	Pour (re)demander du pain/du vin, etc. Pour dire que cela suffit	**Un (altro) po' di pane / di vino, ecc.** **Basta così.**
4	Pour demander au serveur ce qu'il vous conseille	**Che cosa mi consiglia?**
5	Pour dire que ça ne fait rien	**Non fa niente / Non importa**

Exercices

1 Voici quelques exemples de boissons et de plats italiens. Beaucoup d'entre eux figurent au paragraphe (i) pp. 85–6. À quelle partie du menu chacun correspond-il ?

MENU
Antipasti
Primi Piatti
Secondi Piatti
Contorni
Frutta - Dolci
Da Bere

acqua minerale
antipasto misto
coppa di gamberetti
bistecca alla griglia
fagiolini
fritto misto di pesce
frutta fresca
gelati misti
insalata mista
lasagne al forno
macedonia di frutta
melone con prosciutto
patatine fritte
pollo arrosto
risotto alla milanese
sogliola alla griglia
spaghetti alle vongole
vino bianco
vino rosso

2 Quels sont les morceaux de phrase de la colonne de droite qui complètent ceux de la colonne de gauche ? Pour faire cet exercice, vous devez faire particulièrement attention aux terminaisons verbales.

i	E tu Mario,	a	non mangia carne.
ii	Anche noi	b	restare a casa stasera.
iii	Anche voi	c	vanno sempre al ristorante la domenica.
iv	Maria è vegetariana:	d	cosa vuoi?
v	Anch'io	e	mangiate fuori stasera?
vi	Tutta la famiglia Ferni	f	vado 'Da Peppino' oggi.
vii	Giovanni e Antonella	g	va in pizzeria.
viii	I miei amici vogliono	h	preferiamo la cucina italiana.

Trattoria Mezza Luna

di Averino baffo

Ubic. Eser. Via Ripa Serancia, 3 - Tel. 0763 341234

ORVIETO

Dom. Fisc. Via Ripa Serancia, 1

RICEVUTA N. 16

		EURO
PANE E COPERTO	2X1,05	2,10
PRIMO PIATTO	1X4,70	4,70
SECONDO PIATTO	1X5,16	5,16
CONTORNO	1X2,10	2,10
CAFFÈ	2X0,80	1,60
SERVIZIO 10%		1,57
TOT. EURO IVA INCLUSA		**17,3**
TOTALE DOCUMENTO		17,23
13-34 03/01/06		6865362

3 Voici des annonces publicitaires pour quatre restaurants. Vérifiez que vous comprenez bien tout, puis répondez aux questions ci-dessous.

a

LA TORINESE
Ristorante Caratteristico
Vasto Parcheggio
Giochi per bambini
(Chiuso il mercoledì)

b

LA BELLA NAPOLI
Ristorante
e
Pizzeria
Aperto solo la sera

c

TEMPIO DI DIANA
Hotel Ristorante
con cucina francese
Vasto parco nel bosco
MARTEDÌ CHIUSO

d

VILLA TOTÒ
ristorante
specialità marinare
Si mangia bene e si mantiene la linea
DOMENICA SERA E LUNEDÌ RIPOSO

i Nous sommes lundi midi : y a-t-il des restaurants où vous ne pourrez pas déjeuner ?

ii Quel restaurant choisirez-vous si vous aimez le poisson et les fruits de mer ?

iii Lequel de ces restaurants est-il vraisemblablement situé en dehors du centre-ville ? Pourquoi ?

iv Lequel choisirez-vous en priorité si vous êtes au régime ?

v Quels restaurants disposent probablement de plus de places de parking que les autres ?

4 **Ora tocca a te!** Vous passez une commande au restaurant.

Cam. Cosa prende?
Vous *Je voudrais un assortiment de hors-d'œuvre.*
Cam. E per primo?
Vous *Une soupe de légumes.*
Cam. Vuole ordinare il secondo adesso?
Vous *Oui, pourquoi pas ? Qu'est-ce que vous me conseillez ?*
Cam. Oggi il pesce è buonissimo.
Vous *Je ne mange pas de poisson. Un steak grillé.*

Cam.	Certo. E per contorno, cosa desidera?
Vous	*Je prendrai une salade mixte et des frites.*
Cam.	E da bere?
Vous	*Une demi-bouteille de vin de la région.*
Cam.	Bianco o rosso?
Vous	*Il vaut mieux du vin rouge avec le steak.*
Cam.	Subito!
	… ….
Cam.	Tutto bene?
Vous	*Oui, ça va. Un peu plus de pain, s'il vous plaît.*
Cam.	Ecco. Desidera altro?
Vous	*Non, merci. Ça va comme ça.*

5 Saurez-vous choisir dans l'encadré ci-dessous le nom qui correspond à chacun de ces objets ? Vous pouvez vérifier les mots que vous ne connaissez pas dans le lexique en fin d'ouvrage.

aceto	**bicchiere**	**coltello**	**cucchiaio**	**forchetta**
olio	**pepe**	**piatto**	**sale**	**tovagliolo**

ⓘ Les restaurants italiens

Avant de commencer à manger, il convient de dire: **Buon appetito!** La réponse est **Grazie, altrettanto!** *Bon appétit (vous aussi) !*

La cucina italiana *la cuisine italienne* est une cuisine régionale ; le même plat peut d'ailleurs avoir des noms différents selon les régions.

Antipasti *hors-d'oeuvre*. Ceux-ci consistent, entre autres, en une variété de charcuteries telles que **prosciutto crudo** (souvent servi avec du melon), **mortadella**, **salame**, des plats à base de fruits de mer tels que **coppa di gamberetti** *cocktail de crevettes*, ainsi que divers légumes crus ou à l'huile, par exemple **carciofi** artichauts et **funghi** champignons. **Antipasto misto** est un assortiment de hors-d'œuvre : jambon, salami, mortadelle, olives (**olive**), etc.

I primi (**il primo piatto** l'entrée) comportent par exemple **minestra** *soupe*, **minestrone** *soupe de légumes*, ou un choix de pâtes : **spaghetti alle vongole** *spaghettis aux palourdes*, **lasagne al forno** *lasagnes*, **tagliatelle al pomodoro** *tagliatelles à la sauce tomate*, etc. **Risotto alla milanese** est un plat composé de riz au safran et d'oignons cuits dans du bouillon.

I secondi (**il secondo piatto** le plat principal) comprennent **la carne** *la viande* ou **il pesce** *le poisson*. **Alla griglia** ou **ai ferri** signifient tous deux *grillé(e)*. **Bistecca** veut dire *steak*, **pollo arrosto** *poulet grillé*, **sogliola** *sole*, **fritto misto di pesce** *friture* (de petits poissons pêchés en Méditerranée).

I contorni *les garnitures* sont par exemple **insalata (mista)** *salade (mixte)* ou un assortiment de légumes tels que **fagiolini** *haricots verts*, **patatine fritte** *frites*, **zucchini** *courgettes*.

Frutta *les fruits* : les Italiens les consomment souvent à la place d'un dessert (**dolce**) ; **macedonia di frutta** *salade de fruits* ; **gelati** *glaces*.

Barolo est un célèbre vin rouge de la région du Piémont, dans le nord de l'Italie. La plupart des régions produisent leur propre vin, **vino locale**, qui est souvent d'un excellent rapport qualité-prix.

L'addition inclut souvent un montant correspondant au couvert : **pane e coperto**. Si le service est compris, votre addition portera la mention **servizio compreso**. Pour demander s'il est effectivement compris, dites : **« È compreso il servizio? »** Même si c'est le cas, il est recommandé de laisser un pourboire (**la mancia**).

La trattoria est en règle générale moins chère qu'un restaura a parfois un côté un peu recherché et des prix en conséquenc **la Trattoria del Vecchio Pozzo** *Le Restaurant du Vieux Puits* thème et une ambiance rustique.

08

in albergo

à l'hôtel

Dans ce chapitre vous apprendrez à :

- demander une chambre
- donner les dates auxquelles vous voulez réserver
- demander une chambre en pension complète ou en demi-pension
- demander et indiquer les horaires des repas
- répondre lorsqu'on vous demande une pièce d'identité

1 Ha una camera, per favore?
Vous avez une chambre, s'il vous plaît ?

Roberto demande à **il direttore** s'il a une chambre avec douche (**doccia**).

a Comment il direttore dit-il : « Une chambre pour une personne ou pour deux personnes ? »
b Comment Roberto dit-il : « Est-ce que le petit déjeuner est compris ? »

Direttore	Buonasera. Dica!
Roberto	Ha una camera, per favore?
Direttore	Come la vuole? Singola o doppia?
Roberto	Singola con doccia.
Direttore	Per quanto tempo?
Roberto	Per una notte.
Direttore	Sì. Ha un documento?
Roberto	Ho il passaporto. La colazione è compresa nel prezzo?
Direttore	No. È a parte.

Dica! (de **dire** *dire*)	*Oui ?*
Come la vuole?	*Vous la voulez comment ?*
una notte (f)	*une nuit*
mezza pensione	*demi-pension*
a parte	*en supplément*

2 Abbiamo due camere all'ultimo piano
Nous avons deux chambres au dernier étage

Il sig. Conti fait une réservation : il veut une chambre avec un grand lit et une salle de bains.

a Comment dit-il : « Du 26 juillet au 9 août » ?
b Comment dit-on *petit déjeuner*, *déjeuner* et *dîner* en italien ?

Direttore	Una camera a un letto o una camera a due letti?
Sig. Conti	Una camera matrimoniale con bagno: dal 26 luglio al 9 agosto.
Direttore	Vediamo un po'... Abbiamo due camere all'ultimo piano. Una piccola con balcone, e una grande.
Sig. Conti	La camera grande è tranquilla?
Direttore	Molto tranquilla e dà sul mare.

Sig. Conti La camera grande, allora. A che ora è il pranzo?

Direttore La colazione è dalle 7.00 alle 9.30. Il pranzo dalle 12.00 alle 2.00 e la cena dalle 7.30 alle 10.00.

dà sul mare

camera a un letto	chambre pour une personne
camera a due letti	chambre à deux lits (double)
camera matrimoniale	chambre avec un grand lit
dà (de **dare**) **su**	donne sur
vedere	voir
vediamo un po'	voyons (voir)
tranquillo/a	calme

3 Mezza pensione o pensione completa?
Demi-pension ou pension complète ?

a Pour combien de temps **la signora Marini** veut-elle la chambre ?
b Comment dit-elle : « Nous avons un permis de conduire. Le voici. »

Direttore Mezza pensione o pensione completa?
Sig.ra Marini Mezza pensione per due persone per una settimana.
Direttore Sì, va bene. Avete il passaporto?
Sig.ra Marini No. Non l'abbiamo. Abbiamo la carta d'identità.
Direttore La carta d'identità va benissimo.
Sig.ra Marini La vuole ora...? Un attimo... Ah...! Eccola!
Direttore Ed ecco le chiavi, signora. Camera 408. Gli ascensori e i gabinetti sono là in fondo. Il parcheggio è dietro l'albergo.

pensione completa	*pension complète*
una settimana	*une semaine*
la carta d'identità	*la carte d'identité*
ora	*maintenant*
la chiave	*la clé*
gabinetto	*toilettes*
dietro	*derrière*

4 C'è il bagno in tutte le camere *Chaque chambre est équipée d'une salle de bains*

a Comment **il signor Marini** dit-il : « Les bagages sont dans la voiture » ?
b Comment **il direttore** dit-il : « Je l'appelle tout de suite » ?

Sig. Marini	C'è il bagno in camera?
Direttore	Certo, signore. C'è il bagno in tutte le camere.
Sig. Marini	I bagagli sono nella macchina. Li porto sopra.
Direttore	Non si preoccupi! Li prende il ragazzo. Lo chiamo subito.
Sig. Marini	Grazie.
Direttore	Se qualche volta non volete fare il bagno nella piscina, c'è la nostra spiaggia privata con gli ombrelloni e le sedie a sdraio.

Li porto sopra.	*Je les monte.*
Non si preoccupi!	*Ne vous inquiétez pas !*
qualche volta	*parfois, quelquefois*
fare il bagno	*se baigner*
la nostra spiaggia privata	*notre plage privée*
ombrellone (m)	*parasol*
sedia a sdraio	*transat*

5 Può svegliarmi? *Vous pouvez me réveiller ?*

a Comment **la segretaria** dit-elle : « À six heures pile » ?
b Comment **Pippa** dit-elle : « La chambre qui donne sur la terrasse » ?

Pippa	Può svegliarmi domani mattina alle sei?
Segretaria	Certamente, signorina. Camera 307, vero?
Pippa	Sì. La camera che dà sulla terrazza.
Segretaria	Va bene. Domani mattina alle sei in punto la chiamo io personalmente. Non si preoccupi!
Pippa	Grazie, molto gentile.

 6 Lavoro solo d'estate *Je ne travaille que l'été*

Il cameriere explique que les touristes sont particulièrement nombreux au mois d'août.

a Comment **il cliente** dit-il : « tant de touristes » ?
b Comment **il cameriere** dit-il : « Je commence à six heures et je termine vers une heure » ?

Cliente	Impossibile parcheggiare! Vengono sempre tanti turisti qui?
Cameriere	Sempre. Specialmente nel mese di agosto.
Cliente	Lavora molto, allora!
Cameriere	D'estate, sì. Moltissimo! Ma si guadagna bene!
Cliente	A che ora incomincia a lavorare la mattina?
Cameriere	Presto. Comincio alle sei e finisco verso l'una, le due di notte.
Cliente	Però, d'inverno è tutto chiuso!
Cameriere	Esatto. Lavoro solo d'estate da maggio a ottobre.
Cliente	Già. D'inverno non viene nessuno da queste parti!

Vengono (de **venire**)... **tanti turisti?**	*Il vient tant de touristes que cela ?*
guadagnare	*gagner*
(in)cominciare a	*commencer à*
presto	*tôt*
però	*mais*
d'inverno, d'estate	*en hiver, en été*
esatto	*exactement, c'est ça*
da queste parti	*par ici*

 Prononciation

I mesi dell'anno: **gennaio, febbraio, marzo, aprile, maggio, giugno, luglio, agosto, settembre, ottobre, novembre, dicembre**
Le stagioni dell'anno: **l'inverno, la primavera, l'estate, l'autunno**

Grammaire

1 J'ai un passeport

Attenzione! Remarquez qu'en italien on emploie **il/la**, c'est-à-dire l'article défini, là où en français on dit *un(e)* :

Ha *il* passaporto, *la* carta d'identità, *la* macchina? *Avez-vous un passeport, une carte d'identité, une voiture ?*

2 Data e stagioni *Date et saisons*

Quanti ne abbiamo (oggi)? *Quel jour sommes-nous ?*
(Ne abbiamo) 10. *(Nous sommes) le 10.*
il due marzo, il cinque luglio *le 2 mars, le 5 juillet*
Oggi è il primo giugno; il primo maggio. *Aujourd'hui c'est le premier juin ; le premier mai.*
Ci vediamo il tre agosto. *On se voit le 3 août.*
Lo vedo sabato. *Je dois le voir samedi.*

Les mois sont précédés de **in** ou de **a** :

in/a giugno, in/a settembre, ecc. *en juin, en septembre, etc.*

Lorsque le nom du mois commence par une voyelle, **a** devient souvent **ad** : **ad aprile, ad agosto, a ottobre.**

Voyez, dans le tableau ci-dessous, comment se traduisent *au printemps, en été*, etc., et comment **di** devient souvent **d'** devant les mots commençant par une voyelle : **d'estate, d'inverno**.

	d'inverno **d'estate**	*en hiver* *en été*
in	**autunno** **primavera**	*en automne* *au printemps*

In primavera andiamo in campagna. Au printemps nous allons à la campagne.
D'estate va al mare o in montagna. En été il va à la mer ou à la montagne.
In autunno ricomincia a lavorare. En automne il reprend le travail.

3 Dare *donner*, venire *venir*

Ces deux verbes sont irréguliers :

Présent	dare	donner	venire	venir
(io)	**do**	*je donne*	**vengo**	*je viens*
(tu)	**dai**	*tu donnes*	**vieni**	*tu viens*
(lui, lei)	**dà**	*il/elle donne*	**viene**	*il/elle vient*
(noi)	**diamo**	*nous donnons*	**veniamo**	*nous venons*
(voi)	**date**	*vous (pl) donnez*	**venite**	*vous (pl) venez*
(loro)	**danno**	*ils/elles donnent*	**vengono**	*ils/elles viennent*

4 Nel, nella, *dans le/la* ; sul, sulla *sur le/la*

In *dans* se combine également avec l'article défini (**il, la, ecc.**) au sens de *dans le/la*. Dans ce cas, in devient **ne. Nel** est donc la forme contractée de **in + il**, et **nella** celle de **in + la**. Le fonctionnement est ensuite exactement le même que pour **del, della, ecc.** (Chapitre 6, p. 67) : **nel, nello, nella, nell', nei, negli, nelle.**

Le chiavi sono nella borsa.	*Les clés sont dans le sac.*
La macchina è nel garage.	*La voiture est dans le garage.*

Su *sur* se contracte de la même façon que **a** *à*. De même que **a + il** devient **al**, **su + il** devient *sul* :

La camera dà sul mare.	*La chambre donne sur la mer.*
I guanti sono sulla sedia.	*Les gants sont sur la chaise.*

5 Pronoms objet

lo	*le, l'*	**li**	*les* (m pl)
la	*vous, la, l'*	**le**	*les* (f pl)

Lo, la, li, le sont des pronoms objet et sont généralement placés devant le verbe :

Compro il libro. *Lo* compro.	*Je vais acheter le livre. Je vais l'acheter.*
Compro i libri. *Li* compro.	*Je vais acheter les livres. Je vais les acheter.*
Compro la rivista. *La* compro.	*Je vais acheter la revue. Je vais l'acheter.*
Compro le riviste. *Le* compro.	*Je vais acheter les revues. Je vais les acheter.*

Regardez les deux premiers exemples ci-dessus. Les questions et réponses suivantes s'en inspirent :

Quando compra il libro?	***Lo* compro domani.**
Quand allez-vous acheter le livre ?	*Je vais l'acheter demain.*

Ora tocca a te! Essayez de compléter vous-même les phrases (vous trouverez les réponses dans *Solution des exercices*) :

a **Quando compra ____ libri? ____ compro stasera.**
b **Quando compra ____ riviste? ____ compro subito.**
c **Quando compra ____ rivista? ____ compro stamattina.**
d **Quando paga ____ conto? ____ pago adesso.**

Dans les phrases négatives, on met **non** devant le pronom.

Conosci Gino? No. Non lo conosco.	*Tu connais Gino? Non, je ne le connais pas.*

Lo, la (singulier uniquement) deviennent **l'** devant une voyelle ou un **'h'**:

Dove aspetti Anna?	*Où attends-tu Anna ?*
L'aspetto a casa.	*Je l'attends à la maison.*

Mais (au pluriel) Apro **le** finestre. **Le** apro. *Je vais ouvrir les fenêtres. Je vais* ***les*** *ouvrir.*

Lorsqu'on vouvoie quelqu'un, que ce soit un homme ou une femme, le pronom objet direct est **la** :

La ringrazio, dottor Bertini, del suo gentile pensiero.	*Je vous remercie, Monsieur Bertini, de votre aimable attention.*
La disturbo, signora?	*Je vous dérange, madame ?*
Mi conosce?	*Vous me connaissez ?*
Sì. La conosco.	*Oui. Je vous connais.*

6 Eccola! *La voilà !*

En combinaison avec les pronoms objet, **ecco** signifie *le/la/les voilà*.

Dov'è Maria? Eccola!	*Où est Maria ?* ***La*** *voilà !*
Dov'è Pietro? Eccolo!	*Où est Pietro ?* ***Le*** *voilà !*
Dove sono le valigie? Eccole!	*Où sont les valises ?* ***Les*** *voilà !*

7 Quelques, quelquefois

Qualche signifie *des* (au sens de « quelques »). Il est toujours suivi d'un nom singulier dénombrable (comparez avec **un po' di**, p. 82).

Vengo con qualche amico.	*Je viendrai avec des amis.*
Ho qualche libro sull'Italia.	*J'ai des livres sur l'Italie.*
Guarda spesso la televisione?	*Vous regardez souvent la télévision ?*
La guardo qualche volta.	*Je la regarde quelquefois.*

8 Commencer à...

Lorsque **incominciare** est suivi d'un verbe à l'infinitif, ils sont séparés par **a**, comme en français.
Incominciare et **cominciare** signifient tous deux *commencer.*

Incomincio *a capire*.	*Je commence à comprendre.*
Il bambino comincia *a parlare*.	*Le bébé commence à parler.*
Quando incominci *a fare i bagagli*?	*Quand commences-tu à faire tes valises ?*

Comment dit-on... ?

1	Pour demander une chambre	**Ha una camera/singola/ doppia/matrimoniale?**
2	Pour donner les dates de votre séjour	**Dal primo... al dieci, ecc. Da lunedì a giovedì, ecc.**
3	Pour demander une pension complète ou une demi-pension	**Pensione completa/ mezza pensione.**
4	Pour demander et donner les horaires des repas	**A che ora è la colazione/ il pranzo/la cena? Dalle... alle...**
5	Comment répondre lorsqu'on vous demande une pièce d'identité	**Ha un documento? Ho il passaporto/la carta d'identità.**

Exercices

1 Dans les trois dialogues ci-dessous, quel genre de chambre chaque personne demande-t-elle ? Cochez les cases qui conviennent sur la grille p. 96, puis écrivez les jours ou les dates en français.

a **Direttore** Prego?
Signore Ha una camera singola?
Direttore Con bagno con vasca?

Signore La preferisco con doccia.
Direttore Per quanto tempo?
Signore Da giovedì a lunedì. Pensione completata.

b **Direttore** Sì?
Signora Vorrei una camera dal venticinque giugno al quattro luglio.
Direttore Singola o doppia?
Signora Una camera matrimoniale con bagno. Pensione completa.

c **Direttore** Dica!
Signorina Ha una camera a due letti dal nove maggio?
Direttore Per quante notti?
Signorina Per dieci notti. Mezza pensione.
Direttore Fino al diciannove?
Signorina Sì. Esatto.
Direttore Con bagno con vasca?
Signorina No, con doccia.

								du	au
a									
b									
c									

 **camera singola**

 **camera doppia**

 **camera matrimoniale**

 **doccia**

 **bagno con vasca**

 **pensione completa**

 **mezza pensione**

2 Dans l'affolement du départ, votre ami vous demande où se trouvent certains objets. Trouvez-les et donnez-les lui en employant le pronom qui convient, comme dans l'exemple :

Esempio: **Dov'è la carta d'identità?** **Dove sono i libri?**
Vous **Eccola!** **Eccoli!**

a Dov'è il passaporto?
b Dov'è la borsa?
c Dov'è l'indirizzo dell'albergo?
d Dove sono i biglietti?
e Dove sono le chiavi?
f Dov'è la pianta (*le plan*)?
g Dov'è il giornale?
h Dov'è l'orologio?

3 Répondez aux questions suivantes en employant les pronoms qui conviennent et en traduisant les mots français, comme dans l'exemple.

Esempio: **Conosce Pietro? Sì. ____***bien.*
Sì. *Lo conosco bene.*

a Conosce Luisa? Sì. ______ (*très bien*).
b Conosce le mie cugine? Sì ______ (*assez bien*).
c Quando vede Anna? ______ (*vers huit heures*).
d Quando invita Luigi? ______ (*aujourd'hui*).
e Invita qualche volta i suoi amici? ______ (*souvent*).
f Quando guarda la televisione? ______ (*après le dîner*).
g Conosce l'Albergo Cesare? Sì. ______ (*bien*).
h Vede Carlo domani? No. ______ (*ce soir*).

4 Complétez les phrases en employant une fois seulement chacune des prépositions contractées de l'encadré qui suit l'exercice.

a I passaporti sono ____ studio.
b Il ghiaccio è ____ acqua.
c I pigiami sono ____ letto.
d Gli ombrelloni sono ____ spiaggia.
e Il vino è ____ bicchiere.
f Le chiavi sono ____ borsa.
g I vestiti sono ____ valigie.
h Non c'è sale ____ spaghetti.

nel	**nello**	**nella**	**nell'**
nelle	**negli**	**sul**	**sulla**

5 Répondez aux questions en employant la première personne du verbe **venire**. Si la question s'adresse à plus d'une personne, comme dans le second exemple, employez la première personne du pluriel.

Esempio: **Viene in macchina?... autobus.**
No. Vengo in autobus.
Venite in autobus?... piedi.
No. Veniamo a piedi.

a Viene in aereo?... **macchina.**
b Viene in metropolitana?... **piedi.**
c Viene in macchina?... **aereo.**
d Venite in autobus?... **metropolitana.**
e Venite a piedi?... **bicicletta.**

6 Lisez le texte suivant, dans lequel **Anna** parle de sa vie. Remarquez que l'on peut trouver tous les renseignements dans le tableau qui suit le texte :

Abito a Milano. Lavoro in una banca commerciale. La mattina esco alle otto meno un quarto. Incomincio a lavorare alle otto e mezza. Finisco di lavorare alle cinque. Torno a casa alle sei meno un quarto. Il sabato non lavoro. Vado al mare con mia sorella per il fine settimana.

Dove abita?	Dove lavora?	A che ora esce la mattina?	A che ora incomincia a lavorare?	A che ora finisce?	A che ora torna a casa?	Dove va il sabato? Con chi?
Anna: Milano	Banca commerciale	7.45	8.30	5.00	5.45	al mare sorella
Maria: Terni	Agenzia di viaggi	8.15	9.00	6.00	6.45	in montagna marito
I sig.ri Spada: Napoli	Istituto di lingue	7.20	8.00	1.00	1.40	in campagna genitori*

* **i nostri genitori** *nos parents* ; **i loro genitori** *leurs parents*

a Écrivez des textes sur le même modèle, tout d'abord comme si **Anna** parlait d'elle-même, puis comme si **i signori Spada** parlaient d'eux-mêmes (**Abitiamo, ecc.**)

b Écrivez des phrases au sujet d'**Anna** d'une part et de **i signori Spada** d'autre part. Commencez par : **Anna abita a Milano, ma i signori Spada abitano a Napoli.**

7 **Ora tocca a te!** Vous réservez des chambres d'hôtel.

Direttore Buongiorno.
Vous *Bonjour. Est-ce que vous avez deux chambres pour 10 jours ?*
Direttore Per quante persone?
Vous *Pour quatre personnes.*
Direttore Abbiamo due camere al terzo piano.
Vous *Avec salle de bains individuelle ?*

Direttore Una con bagno con vasca, l'altra con doccia.
Vous *Oui, c'est bon. Est-ce qu'il y a un restaurant dans cet hôtel ?*
Direttore No. C'è solo il bar.
Vous *Est-ce qu'il y a un restaurant près d'ici ?*
Direttore C'è la 'Trattoria Monti' in piazza.

8 Regardez l'encadré ci-dessous, extrait d'un guide d'hôtels. Comment dit-on en italien :

a Cartes de crédit acceptées
b Les animaux domestiques sont les bienvenus.
c court de tennis

Parco giardino dell'esercizio

Si accettano piccoli animali domestici

Sala congressi
Accettazione gruppi
Baby sitting
Accettazione carta di credito
P **Parcheggio custodito**
Autorimessa dell'esercizio
Trasporto clienti
Campo da tennis

Que signifient les écriteaux suivants ?

d

e

ⓘ Hôtels et pensions

Bien que les **pensioni** aient la réputation d'être plus modestes que les **alberghi**, en réalité la distinction n'est pas très claire. Beaucoup de **pensioni** sont d'un très bon rapport qualité-prix et sont souvent des établissements familiaux. Dans les brochures touristiques par région, les **alberghi** et les **pensioni** sont aujourd'hui citées sur le même plan, en fonction de leurs tarifs et de leurs prestations.

ⓘ Autres types de logement

Ostelli per la gioventù *Auberges de jeunesse*, **Campeggi** ou **Camping** *Campings*, **Villaggi turistici** *Villages de vacances, clubs de vacances* et **Agriturismo** *Tourisme vert* sont autant de modalités de logement qui s'offrent aux touristes, quel que soit leur budget. Citons également les **Case religiose di ospitalità**, ou logement dans des institutions religieuses ; dans ces dernières, on demande généralement aux clients de ne pas rentrer trop tard le soir.

L'office de tourisme italien (**ENIT**) fournit tous les renseignements nécessaires sur les déplacements et le logement en Italie. Vous y trouverez des brochures pour chaque région. Adresse : Office national italien de tourisme, 23 rue de la Paix, 75002 Paris (Tél. (00 33) 1 42 66 03 96/42 66 66 68 ; Fax. (00 33) 1 47 42 19 74 ; www.enit-france.com/

Sites internet sur le tourisme en Italie :

http://www.enit.it
http://www.alitalia.fr

9

al telefono

au téléphone

Dans ce chapitre vous apprendrez à :

- demander à parler à quelqu'un au téléphone
- demander à votre interlocuteur de répéter/de parler plus fort
- demander si vous vous êtes trompé(e) de numéro
- demander si quelqu'un est là et répondre en conséquence
- demander si vous pouvez laisser un message ou rappeler ultérieurement
- demander et donner la permission d'entrer dans une pièce

1 Pronto? Chi parla? *Allô, qui est à l'appareil ?*

La secrétaire est en conversation téléphonique avec **l'avvocato** (*avocat*) **Ferri**, qui souhaite parler à **il dottor Fini**.

a Comment **la segretaria** dit-elle : « Est-ce que vous avez un rendez-vous ? »
b Comment **la segretaria** dit-elle : « Je vous passe M. Fini » ?

Segretaria	Pronto? Chi parla?
Avvocato	Sono l'avvocato Ferri. Vorrei parlare con il dottor Fini.
Segretaria	Io sono la segretaria. Il dottore è occupato: è in riunione. Ha un appuntamento?
Avvocato	No, signorina. Ma è urgente. Urgentissimo.
Segretaria	Un momento, avvocato… Le passo il dottor Fini.
Avvocato	Grazie.
Segretaria	Prego.

in riunione *en réunion*

2 In un ufficio *Dans un bureau*

M. Cioffi demande à parler au directeur de la société, mais, lorsque la secrétaire lui dit que ce dernier est actuellement au siège de la société (**la sede centrale**), il décide d'attendre son retour.

a Comment **la segretaria** dit-elle : « Entrez » ?
b Comment **la segretaria** dit-elle : « Je peux vous offrir un café ? »

Sig. Cioffi	Permesso?
Segretaria	Avanti!
Sig. Cioffi	(*Il n'a pas bien entendu*) Permesso… Posso entrare?
Segretaria	Avanti! Avanti! Prego, si accomodi!
Sig. Cioffi	Vorrei parlare con il direttore.
Segretaria	Mi dispiace, il direttore non c'è. È alla sede centrale. Se vuole, può parlare con me.
Sig. Cioffi	No. Devo parlare con lui personalmente.
Segretaria	Allora, deve tornare più tardi.
Sig. Cioffi	Più tardi non posso. Devo andare a Milano per affari. A che ora ritorna il direttore?
Segretaria	Fra venti minuti. Vuole aspettare qui? Prego, si accomodi! Posso offrirle un caffè?

Sig. Cioffi Grazie. Molto gentile.
Segretaria Prego. Si figuri!

Permesso? Posso entrare?	*Je peux entrer ?*
il direttore non c'è	*le directeur n'est pas là*
Prego, si accomodi!	*Asseyez-vous, je vous en prie !*
per affari	*pour affaires*
Prego. Si figuri!	*Je vous en prie. Aucun problème !*

3 C'è Luisa? *Est-ce que Luisa est là ?*

a Comment **Roberto** dit-il : « Je suis désolé, elle n'est pas là » ?
b Comment **Roberto** dit-il : « Un instant. Je l'appelle. » ?
c Comment **Ida** dit-elle : « C'est moi » ?

Ida Pronto? C'è Luisa?
Roberto No. Mi dispiace, non c'è.
Ida C'è Carla?
Roberto Sì. C'è. Un attimo. La chiamo.
Carla Pronto...!
Ida Ciao, Carla! Sono io, Ida.
Carla Ciao, Ida!

4 La segreteria teléfonica *Le répondeur téléphonique*

Il nostro ufficio è chiuso. Dopo il segnale acustico, si prega di lasciare il nome, il numero di telefono e un breve messaggio. Sarete contattati al più presto. Grazie.

il segnale acustico	*le signal sonore*
si prega di lasciare il nome	*veuillez laisser votre nom*
sarete contattati	*nous vous rappellerons*
si prega di...	*veuillez...*
al più presto	*dès que possible*

Prononciation

Attention à la prononciation des mots « puoi », « può » et « vuol ». Entraînez-vous avec les phrases suivantes.

Puoi venire più tardi? Non può partire? Vuol ripetere il suo nome?

Grammaire

1 Le verbe irrégulier *potere* pouvoir

Présent	**potere**	*pouvoir*			
(io)	**posso**	*je peux*	**(noi)**	**possiamo**	*nous pouvons*
(tu)	**puoi**	*tu peux*	**(voi)**	**potete**	*vous (pl) pouvez*
(lui, lei)	**può**	*il/elle peut*	**(loro)**	**possono**	*ils/elle peuvent*

Tout verbe placé après **potere** doit être à l'infinitif.

Potere sert à :

i demander ou donner la permission :

Posso fumare? *Est-ce que je peux fumer ?*
Le posso fare una domanda? *Est-ce que je peux vous poser une question ?*
Può assaggiare il vino se vuole. *Vous pouvez goûter le vin si vous voulez.*

ii dire si l'on peut faire quelque chose ou pas :

(Non) possiamo venire domenica. *Nous pouvons/ne pouvons pas venir dimanche.*
(Non) posso arrivare prima delle undici. *Je peux/je ne peux pas arriver avant onze heures.*

2 Pronoms objet

« Je vous passe M. Fini » équivaut à *Je passe M. Fini à vous.* ***À vous***, dans ce cas, est un complément d'objet indirect, rendu en italien par **le**. Les pronoms objet direct (voir Chapitre 8, p. 93) et les pronoms objet indirect (voir Chapitre 18, p. 201) sont généralement placés devant le verbe. En revanche, avec **potere**, **dovere**, **volere** et **sapere** vous avez le choix : vous pouvez soit placer le pronom avant le verbe, soit l'accoler à l'infinitif qui suit, non sans avoir au préalable supprimé le **-e** final : **Posso offrirle = posso offrir(e) + le.** Il existe d'autres verbes courants qui admettent un pronom objet indirect : **dare** *donner*, **parlare** *parler*, **scrivere** *écrire*, **presentare** *présenter* et **telefonare** *téléphoner*.

Le telefono dopo. *Je vous rappellerai plus tard.*
Un momento! Le dò il numero di telefono di Anna. *Un instant ! Je vous donne le numéro de téléphone d'Anna.*
Le posso offrire qualcosa da bere? / **Posso offrirle qualcosa da bere?** *Je peux vous offrir quelque chose à boire ?*

Observez la place de **le** dans le dernier exemple : il peut soit précéder **posso**, soit suivre l'infinitif.

3 Permesso...? *Je peux...?* Avanti! *Entrez !*

Dans le deuxième dialogue **il signor Cioffi** dit **Permesso?** pour demander s'il peut entrer. La réponse habituelle est **Avanti!** *Entrez!* **Permesso** s'emploie également pour demander à quelqu'un de se pousser pour vous laisser passer – dans un endroit où il y a beaucoup de monde, dans un bus, etc. : **Permesso!** *Excusez-moi, s'il vous plaît !* Dans ce cas la réponse est **Prego!**

4 C'è/non c'è *Il/elle est là, il/elle n'est pas là*

C'è, non c'è s'emploie fréquemment pour dire si quelqu'un est là ou non. Notez son emploi à la forme négative et à la forme interrogative :

C'è il dottor Bassani?	*Est-ce que M. Bassani est là ?*
Mi dispiace. Non c'è.	*Non, je suis désolé, il n'est pas là.*

5 Avec moi, avec lui

Les pronoms personnels de la première et de la troisième personne du singulier deviennent **me** et **te** lorsqu'ils sont employés avec une préposition. Les autres pronoms sujet restent inchangés :

Paolo viene con te o con me?	*Paul vient avec toi ou avec moi ?*
Perché non vieni con noi?	*Pourquoi est-ce que tu ne viens pas avec nous ?*
Andiamo con loro!	*Allons-y avec eux !*

6 *Più* + adjectifs/adverbes

Più s'emploie devant les adjectifs et les adverbes pour former les comparatifs de supériorité :

più presto *plus tôt*, **più tardi** *plus tard* (adverbes)
più caro/a *plus cher/chère*, **più grande** *plus grand(e)* (adjectifs).

7 La formation des adverbes : *personalmente* *personnellement*

Pour former les adverbes on ajoute **-mente** à la fin des adjectifs :

evidente *evident(e)* → **evidentemente** *évidemment*

Pour les adjectifs se terminant en **-o**, on ajoute **-mente** à la fin de la forme féminine :

vero, vera *vrai(e)* → **veramente** *vraiment*
chiaro, chiara *clair(e)* → **chiaramente** *clairement*
pratico, pratica *pratique* → **praticamente** *pratiquement*

Les adjectifs se terminant en **-le** ou en **-re** perdent leur **-e** final :

facile *facile* → **facilmente** *facilement*
generale *général(e)* → **generalmente** *généralement*
regolare *régulier(ère)* → **regolarmente** *régulièrement*

8 Arrivederla *Au revoir*

Arrivederla est un équivalent plus soutenu de **arrivederci**, mais il ne peut s'employer que si l'on s'adresse à une seule personne. **La** est le pronom objet correspondant au vouvoiement, comme nous l'avons vu au Chapitre 8, p. 93.

Comment dit-on... ?

1 Pour demander à parler à quelqu'un au téléphone — **Vorrei/Posso parlare con...**

2 Pour demander à son interlocuteur de répéter/de parler plus fort — **Può ripetere/parlare più forte?**

3 Pour demander si c'est le mauvais numéro — **Ho sbagliato numero?**

4 Pour demander si quelqu'un est là — **C'è...?**
Pour répondre en conséquence — **Sì. C'è./No. Non c'è.**

5 Pour demander si on peut laisser un message — **Posso lasciare un messaggio?**
Pour demander si on peut rappeler plus tard — **Posso richiamare più tardi?**

6 Pour demander et donner la permission d'entrer — **Permesso?**
Avanti!

Exercices

1 À partir des deux dialogues suivants, répondez aux questions.

Ho sbagliato numero? *Je me suis trompé(e) de numéro?*

Gianna Pronto! Ho sbagliato numero…? No?… Puoi parlare più forte, Sandro? Non sento niente. Vorrei parlare con Vincenzo.
Sandro Vincenzo non c'è. Puoi richiamare più tardi?
Gianna D'accordo. Richiamo fra mezz'ora. Ciao!
Sandro Ciao!

a Est-ce que Vincenzo est là ?
b Que demande l'homme (**Sandro**) à la femme (**Gianna**) ?
c Qu'a-t-elle l'intention de faire ?

Tutto a posto *Tout est arrangé*

Dott. Cervi Non c'è?… Posso lasciare un messaggio?
Segretaria Sì, certo. Dica!
Dott. Cervi Tutto a posto. La conferenza è il dieci giugno.
Segretaria Vuole ripetere il suo nome, per cortesia?
Dott. Cervi Cervi. Il dottor Cervi. C come Capri, E come Empoli, R come Roma, V come Verona, I come Imola.
Segretaria La ringrazio, dottor Cervi. Arrivederla.
Dott. Cervi Buongiorno.

d Quelle est la date de la conférence ?
e Quel mot la femme demande-t-elle à l'homme de répéter ?

2 Complétez le dialogue ci-dessous en employant **lo, la, le**.

Signore Posso parlare con il dottor Dolci?
Segretaria Mi dispiace, il dottore non c'è. Oggi non è in ufficio.
Signore Dove ____ posso contattare?
Segretaria ____ chiamo io domani mattina quando il dottore è qui.
Signore Grazie, ma non posso aspettare fino a domani. È urgente.
Segretaria In questo caso ____ do il suo numero telefonico privato.
Signore Grazie. Molto gentile.
Segretaria E se il dottore telefona qui oggi, ____ richiamo io. Va bene?
Signore D'accordo. ____ ringrazio molto, signorina.

3 Formez des phrases à partir des éléments de chaque colonne.

i	Posso lasciare	**a**	Può telefonare verso le dieci?
ii	Non possiamo venire adesso,	**b**	un messaggio?
		c	il suo nome, per favore?
iii	Non vogliamo disturbare Luisa	**d**	perché è molto occupata.
		e	perché non ho la chiave.

iv Non posso uscire stasera
v Vuol ripetere
vi Scusi, le posso
vii Le lascio il mio numero telefonico.
viii Non posso aprire la porta

f perché devo lavorare fino a tardi.
g ma possiamo venire più tardi.
h fare una domanda?

4 Dans le tableau ci-dessous
✓ = ce qu'**Elena** veut faire.
! = ce qu'**Elena** doit faire.
× = ce qu'**Elena** ne peut pas faire.

Écrivez neuf phrases complètes concernant **Elena.** Commencez par : **Vuole...**

(volere) ✓	(dovere) !	(potere) ×
a telefonare ad Anna	d lavorare fino a tardi	g fumare
b vedere un film	e uscire con i suoi genitori	h comprare un altro vestito
c uscire con Carla	f scrivere una lettera a suo zio	i venire a pranzo con noi

5 Imaginez que vous demandez à votre ami de faire les choses suivantes : comment le diriez-vous en italien ?

a Tu peux attendre ici ?
b Tu peux passer un coup de fil pour (**per**) moi ?
c Tu peux me passer le sel et le poivre ?
d Tu peux réserver une autre chambre ?
e Tu peux ouvrir la porte, s'il te plaît ?

6 **Ora tocca a te!** Complétez la partie de la conversation téléphonique qui vous correspond (vous êtes Patricia Fontaine) :

Segretaria Pronto!
Vous *Bonjour ! Est-ce que je pourrais parler à Lisa, s'il vous plaît ?*
Segretaria Lisa è in riunione.
Vous *Est-ce que je peux laisser un message ?*
Segretaria Certo. Chi parla?
Vous *Patricia Fontaine.*
Segretaria Come si scrive?
Vous *Épelez votre nom en entier.*
Segretaria E qual è il messaggio?
Vous *Patricia Fontaine ne pourra pas assister à la réunion de demain.*

7 Trouvez dans l'encadré le mot qui correspond à chacun des objets de l'illustration. Cherchez dans le lexique les mots que vous ne connaissez pas.

l'agenda - il calendario - la carta - il cassetto - il computer - la matita - l'orologio - la penna - il quadro - la scrivania - la sedia - la segreteria telefonica - il telefono - il telefonino/il cellulare

8 Quanto costa questa segreteria telefonica, e per quanto tempo è garantita?

Facile

- colore bianco
- testo di annuncio su memoria digitale
- funzione "memo" per lasciare messaggi anche da un altro telefono
- accensione e controllo a distanza

in vendita a €55,78 IVA inclusa (garanzia 6 mesi)

9 Per chi è il telefono azzurro e quanto costa per telefonare?

Telefono Azzurro
Linea gratuita
per i bambini 19696

ⓘ Les cartes téléphoniques

Il est encore possible, dans certains endroits, de régler les appels téléphoniques avec de la monnaie, mais dans la plupart des cas il vous faudra **la scheda telefonica**, qui s'achète **all'edicola** *au kiosque à journaux* ou **dal tabaccaio**.

10

lavoro e tempo libero

travail et loisirs

Dans ce chapitre vous apprendrez à :

- dire dans quel quartier vous habitez
- parler de votre métier
- dire comment vous occupez vos loisirs
- parler de votre famille
- inviter quelqu'un à sortir

1 Leggo, scrivo, ascolto la radio *Je lis, j'écris et j'écoute la radio*

Dans le cadre d'un sondage, **Marisa** interroge **Carmela** sur la grand-place. **Carmela** explique qu'elle vient de Palerme mais qu'elle habite et travaille à Naples. Puis **Marisa** lui demande dans quel quartier de Naples elle habite, quel est son métier et ce qu'elle fait pendant ses loisirs.

a Comment **Carmela** dit-elle : « J'habite et je travaille à Naples » ?
b Comment **Carmela** dit-elle : « Je joue au tennis » ?

Carmela	Sono di Palermo, vivo e lavoro a Napoli.
Marisa	In che parte di Napoli abita?
Carmela	Al centro. Vicino all'università.
Marisa	Che lavoro fa?
Carmela	Insegno matematica in un istituto tecnico.
Marisa	Cosa fa nel pomeriggio?
Carmela	Se ho una riunione rimango a scuola, altrimenti torno a casa. Quando ho un po'di tempo libero, gioco a tennis o esco con qualche amica.
Marisa	E la sera?
Carmela	Dipende... Leggo, scrivo, ascolto la radio, guardo la televisione, oppure se c'è un bel film, vado al cinema.

insegnare	*enseigner*
rimango (de **rimanere** irrég.)	*je reste*
altrimenti	*autrement, sinon*
dipendere	*dépendre*
leggo (de **leggere**)	*je lis*

2 Io e la mia famiglia *Ma famille et moi*

Marisa regarde une photo de famille d'un collègue de **Carmela**, **Pietro**.

a Comment **Marisa** dit-elle : « Ce sont vos parents ? »
b Comment **Pietro** dit-il : « Et voici mes grands-parents » ?

Marisa	Che bella fotografia! Chi è quel signore lì vicino alla sedia?
Pietro	Sono io.
Marisa	E quei signori davanti a lei, sono i suoi genitori?
Pietro	Sì. Questi sono i miei genitori: mio padre, mia madre, e questi qui sono i miei nonni.

Marisa È sua sorella la signora dietro ai nonni?

Pietro No. È mia moglie, e il bambino seduto per terra è nostro figlio Alessandro.

quel	ce
i nonni	les grands-parents
sedia	chaise
moglie (f.)	femme
quei	ces
seduto/a	assis(e)
i genitori	les parents
per terra	par terre

 Prononciation

Nous avons modifié l'ordre des personnes au présent de l'indicatif des verbes **conoscere** et **leggere** afin de mettre en relief le son 'k' de **conosco**, **conoscono** et le son 'g' de **leggo**, **leggono** (voir pp. 17 et 140).

Conoscere: conosco, conoscono; conosci, conosce, conosciamo, conoscete
Leggere: leggo, leggono; leggi, legge, leggiamo, leggete

Grammaire

1 Rimanere *Rester*

Rimanere et **restare** signifient tous deux rester, mais **rimanere** est un verbe irrégulier :

Présent	**rimanere**	*rester*			
(io)	**rimango**	*je reste*	**(noi)**	**rimaniamo**	*nous restons*
(tu)	**rimani**	*tu restes*	**(voi)**	**rimanete**	*vous (pl) restez*
(lui, lei)	**rimane**	*il/elle reste*	**(loro)**	**rimangono**	*ils/elles restent*

2 Al centro *Au centre*

On peut dire soit **al centro**, soit **in centro**. Nous avons déjà rencontré des expressions dans lesquelles **in** n'est pas accompagné de l'article défini. Voici quelques autres exemples :

in	**città**	*en ville*
	periferia	*en banlieue*
	piazza	*sur la place*
	campagna	*à la campagne*
	montagna	*à la montagne*

Mais n'oubliez pas que l'on dit **al mare** *à la mer*.

3 Giocare a *Jouer à*

Contrairement au français, le a de l'expression **giocare a** n'est pas suivie de l'article défini :

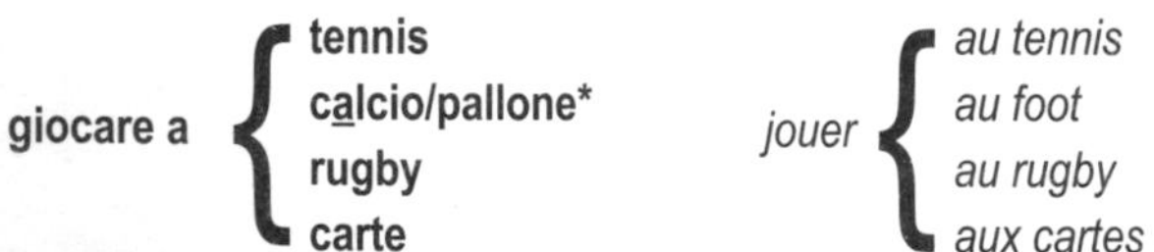

giocare a	**tennis**	*jouer*	*au tennis*
	calcio/pallone*		*au foot*
	rugby		*au rugby*
	carte		*aux cartes*

* Mot à mot : **un calcio** *un coup de pied* **un pallone** *un ballon*

4 Che...! *Quel/quelle... !*

Che s'utilise dans les exclamations, devant un nom ou un adjectif, comme en français. Cependant, il est invariable :

bello/a! *Que c'est/qu'il est beau !/Qu'elle est belle !*

Che { bello/a!	*Que c'est/qu'il est beau !/Qu'elle est belle !*
belli/e!	*Qu'ils sont beaux !/Qu'elles sont belles !*
Che bella macchina!	*Quelle belle voiture !*
Che peccato!	*Quel dommage !*
Che guaio!	*Que c'est embêtant !*

Notez également qu'il n'est pas nécessaire d'exprimer le verbe en italien : **che simpatico!** *qu'il est sympathique !*

5 *Bello/a* et *quello/a* devant le nom

Lorsque **bello** *joli, beau* et **quello** *ce* précèdent le nom qu'ils qualifient, ils se comportent comme **nel, nello, nella, nell', nei, negli, nelle** (Chapitre 8, p. 93) :

È un bel bambino.	*C'est un beau petit garçon.*
Che bello scaffale!	*Quelles belles étagères !*
Quei libri sono interessanti.	*Ces livres sont intéressants.*
Quell'uomo è povero.	*Cet homme est pauvre.*
Quegli appartamenti sono belli.	*Ces appartements sont beaux.*

6 Les membres de la famille

Voici certains noms de membres de la famille que vous avez peut-être déjà rencontrés ou que vous avez pu oublier :

(i)	**genitori**	*parents*	(la)	**madre**	*mère*
(i)	**nonni**	*grands-parents*	(la)	**moglie**	*femme* (épouse)
(il)	**padre**	*père*	(la)	**nonna**	*grand-mère*
(il)	**marito**	*mari*	(la)	**zia**	*tante*
(lo)	**zio**	*oncle*	(la)	**nipote**	*nièce ou petite-fille*
(il)	**cugino**	*cousin*			
(il)	**nipote**	*neveu ou petit-fils*			

7 Adjectifs possessifs

Le tableau ci-dessous récapitule toutes les formes des adjectifs possessifs que nous n'avons pas encore vus (*notre, nos, votre, vos, leur(s)*). Ils sont toujours précédés de l'article défini, sauf si l'on parle d'***un seul*** membre de la famille (voir exemples p. 57) : **nostro padre** *notre père*, MAIS **i nostri genitori** *nos parents* ; **vostra figlia** *votre fille*, MAIS **le vostre figlie** *vos filles*.

Notez que **loro** *leur(s)* est invariable et qu'il est toujours précédé de l'article défini, que le nom soit au singulier ou au pluriel : **il loro cugino** *leur cousin*, **i loro cugini** *leurs cousins* (voir tableau ci-dessous).

noi	il nostro	la nostra	i nostri	le nostre	*notre, nos*
voi	il vostro	la vostra	i vostri	le vostre	*votre, vos (pl)*
loro	il	loro	albergo		*leur hôtel*
	la		camera		*leur chambre*
	i		bagagli		*leurs bagages*
	le		chiavi		*leurs clés*

La loro cugina ha una villa in montagna. — *Leur cousine a une villa à la montagne.*
I vostri colleghi sono in ufficio. — *Vos collègues sont au bureau.*
I loro amici vengono da Roma. — *Leurs amis viennent de Rome.*

 Comment dit-on... ?

1 Pour dire que l'on habite et que l'on travaille dans telle ou telle ville — **Vivo e lavoro a...**

2 Pour demander à quelqu'un dans quel quartier il habite — **In che parte di... abita?**
Pour dire dans quel quartier on habite — **Abito al/in centro/in periferia.**

3 Pour dire ce que l'on fait pendant ses loisirs — **Leggo, scrivo, ascolto la radio... Gioco a tennis/a pallone/ a carte...**

4 Pour désigner chaque membre de sa famille sur une photo — **Questo qui è mio marito... Questi sono i miei genitori**

5 Pour inviter quelqu'un à sortir — **Vuoi venire con me?**

Exercices

1 Complétez les phrases suivantes par la forme de **quel, quello, quella, quell', quei, quegli** ou **quelle** qui convient :

a Chi è ____ signore?
b ____ orologio è giapponese.
c ____ camicia costa poco.
d ____ istituto è grande.
e ____ studente è australiano.
f ____ appartamenti sono moderni.
g ____ libri sono belli.
h Non sono buoni ____ pomodori?
i ____ cartoline sono di Roma?
j Sono di cristallo ____ bicchieri?

2 Complétez les phrases suivantes par la forme de **bel, bello, ecc.** qui convient :

a Che ____ macchina!
b Che ____ studio!
c Che ____ posto!
d Che ____ bambini!
e Che ____ albero!
f Che ____ spiaggia!
g Che ____ camere!
h Che ____ uccelli!

3 **Lucia** décrit ce qu'elle fait chaque jour de la semaine. Complétez les phrases en employant une seule fois chacun des mots qui figurent dans l'encadré ci-dessous :

ballare - esco - guardo - giocare - gioco - mangio - rimango - vado

a Lunedì ____ a casa e ____ la televisione.
b Martedì vado a ____ in discoteca.
c Mercoledì ____ al cinema con Cesare.
d Giovedì resto a casa a ____ a bridge.
e Venerdì ____ a tennis con Enrico.
f Sabato sera ____ di casa alle otto e vado in piazza.
g Domenica ____ al ristorante con i miei genitori.

4 Choisissez dans la colonne de droite les morceaux de phrase qui complètent ceux de la colonne de gauche :

i Non posso giocare a bridge
ii Non posso giocare a calcio
iii Non posso giocare a tennis
iv Non posso fare il bagno

a perché non ho la racchetta.
b perché non ho le carte.
c perché non ho il costume.
d perché non ho il pallone.

5 **Cosa *facciamo* quando non *lavoriamo*?**

Que répondraient les personnes ci-dessous si on leur demandait ce qu'elles font de leur temps libre ? **Adamo e Ida** répondent ensemble, ainsi que **Enzo e Rina**. La réponse de Guido, par exemple, commencerait par : **Vado al cinema,...**

Guido	✓			✓			✓
Carla		✓	✓		✓		
Adamo e Ida	✓			✓		✓	✓
Enzo e Rina		✓	✓	✓	✓		

 = andare al cinema

 = andare a ballare

 = guardare la televisione

 = andare a teatro

 = giocare a tennis

 = ascoltare la radio

 = leggere

6 **Marco** explique qui sont les membres de sa famille.

I Poursuivez comme si vous étiez Marco, en vous aidant de l'arbre généalogique ci-dessous.

a **Io sono Marco.**
b **Anna è mia moglie.**
c **Enzo è ____**
d ____
e ____
f ____
g ____
h ____
i ____

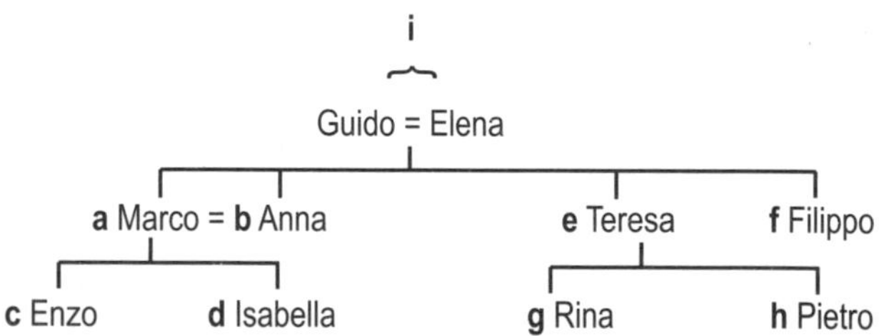

II Imaginez à présent que **Enzo** et **Isabella** doivent expliquer ce même arbre généalogique à quelqu'un d'autre. Ils diraient tout d'abord :

a **Marco è nostro padre.**
b **Anna è ____**
c, d **Noi siamo i ____**
e **Teresa è ____**
f ____
g ____
h ____
i ____

7 **Laura** voudrait faire un échange (**fare uno scambio di ospitalità**) avec Charlotte, qui habite en France. Dans la lettre suivante, elle donne à Charlotte des renseignements sur elle-même et sur sa famille. Vérifiez les mots que vous ne connaissez pas, puis imaginez que vous êtes Charlotte et écrivez une réponse en suivant les consignes de la p. 120.

Cara Charlotte,
mi chiamo Laura Valli. Ho sedici anni e vorrei studiare l'arte culinaria all'Istituto Carlo Porta di Milano. Vorrei poi continuare i miei studi in Francia. Le lingue straniere sono molto importanti per la mia carriera, ma non conosco bene il francese. Leggo discretamente e capisco tutto, però non so parlare.
Ho un fratello e due sorelle. Mio fratello Mario studia medicina a Bologna. Fa il terzo anno. Le mie sorelle sono sposate. Io vivo a casa con mio padre che lavora per la ferrovia, e mia madre che è parrucchiera. Anche mia nonna vive con noi. È simpaticissima e passa molto tempo a parlare con il nostro pappagallo messicano Pancita. Abbiamo anche un bel cane Rex, e un piccolo gatto Fifì.

Vorrei fare uno scambio di ospitalità con te, se è possibile, per qualche mese. So che vuoi venire in Italia per imparare l'italiano. Il nostro paese non è lontano da Firenze. In Italia ci sono molte scuole e università per stranieri.
Puoi venire quando vuoi. Aspetto una tua risposta.
Un caro saluto,
Laura

Avant de composer la réponse de Charlotte à Laura, lisez les propositions ci-dessous, puis relisez la lettre de Laura en soulignant tous les mots ou expressions que vous pouvez réutiliser ou adapter. Utilisez le tutoiement.

Commencez par : **Cara Laura,**

grazie della tua lettera.

Dites que vous avez 17 ans et qu'un jour vous aimeriez travailler en Italie. Cette année vous étudiez l'anglais et l'italien. Ce sont deux langues très intéressantes.

Vous habitez dans un village (**paese**) près de Meaux, qui n'est pas très loin de Paris.

Votre père est électricien (**elettricista**) et votre mère travaille à domicile pour le compte d'une agence publicitaire (**agenzia pubblicitaria**).

Vous avez un frère qui travaille à Paris et une petite sœur de 7 ans. Elle s'appelle Sandra et elle joue beaucoup avec votre chien, Pastor.

Vous aimeriez aller (employez le verbe **venire**) en Italie en juillet.

Concluez votre lettre par : **A presto** (*À bientôt*). **Un caro saluto** (*Amicalement*)**,**

Charlotte

8 **Ora tocca a te!** Vous êtes **Isa**, et **Angelo** vous invite à sortir en boîte de nuit. Complétez la partie du dialogue qui vous correspond.

Angelo	Ciao, Isa!
Vous	*Bonjour !*
Angelo	Vuoi venire con me?
Vous	*Où ça ?*
Angelo	A ballare.
Vous	*Quand ? Ce soir ?*
Angelo	Domani alle undici.
Vous	*Non, demain je ne peux pas. Je vais au cinéma avec une amie.*
Angelo	Puoi venire sabato? O devi uscire anche sabato?
Vous	*Samedi soir je dois aller au théâtre avec mes parents.*
Angelo	Peccato! Domenica alle undici?
Vous	*Dimanche c'est bon, mais je ne peux pas venir avant minuit.*

Angelo A mezzanotte va bene. Ciao, allora!

Vous *Au revoir.*

 L'école

En Italie, les cours commencent habituellement vers 8 h ou 8 h 30 et se terminent vers 14 h.

La famille

La famiglia *la famille* est, aujourd'hui encore, une composante essentielle de la société italienne. La nourriture occupant également une place de choix dans la vie quotidienne, les repas pris en famille font partie intégrante de la culture italienne. Chacun est libre de se mêler aux discussions et aux décisions qui peuvent concerner n'importe quel membre de la famille. La coutume veut que les jeunes Italiens ne quittent le domicile de leurs parents qu'après leur mariage, à moins que leur travail ne les oblige à déménager : 15 % seulement des moins de 25 ans vivent ailleurs que chez leurs parents.

Il n'est pas rare que des Italiens que vous venez à peine de rencontrer, notamment lors d'un long trajet en train, vous montrent des photos de famille et vous posent des questions personnelles. Ne prenez pas cela pour de l'indiscrétion : leur intérêt pour vous, votre famille et vos enfants est sincère.

11

necessità quotidiane e preferenze

besoins de la vie quotidienne et préférences

Dans ce chapitre vous apprendrez à :

- dire que vous avez faim ou soif
- dire ce que vous voulez acheter et quelles quantités vous désirez
- parler de vos goûts
- dire de quel matériau est fait un objet
- demander à quelqu'un quelles sont ses préférences et dire quelles sont les vôtres

 1 Ho sete *J'ai soif*

Marcello et **Pippa** ont passé toute la matinée en ville. Comme **Marcello** a soif et **Pippa** a faim, ils décident de faire des courses (**fare la spesa**) et de rentrer déjeuner.

a Comment **Pippa** dit-elle : « J'ai faim » ?
b Comment **Pippa** dit-elle : « J'aimerais manger quelque chose » ?

Marcello	Senti, ho sete. Vorrei bere.
Pippa	Io, invece, ho fame. Vorrei mangiare qualcosa.
Marcello	Sai se c'è una salumeria da queste parti?
Pippa	C'è un negozio di generi alimentari a due passi da qui.
Marcello	Allora facciamo la spesa e poi torniamo subito a casa per il pranzo. Che ne dici?

senti	*écoute*
qualcosa = qualche cosa	*quelque chose*
sai se...?	*sais-tu si... ?*
salumeria	*charcuterie*
da queste parti	*par ici*
negozio di generi alimentari	*épicerie*
a due passi da qui	*tout près d'ici*
Che ne dici? (de **dire** irrég.)	*Qu'est-ce que tu en dis ?*

 2 Al negozio di generi alimentari *À l'épicerie*

Marcello et **Pippa** achètent des provisions au **negozio di generi alimentari** *épicerie*.

a Comment **Pippa** demande-t-elle des petits pains ?
b Comment **Pippa** demande-t-elle un demi-kilo de spaghettis ?

Salumiere	Cosa desidera, signora?
Pippa	Vorrei dei panini, del formaggio, del burro e della mortadella.
Salumiere	Quanto formaggio, e quanta mortadella, signora?
Pippa	Un etto di formaggio, due etti di burro, sei fette di mortadella, e sei panini.
Salumiere	Ecco, signora.
Pippa	Vorrei anche degli spaghetti e dello zucchero.
Salumiere	Quanto zucchero?

Pippa	Mezzo chilo di spaghetti e un chilo di zucchero. Poi vorrei delle uova fresche e dell'olio.
Marcello	Anche un chilo di mele e mezzo chilo di uva.
Salumiere	Subito, signore. Ecco. Desidera altro?
Marcello	No. Basta così.

dei panini	*des petits pains*
del burro	*du beurre*
un etto di	*100 grammes de*
fetta	*tranche, rondelle*
un chilo di	*un kilo de*
delle uova fresche	*des œufs frais*
mele, uva	*des pommes, du raisin*

3 Pelletteria: le piace? *Maroquinerie : il vous plaît ?*

Ada et **Simona** sont en train de choisir des articles de maroquinerie. Tout d'abord, **Simona** achète un sac à main en cuir, **una borsa di pelle**.

a Comment **Ada** dit-elle « Que ce sac est beau ! » ?
b Comment **Simona** dit-elle : « Il ne me plaît pas » ?

Ada	Com'è bella questa borsa! Le piace?
Simona	No. Non mi piace. È troppo grande.
Ada	Questa qui è più piccola. Va bene con i guanti.
Simona	Sì, però è troppo chiara. Non ce n'è una più scura?
Ada	Lì ce n'è una. È meno cara, ma è di plastica. Preferisce quella?
Simona	No. Preferisco questa di pelle. Quanto costa?
Ada	Costa molto.
Simona	Non importa. La compro lo stesso.

i guanti	*les gants*
Non ce n'è una più scura?	*Il n'y en a pas un plus foncé ?*
Lì ce n'è una.	*Il y en a un là.*
quello/a	*celui-là/celle-là*
La compro lo stesso.	*Je le prends quand même.*

4 Le piacciono? *Ils vous plaisent ?*

Ensuite, **Ada** voudrait acheter **un portafoglio** *un portefeuille.*

a Comment **Ada** dit-elle : « Ils me plaisent beaucoup » ?
b Comment **Ada** dit-elle : « Alors je les prends tous les deux » ?
c Comment dit-elle : « Je n'ai plus d'argent ! » ?

Ada	Io vorrei prendere anche il portafoglio per Marco.
Simona	Di che colore lo vuole? Qui ce ne sono due molto belli. Sono più scuri della borsa. Le piacciono?
Ada	Sì. Mi piacciono moltissimo. Quanto costano?
Simona	Costano poco.
Ada	Costano poco? Allora li compro tutti e due.
Simona	Come sono eleganti quelle scarpe in vetrina! Perché non le compra?
Ada	Perché non ho più soldi!

ce ne sono due	*il y en a deux*
Sono più scuri della borsa.	*Ils sont plus foncés que le sac.*
in vetrina	*dans la vitrine*

Grammaire

1 Sapere *savoir* ; dire *dire*

Dorénavant, les verbes irréguliers seront donnés sans les pronoms personnels italiens correspondants et sans la traduction française. Étant donné qu'ils sont toujours présentés dans le même ordre, vous ne devriez avoir aucune difficulté à en comprendre le sens.

Présent **sapere** *savoir*	**dire** dire
so **sai** **sa** **sappiamo** **sapete** **sanno**	**dico** **dici** **dice** **diciamo** **dite** **dicono**

2 J'ai soif, j'ai faim, etc.

aver	**sete** **fame** **paura** **sonno** **ragione** **torto**	*avoir*	*soif* *faim* *peur* *sommeil* *raison* *tort*

Ha un bicchiere d'acqua, per favore? Ho sete.	*Vous avez un verre d'eau, s'il vous plaît ? J'ai soif.*
Perché non mangi? Non ho fame.	*Pourquoi est-ce que tu ne manges pas ? Je n'ai pas faim.*
Ho sonno. Vado a letto.	*J'ai sommeil. Je vais au lit.*
No! Lui non ha torto. Ha ragione.	*Non, il n'a pas tort. Il a raison.*

3 L'expression de la distance

a due passi da qui	à deux pas d'ici
a dieci chilometri da Roma	à dix kilomètres de Rome
a due chilometri dall'autostrada	à deux kilomètres de l'autoroute

4 Du, de la, des

Di + l'article défini (voir Chapitre 6, p. 67) s'utilise également comme partitif : **del burro** *du beurre* ; **della marmellata** *de la confiture* ; **dei panini** *des petits pains* ; **dell'uva** *du raisin*.

5 Un uovo, delle uova *Un œuf, des œufs*

Un uovo *un œuf* est masculin, mais le pluriel, **uova**, est féminin : **delle uova fresche**. C'est le même principe que pour **un paio, due paia** (voir Chapitre 4, p. 44). Le pluriel de **l'uovo** est donc **le uova**.

6 Com'è...! *Comme... !*

Tout comme **che** (pp. 114–15), **come** peut s'employer dans les exclamations, mais il doit toujours être suivi du verbe être :

Com'è grande!	*Comme il est grand !*
Come sono eleganti!	*Comme elles sont élégantes !*
Com'è bella questa borsa!	*Comme ce sac est joli !*

Come peut aussi servir à introduire une question lorsqu'on demande à quelqu'un de décrire quelqu'un ou quelque chose :

Com'è la sua casa?	*Comment est sa/votre maison ?*
Com'è l'amico di Pietro?	*Comment est l'ami de Pietro ?*

7 Le piace? Le piacciono? *Il vous plaît ? Ils vous plaisent ?*

Piacere se construit de la même façon que *plaire*, c'est-à-dire avec un pronom objet indirect (p. 201). Il peut aussi se traduire par *aimer*. Dans ce cas, le sujet de **piacere** est la chose que l'on aime, et son complément indirect est la personne qui aime.

Mi piace.	*Il/elle me plaît.*
Ti piace.	*Il/elle te plaît.*
Le piace.	*Il/elle vous plaît* (vouvoiement) ; *il/elle lui* (= à elle) *plaît.*
Gli piace.	*Il/elle lui (= à lui) plaît.*
Mi piace tanto questo cd! **Questo cd mi piace tanto!**	*J'aime vraiment beaucoup ce CD !*

On emploie la troisième personne du pluriel de **piacere** lorsqu'on parle de plusieurs choses ou personnes :

Le piacciono queste pesche? **Queste pesche le piacciono?**	Aimez-vous ces pêches ?

Pour dire que l'on n'aime pas quelque chose, on met **non** devant **mi piace, le piace**, etc. :

Le olive non mi piacciono.	*Je n'aime pas les olives.*

On peut insister sur la négation en employant **non... mica** ou **non... affatto** *pas... du tout* :

Questa borsa non mi piace mica/affatto.	*Je n'aime pas du tout ce sac / Ce sac ne me plaît pas du tout.*

ATTENZIONE! Dispiacere n'est ***pas*** le contraire de **piacere**. Il signifie *être désolé* ou *déranger* :

Ha delle cipolle?	*Vous avez des oignons ?*
Mi dispiace. No ne ho.	*Je suis désolé, je n'en ai pas.*
Le dispiace tornare domani?	*Ça vous dérange de revenir demain ?*

Remarquez que, en dehors de l'emploi normal du pronom personnel, comme ci-dessus, **a** est obligatoire dans tous les cas, c'est-à-dire :

a lorsque le complément est un nom propre, un groupe nominal ou un pronom indéfini :

***A* Carlo non piace l'arte moderna.**	*Carlo n'aime pas l'art moderne.*
***Ai* miei amici non piace il calcio.**	*Mes amis n'aiment pas le foot.*
Il calcio non piace *a* nessuno dei miei amici.	*Aucun de mes amis n'aime le foot.*

b avec un pronom lorsqu'on veut insister ou établir un contraste :

Piace *a* me, ma non piace *a* te.	*Moi j'aime ça, mais toi non.*

8 En

Ne remplace un nom ou une proposition portant sur un nombre ou une quantité ; comme les pronoms **lo, la, li, le** il précède généralement le verbe :

Quanto burro compra?	*Combien de beurre achetez-vous ?*
Ne compro un etto.	*J'en achète 100 grammes.*
Ha degli spiccioli?	*Avez-vous de la monnaie ?*
Non ne ho.	*Je n'en ai pas.*

9 Di *De, en (matériau)*

un portafoglio di cuoio/pelle	*un portefeuille de/en cuir*
dei calzini di cotone	*des chaussettes en coton*
una camicia di pura seta	*une chemise en pure soie*
un golf di pura lana	*un gilet/pull en pure laine*
un anello d'oro	*une bague en or*
un bracciale d'argento	*un bracelet d'argent/en argent*

10 Più... della... *Plus... que...*

Di (ou **di** + article) est aussi l'équivalent de *que*. On emploie **più... di** (avec des noms de personnes ou de villes, etc.) ou **di** + article pour dire *plus... que*, **meno... di** (ou **di** + article) pour dire *moins... que* :

Londra è *più grande di* Roma.	*Londres est plus grande que Rome.*
Maria è *meno alta di* Rita.	*Maria est moins grande que Rita.*
L'aereo è *più veloce del* treno.	*L'avion est plus rapide que le train.*

Il/la più signifie *le/la plus* :

Il più bel giorno della mia vita.	*Le plus beau jour de ma vie.*

11 Les deux

Nous avons déjà vu que **tutti/e** signifie *tout(e)* ou *tous, toutes* :

Tutti noi.	*Nous tous.*
Tutti i giorni.	*Tous les jours.*

Tutti/e e peut également s'employer devant un chiffre et équivaut dans ce cas à *tous/toutes les* :

Sono tutti e due italiani.	*Ils sont tous les deux italiens.*
Tutte e tre (le ragazze) vanno a Roma.	*Toutes les trois vont à Rome.*

12 Expressions négatives au pluriel

L'article partitif (**del, della, dei, ecc.**) ne s'emploie pas dans les expressions négatives au pluriel (voir Chapitre 4, p. 45).

Non ha mai soldi.	*Il n'a jamais d'argent.*
Non bevo liquori.	*Je ne bois pas de digestifs.*
Non ho più soldi.	*Je n'ai plus d'argent.*

Comment dit-on... ?

1	J'ai faim. J'ai soif.	**Ho fame. Ho sete.**
2	Pour dire ce que l'on veut acheter. Pour demander une quantité précise de telle ou telle chose.	**Vorrei del burro, dell'olio, ecc.** **Vorrei un etto di burro, un litro di olio, ecc.**
3	Pour demander/dire ce que l'on aime ou n'aime pas.	**Le/ti piace? Mi piace. Non mi piace.** **Le/ti piacciono? Mi piacciono. Non mi piacciono.**
4	Pour demander/dire de quel matériau est fait un objet.	**È di pelle? No. È di plastica.**
5	Vous préférez... ? Je préfère...	**Preferisce questo/a o quello/a?** **Preferisco questo/a; quello/a.**

Exercices

1 Regardez la liste de courses de **Maria**. Écrivez ce qu'elle veut acheter, sans parler des quantités. Vérifier les mots que vous ne connaissez pas. Commencez par : **Maria vuol comprare del burro…**

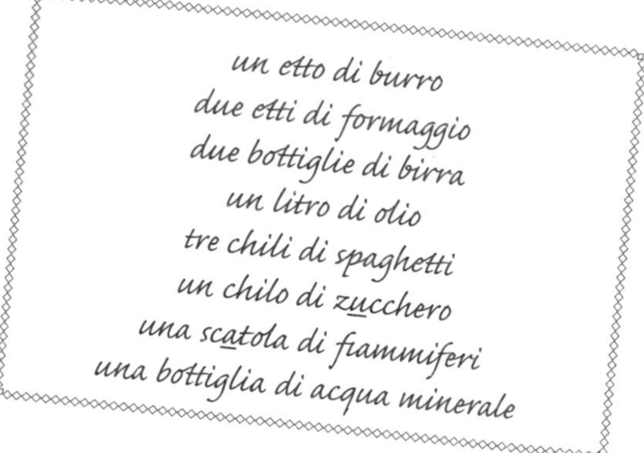

un etto di burro
due etti di formaggio
due bottiglie di birra
un litro di olio
tre chili di spaghetti
un chilo di zucchero
una scatola di fiammiferi
una bottiglia di acqua minerale

2 Dans le tableau ci-dessous, les choses qu'aime bien **Lisa** sont cochées une fois, et les choses qu'elle aime beaucoup sont cochées deux fois. Écrivez des phrases concernant ses goûts.

Esempio: a La birra le piace, ma preferisce il vino.

Attention à **e** et **f**.

	✓	✓✓
a	**birra**	**vino**
b	**vino bianco**	**vino rosso**
c	**cinema**	**teatro**
d	**Milano**	**Firenze**
e	**melanzane**	**peperoni**
f	**libri**	**riviste**

3 Mettez-vous maintenant à la place de **Lisa** et imaginez que quelqu'un d'autre vous pose des questions. Rédigez les questions et les réponses.

Esempio: Le piace la birra o il vino? La birra mi piace, ma preferisco il vino.

4 Pour vouvoyer, employez **le piace** ; pour tutoyer, employer **ti piace** :

Signora, le piace l'arte moderna? *Aimez-vous l'art moderne (, Madame) ?*
Sì. Mi piace./No. Non mi piace. *Oui./Non.*

Signor Vitti, le piace il calcio?	*Aimez-vous le foot, M. Vitti ?*
Sì. Mi piace molto.	*Oui, beaucoup.*
Adriano, ti piacciono le lingue straniere?	*Adriano, est-ce que tu aimes les langues étrangères ?*
Sì. Mi piacciono./No. Non mi piacciono.	*Oui./Non.*

Ora tocca a te! Dans cet exercice, vous avez le choix entre **Mi piace/Mi piacciono (moltissimo)** et **Non mi piace/Non mi piacciono (molto)**. Posez la question complète, puis répondez-y vous même.

- **a** (vous) ____ la cucina italiana?
- **b** (vous) ____ la musica classica?
- **c** (tu) ____ lo sport?
- **d** (tu) ____ il tuo lavoro?
- **e** (tu) ____ il calcio?
- **f** (vous) ____ gli animali?
- **g** (tu) ____ i film americani?

5 **Le piace + infinitif :** *Aimez-vous… ?* Cette fois, posez simplement la question :

Ti piace guidare?	Tu aimes conduire ?
Sì. Mi piace molto.	Oui, beaucoup.

- **a** (tutoiement) ____ viaggiare?
- **b** (tutoiement) ____ leggere?
- **c** (tutoiement) ____ studiare?
- **d** (vouvoiement) ____ cucinare?
- **e** (vouvoiement) ____ uscire la sera?
- **f** (tutoiement) ____ andare al cinema?
- **g** (tutoiement) ____ ascoltare la radio?

6 Répondez aux questions suivantes en incluant **ne** dans votre réponse, comme dans l'exemple :

Esempio: **Quanti biglietti deve fare?** **(1)**
Ne devo fare uno.

- **a** Quanti euro deve pagare? (100)
- **b** Quante lettere deve scrivere? (2)
- **c** Quanti amici vuoi invitare? (12)
- **d** Quanti francobolli devi comprare? (9)

e Quante valigie hai? (1)
f Quanti cugini ha? (4)
g Quanti libri leggi? (molti)

7 Demandez à la vendeuse si elle a quelque chose de plus grand, de plus long, de plus foncé, etc. en incluant **ne** dans votre question :

Esempi: **Questo impermeabile è troppo corto. ____lungo.**
Ne ha uno più lungo?
Questa scatola è troppo piccola. Non ____ grande.
Non ne ha una più grande?

a Questo vestito è troppo lungo. ____ corto?
b Questa camera è troppo piccola. Non ____ grande?
c Questo cappello è troppo chiaro. Non ____ scuro?
d Questa cravatta è troppo scura. ____ chiara?
e Questo libro è troppo difficile. Non ____ facile?

8 Lisez le passage suivant et faites des comparaisons entre les trois frères en employant **più grande di...** ou **più piccolo di...**

Pietro, Paolo e Lino sono tre fratelli. Pietro ha vent'anni, Paolo ne ha dieci e Lino ne ha tre.

Esempio: **Paolo __ Lino.**
Paolo è più grande di Lino.

a Pietro __ Paolo.
b Lino __ Paolo.
c Lino __ Pietro.
d Pietro __ Lino.
e Paolo __ Pietro.

Pietro

Paolo

Lino

9 Faites des comparaisons entre les vitesses respectives des véhicules ci-dessous en employant l'expression **più/meno veloce di** + article.

a L'aereo __ il treno.
b Il treno __ l'autobus.
c La macchina __ la bicicletta.
d La bicicletta __ l'autobus.
e L'autobus __ la metropolitana.

10 **Alfredo** explique à **Gianni** ce qu'il voudrait acheter et pourquoi.

Alfredo	Vorrei comprare una nuova macchina.
Gianni	Perché? La sua non va?
Alfredo	Va benissimo. Ma consuma troppa benzina.
Gianni	Ah, ne vuole una più economica!
Alfredo	Sì. Vorrei una macchina più economica e più veloce.
Gianni	Una macchina più piccola allora?
Alfredo	No. Le macchine piccole non mi piacciono.
Gianni	Ma quelle veloci non sono troppo care?
Alfredo	Sì, però non vorrei pagare tanto.

a Que voudrait acheter Alfredo ?
b La voiture d'Alfredo marche-t-elle ?
c Pourquoi parle-t-il d'essence ?
d Veut-il une voiture plus rapide ?
e Veut-il une voiture plus petite ?
f Pourquoi ?
g Gianni pense-t-il que les voitures rapides sont trop bon marché ?
h Que ne veut pas faire Alfredo ?

11 Voici certains des produits alimentaires vendus à **la salumeria, la macelleria** et **la pescheria**. Essayez de les regrouper par type de magasin :

vitello, salame, olio, trota, merluzzo, vino, maiale, olive, prosciutto, agnello, salmone, pasta, manzo, mortadella.

12 Regardez les illustrations de la p. 134, puis répondez aux questions.

a Quanto tempo ci vuole per cuocere le pennette rigate, e quanto tempo ci vuole per cuocere gli spaghetti? (Voir pp. 55–6.)
b Quanti grammi sono le pennette rigate?

ⓘ Les marchés et les magasins

I mercati *les marchés* sont, encore aujourd'hui, l'endroit où les Italiens préfèrent faire leurs courses car leurs produits ont la réputation d'être frais et peu onéreux. La plupart des villes ont au moins un marché qui se tient tous les jours de la semaine, où l'on trouve une large gamme de produits alimentaires.

Voici les noms de certains des **negozi** *magasins* que vous rencontrerez en Italie, ainsi que le nom de la personne qui tient chaque type de commerce. Les Italiens utilisent très souvent le nom du commerçant plutôt que celui du magasin :

Vado dal farmacista ou	*Je vais chez le pharmacien* ou
Vado in farmacia.	*Je vais à la pharmacie.*

Les mots en minuscules sont les noms des commerçants, les mots en majuscules ceux des commerces :

panettiere PANETTERIA	salumiere SALUMERIA	macellaio MACELLERIA	pasticciere PASTICCERIA	pescivendolo PESCHERIA

Pour les glaces, on emploie le nom du magasin : **gelateria**.

Pour les fruits et légumes, on emploie le nom du commerçant : **il fruttivendolo**.

12

cerco casa

je cherche un logement

Dans ce chapitre vous apprendrez à :

- dire quel type de logement vous recherchez
- dire quel quartier vous préféreriez
- dire que l'agencement ou la décoration du logement vous plaisent
- demander des renseignements sur le loyer

 1 All'agenzia immobiliare *À l'agence immobilière*

Roberto cherche un appartement. Il parle à l'agent immobilier (**l'agente immobiliare**).

Dorénavant, les questions seront en italien ; dans **Vero o falso**, vous devrez corriger l'affirmation si elle est erronée.

a **Vero o falso?** Roberto cerca un appartamento in periferia.
b Quante camere vuole Roberto?

Ag.imm.	Buongiorno! Desidera?
Roberto	Buongiorno! Cerco un appartamento di quattro camere.
Ag.imm.	Al centro o in periferia?
Roberto	Al centro. Possibilmente da queste parti.
Ag.imm.	Dunque, vediamo un po'... Ah sì! Ce n'è uno proprio vicino al Duomo. È signorile, ammobiliato, ha quattro camere, cucina, ingresso, bagno, balcone.
Roberto	Sì. Va benissimo. Qual è l'indirizzo?
Ag.imm.	Via Mirafiori 12, interno 7.
Roberto	E il numero di telefono?
Ag.imm.	035 868452.

Ce n'è uno proprio...	*Il y en a un juste...*
signorile	*luxueux(euse)*
ammobiliato/a	*meublé(e)*
cucina	*cuisine*
ingresso	*entrée*
bagno	*salle de bains*

 2 A chi pago l'affitto? *À qui dois-je payer le loyer ?*

L'agent immobilier fait visiter l'appartement à **Roberto** et lui explique qu'il devra payer le loyer à **la padrona di casa** *la propriétaire*, qui habite au rez-de-chaussée.

a **Vero o falso?** La padrona di casa abita al secondo piano.
b Che cosa si paga alla padrona di casa?

Ag.imm.	Ecco l'appartamento. Questo è l'ingresso. Di qua, prego. Da questa parte c'è il salotto.
Roberto	Che bei mobili!

Ag.imm.	Sono tutti moderni. Questa è la camera da letto. Nell'armadio c'è posto anche per le lenzuola e le coperte.
Roberto	Il balcone dà sulla strada?
Ag.imm.	No. Dà sul cortile. Qui c'è la sala da pranzo, e qui il salotto.
Roberto	E questa porta?
Ag.imm.	È la porta della cucina. Avanti, prego!
Roberto	Dopo di lei!
Ag.imm.	Grazie. Come vede, nell'appartamento ci sono tutte le comodità.
Roberto	A chi pago l'affitto?
Ag.imm.	Alla padrona di casa che abita al pianterreno.

salotto	*salon*
i mobili	*le mobilier, les meubles*
armadio	*armoire*
le lenzuola	*les draps*
coperta	*couverture*
cortile (m)	*cour*
sala da pranzo	*salle à manger*
pianterreno	*rez-de-chaussée*

 3 Un appartamentino *Un petit appartement*

Le propriétaire (**il padrone di casa**) fait visiter un petit appartement à une locataire (**inquilina**) potentielle. **L'inquilina** veut tout d'abord savoir où se trouve l'interrupteur.

a **Vero o falso?** La luce si accende vicino al citofono.

b Dove (esattamente) sono la televisione e la lavatrice?

Inquilina	Dove si accende la luce?
Padr.	Qui, vicino al citofono.
Inquilina	È questo il soggiorno?
Padr.	Sì. Un attimo. Spengo. Guardi, c'è tutto: il divano, le sedie, le poltrone, lo scaffale per i libri, la televisione, il video...
Inquilina	Oh, che bella cucina! Anche il frigorifero è grande! La lavastoviglie...
Padr.	E questo è il bagno. Qui c'è la presa per il rasoio, qui la doccia e lì la lavatrice.

accendere la luce	*allumer la lumière*
citofono	*interphone*
soggiorno	*salon*
spegnere (la luce)	*éteindre (la lumière)* (voir ci-dessous)
divano	*canapé*
poltrona	*fauteuil*
lo scaffale per i libri	*les étagères*
frigorifero	*réfrigérateur*
lavastoviglie (f)	*lave-vaisselle*
presa per il rasoio	*prise pour rasoir*
la doccia	*la douche*
lavatrice (f)	*machine à laver*

Grammaire

1 Accendere *allumer* ; spegnere *éteindre*

Ces deux verbes s'emploient également pour la radio, la télévision et le gaz. **Spegnere** est irrégulier. Il se conjugue comme suit au présent de l'indicatif :

Présent **spegnere** *éteindre*	
spengo **spegni** **spegne**	**spegniamo** **spegnete** **spengono**

2 Ce n'è, ce ne sono *Il y en a*

N'è = ne + è. Lorsque **ci** précède **ne**, il devient **ce** : **ce n'è, ce ne sono**. Dans les exemples suivants, vous remarquerez que **uno, una, molti, ecc.** s'accordent avec le nom auquel ils se rapportent : **ne** remplace le nom :

Quanti piani ci sono?	*Combien y a-t-il d'étages ?*
Ce *n'è* uno. (C'è un piano.)	*Il y en a un.*
Quante camere ci sono?	*Combien y a-t-il de chambres ?*
Ce *n'è* un*a*. (C'è una camera.)	*Il y en a une.*
Quanti negozi ci sono?	*Combien y a-t-il de magasins ?*
Ce *ne sono* molt*i*. (Ci sono molti negozi).	*Il y en a beaucoup.*

On remarquera également la construction négative :

C'è del latte?	*Est-ce qu'il y a du lait ?*
No. Non ce n'è.	*Non. Il n'y en a pas.*
Ci sono degli sbagli?	*Est-ce qu'il y a des erreurs ?*
No. Non ce ne sono.	*Non. Il n'y en a pas.*

3 Il lenzuolo, le lenzuola *Le drap, Les draps*

Lenzuola est un pluriel irrégulier, comme **le uova, le paia** (voir chapitre 11, p. 126).

4 Emploi de *dopo*

Bien que **dopo** s'emploie seul devant un nom, il doit être précédé de **di** devant un pronom :

Il cinema è dopo l'agenzia.	*Le cinéma est après l'agence.*
Dopo di lei!	*Après vous !*
Ci vediamo dopo.	*À tout à l'heure.*

5 Emploi de *da*

Da sert également à décrire la fonction d'une chose, comme souvent *à* en français :

una sala da pranzo	*une salle à manger*
una camera da letto	*une chambre à coucher*
un vestito da sera	*une robe du soir*
un bicchiere da vino	*un verre à vin*

6 Suffixes

On peut ajouter des suffixes (ou terminaisons) aux noms et adjectifs italiens si l'on veut mettre en relief une qualité ou une caractéristique particulières. Comparez avec les mots français suivants : *statue*, *statuette*; *figure*, *figurine*. Tâchez de retenir les différents suffixes italiens que vous rencontrerez au fil de cet ouvrage.

-etto/a et **-ino/a** sont des diminutifs :

villetta	*petite villa*
tazzina	*petite tasse*
casetta	*maisonnette*
cucchiaino (mot à mot : *un petit* **cucchiaio**)	*petite cuiller, cuiller à café*
carino/a, **bellino/a**	*joli(e), mignon(ne)*

7 Verbes se terminant en *-care, -gare* et *-gere*

Les verbes qui se terminent en **-care** et **-gare** conservent les sons **'c'** et **'g'** (comme dans 'cassette' et 'garde') à toutes les personnes. Il faut donc intercaler un **'h'** lorsque le **'c'** ou le **'g'** sont suivis d'un **'i'**. Les verbes en **-gere**, tels que **leggere**, ne conservent pas le son **'dg'** à toutes les personnes, par exemple dans **leggo** et **leggono** le **'gg'** se prononce comme dans 'garde', mais aux autres personnes (**leggi, legge, ecc.**) il se prononce comme le **'dg'** de 'gadget' (voir **Prononciation**, Chapitre 10, p. 113).

Observez maintenant le présent de **giocare** *jouer (à un jeu)* et de **pagare** *payer* et notez l'insertion du **'h'** :

Présent **giocare** *jouer*	**pagare** *payer*
gioco **giochi** **gioca** **giochiamo** **giocate** **giocano**	**pago** **paghi** **paga** **paghiamo** **pagate** **pagano**

Comment dit-on... ?

1 Je cherche un appartement de deux/trois/etc. chambres. — **Cerco un appartamento di due/di tre ecc. camere.**

2 Pour dire quel quartier vous préféreriez. — **Al centro/in periferia/da queste parti.**

3 Quels beaux meubles ! Quelle belle cuisine ! — **Che bei mobili! Che bella cucina!**

4 À qui dois-je payer le loyer ? À la propriétaire. — **A chi pago l'affitto? Alla padrona di casa.**

Exercices

1 Regardez l'illustration ci-dessous.

Lisez maintenant la liste de meubles et d'accessoires qui suit et dites dans quelle pièce de la maison on peut trouver chacun de ces objets.

l'acquaio
il bidè
la cucina
il comodino
il divano
la doccia
il frigorifero
il lavandino
la lavastoviglie
la lavatrice
il letto
la libreria
l'orologio
la pianta
le poltrone
il quadro
lo scaffale
la scrivania
le sedie
lo specchio
il tappeto
la tavola
il tavolino
le tende
il telefono
la televisione
la vasca da bagno
il water

Classez-les dans les six pièces suivantes : **il bagno - la cucina - la camera da letto - la sala da pranzo - il salotto - l'ingresso**

2 Le tableau ci-dessous représente le nombre de pièces, etc. que comprennent les logements de **Anna**, de **Maria** et de **i signori Spada**.

	stanze*	camere da letto	piani
Anna	4	2	1
Maria	3	1	1
i signori Spada	7	4	2

* En règle générale, on peut utiliser indifféremment **camera** ou **stanza** pour parler des pièces d'une maison, mais, lorsqu'on veut faire la distinction entre une chambre et une autre pièce, on emploie **camera da letto** *chambre à coucher*.

Répondez aux questions avec **Ce n'è** ou **Ce ne sono** suivi du chiffre qui convient.

a Quanti piani ci sono nella villa dei signori Spada?
b Quante camere da letto ci sono nella villa dei signori Spada?
c Quante camere da letto ci sono nell'appartamento di Maria?
d Quante stanze ci sono nell'appartamento di Anna?
e Quante stanze ci sono nella villa dei signori Spada?

3 **Nel, nella**, etc. Reliez chaque objet de la colonne de gauche à la pièce de la maison qui lui correspond dans la colonne de droite .

Esempio: Le sedie sono nel soggiorno.

a presa per il rasoio	salotto
b citofono	camera da letto
c frigorifero	ingresso
d letto	cucina
e divano	bagno
f coperte	armadio

4 Faites à nouveau comme dans l'**Ex. 3**, mais cette fois-ci en employant **sul, sulla**, etc.

a sedie a sdraio	scaffale
b lenzuola	tavolino
c televisione	balcone
d libri	letto

5 Lisez le texte suivant. Vous remarquerez que les renseignements qu'il contient proviennent du tableau ci-dessous :

Marco cerca un appartamento di due camere, al centro, vicino al Duomo.

a Écrivez une phrase pour dire ce que **Davide** recherche.
b Écrivez une phrase sur le même modèle pour **Bianca**.
c Écrivez une phrase sur le même modèle pour **Lola e Rita**.
d Si l'agent immobilier demandait à **Lola e Rita** ce qu'elles recherchent, quelle serait leur réponse ?

	Camere	Centro o periferia?	Dove?
Marco	2	centro	Duomo
Davide	4	periferia	strada principale
Bianca	3	periferia	stazione
Lola e Rita	5	centro	ufficio

6 Répondez aux questions suivantes en incluant **Ce n'è** (singulier) ou **Ce ne sono** (pluriel) dans votre réponse, suivi d'un nombre :

Esempio: **Quanti giorni ci sono nel mese di marzo?**
Ce ne sono trentuno.

a Quanti mesi ci sono in un anno?
b Quanti giorni ci sono in una settimana?
c Quanti giorni ci sono in un anno?
d Quanti minuti ci sono in un'ora?
e Quanti anni ci sono in un secolo?
f Quanti etti ci sono in un chilo?
g Quante lettere ci sono nell'alfabeto italiano?
h Quanti mesi ci sono con ventotto giorni?

7 Marisa demande à une habitante de Rome des renseignements sur son appartement.

Marisa Abita a Roma, signora?
Signora Sì. Abito vicino al Colosseo.
Marisa In una casa moderna?
Signora Beh… non molto moderna.
Marisa A che piano abita?
Signora Al quarto.

Marisa	C'è l'ascensore?
Signora	No. L'ascensore non c'è.
Marisa	Quante stanze ha?
Signora	Cinque: tre camere da letto, la sala da pranzo e il salotto. Il bagno è piccolo ma la cucina è bella grande.

a Près de quel monument habite-t-elle ?
b Qu'apprend-on sur l'ancienneté de l'appartement ?
c À quel étage habite-t-elle ?
d Y a-t-il un ascenseur dans l'immeuble ?
e Combien de pièces y a-t-il dans l'appartement ?
f Combien y a-t-il de chambres ?
g Quelles sont les pièces que la dame n'inclut pas dans le total ?
h Que savons-nous de ces deux dernières pièces ?

8 Les annonces ci-dessous sont extraites des **inserzioni** *petites annonces* d'un journal italien. Lisez tout d'abord le paragraphe (i) p. 145 puis lisez attentivement les questions. Essayez de déchiffrer les annonces et de trouver les bonnes réponses. Les annonces sont écrites en style télégraphique et ne contiennent que les mots essentiels à leur compréhension.

a
Porto Cervo (Sardegna): affittasi appartamento signorile in zona turistica.

b
Milano: appartamenti in vendita da 2 a 5 locali.

c
Arona in zona residenziale con parco: vendesi appartamento.

d
Milanocase garantisce vendita immediata.

e
Como: unica posizione villa panoramica 2 appartamenti indipendenti.

f
La villa che sognate: stupenda costruzione, fronte mare Riviera dei Fiori.

g	h
Cerco in giugno appartamento libero signorile in costruzione recente.	Studente inglese cerca alloggio ammobiliato con scambio conversazione.

un locale *une pièce* (jargon commercial)
sognare *rêver (de)*
alloggio *logement*

a Que loue-t-on en Sardaigne ?
b Que vend-on à Milan ?
c Sur quoi porte la petite annonce d'Arona ?
d Quelle prestation la société Milanocase propose-t-elle aux éventuels vendeurs ?
e Décrivez la villa de Côme.
f Pourquoi la villa de Riviera dei Fiori est-elle si attrayante ?
g Que recherche exactement la personne qui a passé l'annonce ? Pour quelle période ?
h Qui recherche quoi et que propose-t-il en échange ?

ⓘ Maisons et appartements

Bien que, au sens strict, **appartamento** signifie *appartement* et **casa** signifie *maison*, les Italiens qui, pour la plupart, vivent en appartement, ne font pas clairement la distinction entre les deux ; ils parlent simplement de leur **casa**. L'immeuble lui-même s'appelle **palazzo** ou **condominio**. Il y a souvent un concierge, **il portiere**, mais, avec l'augmentation des prix, les concierges se font aujourd'hui plus rares et sont remplacés par **il citofono**.
Dans les petites annonces des journaux italiens, vous verrez les mots **vendesi** (de **vendere** *vendre*) et **affittasi** (de **affittare** *louer* – d'où **l'affitto** *le loyer*). Ils sont l'équivalent, en jargon commercial, de **si vende** et **si affitta**. Louer (du point de vue du locataire) peut aussi se dire **prendere in affitto**, mot à mot *prendre en location*. On trouve aussi fréquemment l'expression **doppi servizi**, qui signifie que l'appartement a deux salles de bains. La seconde est parfois plus simplement équipée que la salle de bains principale, avec un W.-C., une douche et un lavabo mais pas forcément une deuxième baignoire. C'est souvent dans cette salle d'eau que l'on trouve la machine à laver. Si vous trouvez l'expression **il box**, sachez qu'il s'agit d'un garage.
Les mots utilisés pour désigner le salon et la salle à manger varient selon les régions et les modes. De manière générale, **il salotto** est un salon de petite taille tandis que **il salone** est plus grand. **Il soggiorno** sert à la fois de salon et de salle à manger.
La plupart des appartements ont un balcon, que l'on nomme, par ordre croissant de taille : **il balcone, il terrazzo, la terrazza**. Quelle qu'en soit la taille, le balcon a une grande importance aux yeux des Italiens. Beaucoup d'Italiens ont **la seconda** casa, à la campagne ou au bord de la mer.

Reportez-vous à présent au *Test d'auto-évaluation II* (p. 288).

13

vita di tutti i giorni

vie quotidienne

Dans ce chapitre vous apprendrez à :

- parler des sports que vous pratiquez
- dire à quelle fréquence vous faites telle ou telle chose
- parler du temps
- parler de vos habitudes quotidiennes
- vous adresser à quelqu'un de façon plus familière

1 Che sport fa? *Que faites-vous comme sport ?*

Giulio parle à une journaliste de ses activités sportives : tennis, natation, ski et jogging.

a **Vero o falso?** Lo sport preferito di Giulio è il nuoto.
b Ogni mattina si alza, si lava e si veste.
c Dove va a nuotare d'inverno, e dove va a nuotare d'estate?

Giorn. Che sport fa durante le vacanze?
Giulio Il tennis, il nuoto e lo sci.
Giorn. Dove va a nuotare? In piscina?
Giulio D'inverno in piscina, d'estate al lago.
Giorn. Va a nuotare tutti i giorni?
Giulio No. Due volte alla settimana.
Giorn. Ma il suo sport preferito è il jogging, vero?
Giulio Eh sì. Ogni mattina appena mi alzo, mi lavo, mi vesto e via per un'ora.

durante	*pendant*
le vacanze	*les vacances*
nuotare	*nager*
piscina	*piscine*
lago	*lac*
appena	*dès que*
mi alzo	*je me lève*
mi lavo	*je me lave*
mi vesto	*je m'habille*
via	*je m'en vais*

2 Pioggia, neve, vento, sole *La pluie, la neige, le vent, le soleil*

Giulio dit ensuite qu'il fait du jogging quel que soit le temps.

a **Vero o falso?** Quando corre, la pioggia fa una grande differenza per lui.
b Giulio corre solo quando fa bel tempo?
c Si sente molto stanco dopo il jogging?

Giorn. Corre anche quando fa brutto tempo?
Giulio Pioggia, neve, vento, o sole, non fa nessuna differenza per me.

Giorn.	Si sente stanco dopo un'ora di corsa, immagino!
Giulio	No. Non mi sento affatto stanco. Anzi, per me il jogging è anche un modo per rilassarmi.

correre	*courir*
fa brutto tempo	*il fait mauvais*
si sente stanco?	*vous êtes fatigué ?*
corsa	*course*
non affatto	*pas du tout, absolument pas*
anzi	*au contraire*
rilassarsi	*se détendre*

 3 Un giorno qualunque *Un jour comme un autre*

Aldo et **Rita** sont mariés et sont propriétaires d'une librairie. Ils parlent à une journaliste de leur emploi du temps habituel. **Rita** interrompt l'entretien pour proposer un verre à la journaliste.

a **Vero o falso?** Rita offre un caffè alla giornalista.
b La mattina lei e suo marito si alzano tardi.
c Rita e Aldo si alzano alle dieci?

Rita	Un bicchiere di vino?
Giorn.	No, grazie. Non bevo. Dunque… a che ora vi alzate la mattina?
Aldo	Di solito ci alziamo presto: alle sei.
Giorn.	Come mai alle sei? Cosa fate in piedi così presto?
Rita	Prima di tutto facciamo il caffè.
Aldo	Senza un buon caffè non ci svegliamo.
Rita	Mentre facciamo colazione, mettiamo un po' in ordine la casa e ci prepariamo, è già ora di uscire.

far(e) colazione	*prendre le petit déjeuner*
Come mai?	*Comment ça ?*
in piedi così presto	*levé(e) si tôt*
prima di tutto	*avant tout*
svegliarsi	*se réveiller*
mettere in ordine	*ranger*
prepararsi	*se préparer*
già	*déjà*

 4 Lavoriamo insieme *Nous travaillons ensemble*

Aldo explique qu'il s'occupe de la vente et que sa femme fait la comptabilité (**la contabilità**).

a **Vero o falso?** A mezzogiorno Aldo e sua moglie mangiano a casa.
b La sera, cenano presto?

Giorn.	Lavorate tutti e due?
Rita	Sì. Lavoriamo insieme nella nostra libreria.
Aldo	Io mi occupo della vendita dei libri e mia moglie si occupa della contabilità.
Giorn.	A mezzogiorno mangiate fuori?
Rita	No. Torniamo a casa per il pranzo. Pranziamo verso le due.
Aldo	Dopo pranzo ci riposiamo un po' e poi torniamo insieme al negozio.
Giorn.	E la sera, cenate tardi?
Rita	Sì. Piuttosto tardi. Non ceniamo mai prima delle nove.

libreria	*librairie*
occuparsi	*s'occuper*
riposarsi	*se reposer*
piuttosto	*plutôt, assez*

5 Diamoci del tu! *On se tutoie !*

Remo fait connaissance avec **Rina**, qui est beaucoup plus jeune que lui, et décide d'établir un rapport plus familier avec elle en suggérant la forme **tu** (*tu*) au lieu du vouvoiement, **lei**.

a **Vero o falso?** Rina studia matematica.
b Si laurea a maggio.
c Che anno fa all'università Rina?

Remo	Quindi, è qui per motivi di studio. Che cosa studia?
Rina	Medicina.
Remo	Che anno fa?
Rina	L'ultimo anno. Mi laureo a giugno.
Remo	Ah, c'è tempo per gli esami! Cosa fa di bello stasera?
Rina	Nulla. Resto a casa a studiare.
Remo	Non è stufa di studiare?
Rina	Un po'. E lei, cosa fa?

Remo Ma, Rina, diamoci del tu!
Rina E tu, cosa fai?
Remo Niente d'interessante. Perché non vieni da me? Possiamo fare quattro chiacchiere, mangiare un piatto di spaghetti, e poi magari andare ad un concerto. Che ne dici?

mi laureo	*je passe mes examens (de fin d'études)*
Cosa fa di bello?	*Que faites-vous de beau ?*
essere stufo/a di	*en avoir assez de*
fare quattro chiacchiere	*papoter*

Grammaire

1 Verbes réfléchis

Dans les dictionnaires, les verbes réfléchis sont reconnaissables à la terminaison **-si** (*se*) accolée à l'infinitif. Le **'e'** final de l'infinitif (**lavare**) tombe et **lavare** *laver* devient **lavarsi** *se laver* ; (**vestire**) **vestirsi** *s'habiller*.
Les pronoms **mi, ti, si, ci, vi, si** précèdent le verbe et correspondent à *me*, *te*, etc.

Présent	**lavarsi**	*se laver*		
(io)	**mi lavo**	*je me lave*	**(noi) ci laviamo**	*nous nous lavons*
(tu)	**ti lavi**	*tu te laves*	**(voi) vi lavate**	*vous vous lavez* (pl)
(lei)	**si lava**	*vous vous lavez* (vouvoiement)		
(lui, lei)	**si lava**	*il/elle se lave*	**(loro) si lavano**	*ils/elles se lavent*

Les autres verbes réfléchis présents dans ce chapitre sont : **alzarsi** *se lever* ; **laurearsi** *passer ses examens (de fin d'études)* ; **occuparsi** *s'occuper* ; **prepararsi** *se préparer* ; **rilassarsi** *se détendre*; **riposarsi** *se reposer* ; **sentirsi** *se sentir* ; **svegliarsi** *se réveiller*.

2 *Andare* (*aller*) + infinitif

Andare a + infinitif rend l'idée d'*aller faire quelque chose* :

D'estate va a nuotare.	*L'été il va nager.*
D'inverno andiamo a sciare.	*L'hiver nous allons au ski.*
Vado a fare il biglietto.	*Je vais acheter le billet.*
Vado a mangiare.	*Je vais manger.*

3 Due volte al mese *Deux fois par mois*

L'idée de fréquence est exprimée par **a +** article défini :

Quante volte	***al*** **giorno** ***alla*** **settimana** ***al*** **mese**	**mangia (lì)?** **prende l'autobus?** **lavora?** **viene qui?**
Combien de fois par	*jour* *semaine* *mois*	*(y) mangez-vous ?* *prenez-vous l'autobus ?* *travaillez-vous ?* *venez-vous ici ?*

4 Ogni *Tous les*

Ogni, comme **tutti** (p. 129), veut dire *tous les*, mais il fonctionne avec le *singulier*, sauf lorsqu'il est suivi d'un nombre :

Ogni giorno; ogni sera.	*Tous les jours ; tous les soirs.*
Ogni cinque minuti; ogni due giorni.	*Toutes les cinq minutes ; tous les deux jours.*

5 Nessuno/a *Aucun(e)..., personne*

Nessuno est toujours au singulier. Lorsqu'il est placé devant un nom, il fonctionne comme **un, uno, una, un'** :

ness**un** libro; ness**uno** sbaglio	*aucun livre ; aucune erreur*
Non esercita ness**una** professione.	*Il n'exerce aucune profession.*
Non c'è nessuno (m ou f)	*Il n'y a personne.*

6 Sentirsi *Se sentir*

Ce verbe réfléchi sert à décrire l'état d'une personne :

Come si sente? Mi sento meglio/bene/male.	*Comment vous sentez-vous ? Je me sens mieux/bien/mal.*

7 La météo

Pour demander quel temps il fait, on emploie le verbe **fare** de la même façon que le verbe *faire* en français :

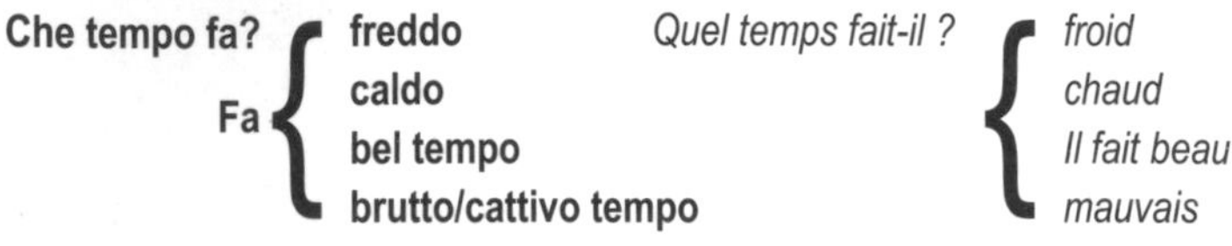

Che tempo fa?		*Quel temps fait-il ?*	
Fa	**freddo**		*froid*
	caldo		*chaud*
	bel tempo	*Il fait*	*beau*
	brutto/cattivo tempo		*mauvais*

Mais :

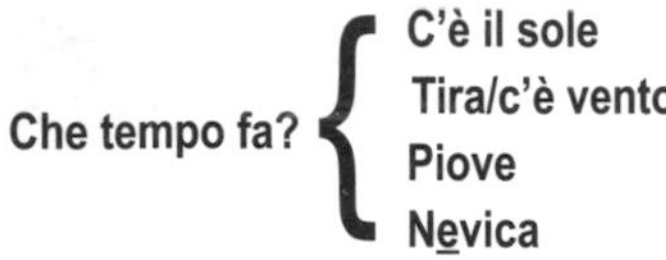

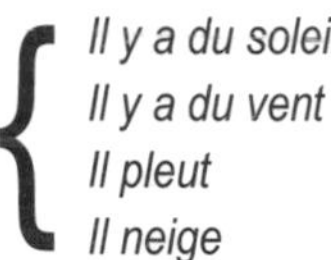

Che tempo fa?	**C'è il sole**	*Il y a du soleil*
	Tira/c'è vento	*Il y a du vent*
	Piove	*Il pleut*
	Nevica	*Il neige*

8 Contractions et expansions

Fare est parfois abrégé en **far**. On peut dire soit **fare presto** *se dépêcher*, **fare finta** *faire semblant*, etc. soit **far presto**, **far finta,** etc.

Inversement, **e** *et*, **a** *à* se voient parfois ajouter un **'d'** devant les mots commençant par une voyelle :

Giorgio e(d) Anna vanno a(d) Amalfi. *Giorgio et Anna vont à Amalfi.*

9 Quelque chose/rien + *di* + adjectif

Les Français et les Italiens ont la même façon de demander, sur un ton amical, ce que fait quelqu'un :

Cosa fa di bello stasera? *Que faites-vous de beau ce soir ?*

Observez l'emploi de **di** + adjectif dans les expressions positives et les expressions négatives :

C'è qualcosa *di* nuovo? *Il y a du nouveau ?*

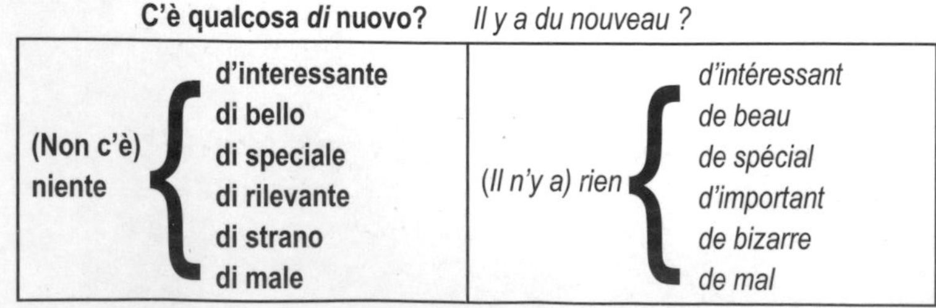

(Non c'è) niente	**d'interessante**	*(Il n'y a) rien*	*d'intéressant*
	di bello		*de beau*
	di speciale		*de spécial*
	di rilevante		*d'important*
	di strano		*de bizarre*
	di male		*de mal*

10 Diamoci del tu *On se tutoie*

Cette expression (mot à mot : *donnons-nous du **tu***) s'emploie pour passer de la forme en **lei** (vouvoiement) à la forme en **tu** (tutoiement). Lorsque vous tutoyez, n'oubliez pas d'employer le possessif **tuo/a, ecc.** au lieu de **suo/a, ecc.**

Devi uscire con i tuoi amici? *Tu dois sortir avec tes amis ?*

11 Bere *Boire*

Voici le présent du verbe irrégulier **bere** *boire*. La seule irrégularité réside dans le radical : **bev-**. Pour le reste, **bere** se conjugue comme tous les autres verbes en **-ere** :

bevo, bevi, beve, beviamo, bevete, bevono

12 Rilassarmi *Me détendre*

Comme nous l'avons vu à la p. 150, les verbes réfléchis prennent **-si** à la fin de l'infinitif amputé de sa voyelle finale : **divertirsi** *s'amuser* = **divertire + si**. De même, **-mi, -ti, -ci, -vi** peuvent venir s'ajouter à l'infinitif : **divertirmi, divertirti, divertirci, divertirvi**. Ceci est souvent le cas avec **potere, volere, dovere**, pour lesquels il existe deux possibilités :

Devo lavarmi ou **Mi devo lavare.**	*Je dois me laver.*
Vogliamo divertici ou **Ci vogliamo divertire.**	*Nous voulons nous amuser.*

Comment dit-on... ?

1	Pour demander et dire quels sports on pratique	**Che sport fa? Il nuoto, lo sci, il tennis, il jogging.**
2	Pour demander et dire combien de fois par jour, par semaine, par mois, etc.	**Quante volte al giorno, alla settimana, al mese... ? Una volta, due volte al/alla...**
3	Pour demander et décrire le temps qu'il fait	**Che tempo fa? Fa bel tempo, fa brutto tempo, c'è il sole, piove, ecc.**

4 Pour parler de vos habitudes quotidiennes — **La mattina mi sveglio, mi alzo... mi vesto... faccio colazione...**

5 Pour établir un rapport plus familier avec quelqu'un — **Diamoci del tu!**

Exercices

1 **La giornata di Pietro. Che cosa fa?** Décrivez ce que fait **Pietro** dans chacune des illustrations ci-dessous, en employant une fois seulement chaque verbe de la liste suivante : **andare a letto, alzarsi, cenare, far(e) colazione, guardare la televisione, lavarsi, leggere il giornale, svegliarsi, tornare a casa, uscire di casa**. Dites à quelle heure il fait chaque chose.

2 Complétez les phrases suivantes en reprenant le verbe de la première partie, mais à la première personne, comme dans l'exemple :

Esempio: **Il mio amico si chiama Roberto, ma io ____ Gianni.**
Il mio amico si chiama Roberto, ma io *mi chiamo* Gianni.

a Cesare si riposa la domenica, ma io ____ il sabato.
b Lui si diverte a sciare, ma io ____ a nuotare.
c Giovanni si sveglia alle otto meno un quarto, ma io ____ alle sette.
d Cesare si alza alle otto, ma io ____ alle nove.
e Ugo si lava nel bagno, ma io ____ in cucina.
f Francesca si veste nella camera da letto, ma io ____ nel bagno.
g Gl'italiani si riposano dopo pranzo, ma noi non ____ di pomeriggio.

3 Voici une liste des choses que Gino ne fait *jamais* (**mai**) :

Gino non *si sveglia* mai prima delle otto. Non *si alza* mai presto. Non *si lava* mai con l'acqua fredda. Non *si veste* mai prima di mezzogiorno.

Imaginez que vous êtes **Gino** et que vous décrivez votre vie quotidienne : **Non mi sveglio mai, ecc.**

4 Voici une liste de verbes réfléchis à l'infinitif : **alzarsi** *se lever* ; **cambiarsi** *se changer* ; **divertirsi** *s'amuser* ; **lagnarsi** *se plaindre* ; **riposarsi** *se reposer* ; **ubriacarsi** *se soûler*. Choisissez chaque verbe une seule fois pour compléter les phrases suivantes. Veillez à bien employer la même personne que dans la première partie de la phrase.

a Se siamo stanchi, ____
b Se non vogliamo andare a teatro con lo stesso vestito, ____
c Se sono a letto e devo uscire, ____
d Se bevo troppo vino, ____
e Se vado a una festa, ____
f Quando il servizio non è buono, (io) ____

5 Lisez le texte suivant, qui parle de **Olga**, et cherchez dans le lexique les mots que vous ne connaissez pas. Puis répondez aux questions en employant **lo, la, li, le** ou **l'** (pronoms objet – voir p. 93).

Ogni mattina Olga prende un cappuccino al bar. Poi passa dalla salumeria e prende un po' di mortadella e di salame per il pranzo. Al ritorno va prima in panetteria e compra sei panini e infine passa dall' edicola per prendere il giornale e aspettare la sua amica.

a Dove prende Olga il cappuccino?
b Dove prende la mortadella?
c Dove compra i panini?
d Dove compra il giornale?
e Dove aspetta la sua amica?

6 Quel temps fait-il ?

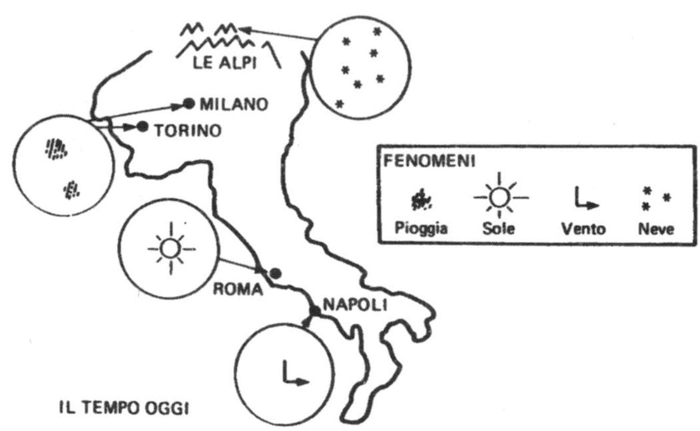

a Che tempo fa sulle Alpi?
b Che tempo fa a Milano e a Torino?
c Che tempo fa a Roma?
d Che tempo fa a Napoli?

7 **Ora tocca a te!** Vous êtes un journaliste et vous interviewez **Pina**, la propriétaire d'un restaurant.

Vous	*Mais vous ne vous reposez jamais, madame ?*
Pina	Beh, con un ristorante è difficile riposarsi. La sera andiamo a letto molto tardi, e la mattina ci alziamo molto presto.
Vous	*Combien d'heures par jour travaillez-vous ?*
Pina	Dieci, dodici, qualche volta anche quattordici ore.
Vous	*Vous travaillez beaucoup !*
Pina	Ma mi riposo durante le vacanze.
Vous	*Combien de fois par an partez-vous en vacances ?*
Pina	Due volte.
Vous	*Quand ? En été ?*

Pina	No. D'estate è impossibile. Abbiamo troppi clienti. Andiamo in primavera e in autunno.
Vous	*Où allez-vous ?*
Pina	Vado in Svizzera con mia figlia. Andiamo a sciare.
Vous	*Vous aimez le ski ?*
Pina	Sì, molto. Lo sci è il mio sport preferito.

8 **Lo sport: Cosa fanno?** Que font-ils ? Donnez des réponses au singulier.

ⓘ La vie d'étudiant

La plupart des étudiants italiens habitent chez leurs parents et fréquentent l'université la plus proche. **Laurearsi** signifie *passer ses examens de fin d'études* ou *obtenir son diplôme*, **la laurea** ; **un laureato/una laureata** signifient *un diplômé/une diplômée*. Les universités italiennes sont ouvertes à tous ceux qui ont réussi leurs examens de fin d'études secondaires. Chaque étudiant se voit délivrer **il libretto**, un document officiel qui sert principalement à consigner les notes obtenues aux examens et fait également office de carte d'étudiant. Il donne accès à la bibliothèque (**biblioteca**) et au restaurant universitaire (**mensa**). Le cursus normal dure quatre ans, mais dans certaines disciplines, par exemple l'ingénierie ou la médecine, les études sont plus longues. Les étudiants sont autorisés à dépasser le temps imparti pour terminer leur cursus, mais ils doivent dans ce cas payer **la tassa di fuoricorso**, c'est-à-dire un supplément de droits universitaires.
Tout diplômé a droit au titre de **dottore**: **dottore in legge** *docteur en droit*, **dottore in medicina, ecc.** *docteur en médecine*, etc.
Pour plus de renseignements, vous pouvez visiter les sites Internet de L'Università Popolare di Roma et de L'Università della Svizzera Italiana: http://www.upter.it ; http://www.unisi.ch

14

vorrei un'informazione

j'ai besoin d'un renseignement

Dans ce chapitre vous apprendrez à :

- comprendre et suivre des consignes
- demander tous les combien passe tel ou tel autobus
- demander ce dont vous avez besoin au bureau de poste

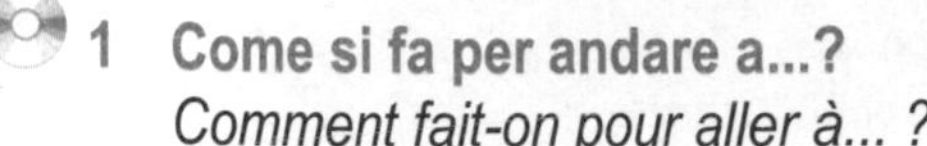

1 Come si fa per andare a...?
Comment fait-on pour aller à... ?

Il signor Pozzi veut aller à la poste centrale et demande où se trouve **Via Garibaldi**. On lui dit d'aller tout droit, mais…

a **Vero o falso?** La Posta Centrale è in Via Garibaldi.
b Il signor Pozzi parla con un amico?

Sig. Pozzi	Scusi, sa dov'è Via Garibaldi?
Passante	Certo, signore. Vada sempre dritto. In fondo a questa strada giri a destra. Che numero cerca?
Sig. Pozzi	Il 122.
Passante	Ah, no. Il numero 122 non esiste. Dove deve andare?
Sig. Pozzi	Alla Posta Centrale.
Passante	Ma la Posta Centrale è in Piazza Garibaldi. Prenda l'autobus fino a Via Roma e poi cambi.

in fondo a	*au bout de*
girare	*tourner*
fino a	*jusqu'à*
esistere	*exister*

2 Ogni quanto tempo passano gli autobus?
Tous les combien passe l'autobus ?

La passante lui indique comment trouver l'arrêt du bus numéro 48.

a **Vero o falso?** La fermata del 48 è dopo la stazione.
b Cosa deve fare il signor Pozzi al capolinea?

Sig. Pozzi	Ogni quanto tempo passano gli autobus?
Passante	Per Via Roma ogni dieci minuti circa.
Sig. Pozzi	E che numero devo prendere?
Passante	Il 48. Vada fino all'incrocio. Per attraversare la strada passi per il sottopassaggio. La fermata è dopo il ponte.
Sig. Pozzi	Ho capito. E poi come si fa per andare in Piazza Garibaldi?
Passante	È semplice. In Via Roma prenda il 56 e scenda al capolinea. La posta è a pochi passi dall'ultima fermata.
Sig. Pozzi	Molto gentile, grazie.
Passante	Prego, per carità!

Ogni quanto tempo...?	*Tous les combien... ?*
incr<u>o</u>cio	*carrefour*
attraversare	*traverser*
sottopass<u>a</u>ggio	*passage souterrain*
s<u>e</u>mplice	*simple*
il capol<u>i</u>nea	*le terminus*
per carità	*de rien*

3 Alla posta *À la poste*

À la poste, **il Sig. Pozzi** demande tout d'abord un télégramme à remplir.

a **Vero o falso?** Il sig. Pozzi deve andare allo sportello N° 3 per fare il telegramma.
b Che cosa deve scrivere il sig. Pozzi dietro la busta della raccomandata?

Sig. Pozzi Un modulo per telegramma, per favore.
Impiegata Per i telegrammi deve andare allo sportello N° 3. Desidera altro?
Sig. Pozzi Devo fare una raccomandata e un vaglia.
Impiegata Sì. Scriva nome, cognome e indirizzo del mittente dietro la busta. Vuole la penna?
Sig. Pozzi No, grazie. Ce l'ho.

m<u>o</u>dulo	*formulaire*
lo sportello	*le guichet*
raccomandata	*lettre recommandée*
v<u>a</u>glia (m)	*mandat postal*
mittente (m)	*expéditeur*
busta	*enveloppe*
penna	*stylo*

4 Faccia presto! *Dépêchez-vous !*

a **Vero o falso?** Lo sportello N°9 apre alle sei.
b Qual è l'<u>u</u>ltima cosa che il sig. Pozzi vuol sapere dall'impiegata?

Sig. Pozzi Ecco fatto! Va bene così?
Impiegata Sì. Così va bene. Ecco il resto, signore... e questa è la ricevuta.

Sig. Pozzi E per il pacco?

Impiegata Sportello N° 9. Vuole spedirlo oggi? Faccia presto, perché chiude alle 18.00.

Sig. Pozzi Dov'è la buca delle lettere, per cortesia?

Impiegata Eccola! Là in fondo. È per le sue cartoline? Non è necessario imbucarle. Può lasciarle a me.

Sig. Pozzi Grazie mille.

Impiegata Prego.

Ecco fatto!	*Voilà !*
ricevuta	*reçu*
pacco	*colis, paquet*
spedire	*expédier*
buca delle lettere	*boîte aux lettres*
imbucare	*poster, mettre dans une boîte*

Grammaire

1 Impératif (*lei*)

Scusi, vada, prenda et **giri** sont des impératifs. Ils correspondent à la forme *lei* de **scusare, andare, prendere** et **girare**, et s'emploient pour dire à quelqu'un de faire quelque chose.

Verbes réguliers en *-are, -ere* **et** *-ire*

Pour former l'impératif à la forme **lei**, supprimez les terminaisons (**-are**, **-ere** et **-ire**) de l'infinitif et remplacez-les par les désinences suivantes :

-are ajoutez **-i**		
Infinitif	Impératif (**lei**)	
aspett -are	aspetti!	*attendez !*
guard -are	guardi!	*regardez !*
attravers -are	attraversi!	*traversez !*

Dans les verbes qui se terminent en **-iare** (comme dans la forme **tu** à la p. 30), le **-i** final n'est pas redoublé : **Cambi! Mangi! Cominci!**

-ere et **-ire** ajoutez **-a**		
prend -ere	prenda!	*prenez !*
scriv -ere	scriva!	*écrivez !*
scend -ere	scenda!	*descendez !*
apr -ire	apra!	*ouvrez !*
sent -ire	senta!	*écoutez !*

Aspetti alla fermata dell'autobus! *Attendez à l'arrêt d'autobus.*
Scriva il suo nome e cognome! *Écrivez vos nom et prénom.*
Apra la porta e chiuda la finestra, per favore! *Ouvrez la porte et fermez la fenêtre, s'il vous plaît !*

Pour la forme négative, ajoutez **non** devant le verbe :

Non passi di qua! È pericoloso! *Ne passez pas par là, c'est dangereux !*
Non attraversi qui! *Ne traversez pas ici !*

2 Pronoms objet avec l'impératif à la forme *lei*

Les pronoms objet précèdent le verbe à l'impératif (forme *lei*) :

La casa è bella: *la* compri! *La maison est belle : achetez-là !*
Il vino è ottimo: *l'*assaggi! *Le vin est excellent : goûtez-le !*

3 Impératif irrégulier à la forme *lei*

Le radical servant à former l'impératif irrégulier (forme **lei**) s'obtient en remplaçant par un **-a** la terminaison en **-o** de la première personne du singulier du présent de l'indicatif.

Infinitif		1ère personne du singulier du présent	Impératif
dire	*dire*	**dico**	**dica!**
andare	*aller*	**vado**	**vada!**
spegnere	*éteindre*	**spengo**	**spenga!**
finire	*finir*	**finisco**	**finisca!**
leggere	*lire*	**leggo**	**legga!**
salire	*monter*	**salgo**	**salga!**

Ora tocca a te! Écrivez l'impératif (**lei**) de ces verbes irréguliers (vous avez rencontré précédemment le présent de tous ces verbes) : **pulire** *nettoyer* (comme **capire** p. 54), **bere, fare, uscire, venire** (voir Index grammatical, p. 354).

4 Impératif des 1ère et 2ème personnes du pluriel (*noi* et *voi*)

La première personne du pluriel de l'impératif est exactement la même qu'au présent de l'indicatif (Chapitre 7, p. 78) :

Usciamo stasera? — *On sort ce soir ?*
Sì. _Usciamo_! — *Oui, on sort/sortons !*
Vediamo un po'! — *Voyons un peu !*

La 2ème personne du pluriel (**voi**) est elle aussi identique au présent.

Aspettate alla fermata del pullman! — *Attendez à l'arrêt de car !*
Prendete un gelato! — *Prenez une glace !*
Venite con me! — *Venez avec moi !*

5 Telegramma, telegrammi *Télégramme(s)*

De même que **il cinema** (voir Chapitre 6, p. 66), **il telegramma** est masculin. En fait, tous les noms qui finissent en **-ma** sont masculins, sauf **(la) mamma (le mamme)** *maman*. Leur pluriel se termine en **-i** :

Vuol* fare due telegrammi? — *Voulez-vous envoyer* (mot à mot : *faire*) *deux télégrammes ?*

De même : **il programma** *programme* devient **i programmi** ; **il tema** *thème* devient **i temi** ; **il sistema** *système* devient **i sistemi** ; **il problema** *problème* devient **i problemi**.

Ci sono **molti problemi sociali e politici.** — *Il y a de nombreux problèmes sociaux et politiques.*

Il cinema, en revanche, reste invariable au pluriel : **i cinema**.

***Vuole** devient **vuol** devant un infinitif finissant par une consonne, notamment dans la langue parlée :

Cosa vuol bere? — *Que voulez-vous boire ?*

En Italie, on envoie encore beaucoup de télégrammes de vœux.

a Dans quel but ce télégramme a-t-il été envoyé ?
b Où habite l'expéditeur ?

TELEGRAMMA
Si prega di scrivere a macchina o a stampatello

Destinatario	sposi Antonio e mirella ferri vIa cavour 14 tanti carissimi auguri e tanta felicità gloria
Mittente	PRISCO GLORIA VIA MAZZINI 3 GROSSETO

6 Ce l'ho *Je l'ai*

Lorsqu'on demande à quelqu'un s'il a telle ou telle chose, on dit **Ce l'ha?** *Est-ce que vous l'avez ?* Si vous voulez répondre par *Je l'ai/Je ne l'ai pas*, dites **(Non) ce l'ho**. **Ce** est vide de sens.

Ha il mio indirizzo?	*Vous avez mon adresse ?*
Sì. Ce l'ho.	*Oui, je l'ai.*
Paolo ha il dizionario?	*Est-ce que Paul a le dictionnaire ?*
No. Non ce l'ha.	*Non, il ne l'a pas.*

7 Autres verbes irréguliers

Présent **salire** *monter*	**togliere** *enlever, ôter*
salgo **sali** **sale** **saliamo** **salite** **salgono**	**tolgo** **togli** **toglie** **togliamo** **togliete** **tolgono**

Comment dit-on... ?

1	Pour demander son chemin	**Sa dov'è...?/Come si fa per andare...?**
	Pour montrer le chemin	**Vada/giri/prenda/continui...**
2	Pour demander et dire tous les combien passe le bus	**ogni quanto tempo passano gli autobus? Passano ogni...**
3	Pour demander quelque chose à la poste	**Sportello N° 9... Un modulo...**
4	Pour comprendre et suivre des consignes	**Scriva nome, cognome, indirizzo...**

Exercices

Dans les exercices qui suivent, vous emploierez l'impératif à la forme **lei**.

1 Posez des questions pour demander comment aller aux endroits indiqués sur le plan ci-dessous, en prenant l'exemple comme modèle.

Esempio: **a Come si fa per andare alla piscina? Prenda la prima traversa a sinistra.**

2 Quel ordre donne chacun de ces panneaux de signalisation ?
a girare **b andare** **c girare**

a

b

c

3 Lisez le texte ci-dessous, puis imaginez que vous indiquez à quelqu'un le chemin de la cathédrale. Commencez par : **Per andare al duomo prenda...**

Per andare al duomo si deve prendere la prima strada a destra e andare sempre dritto fino a Via Firenze. In fondo a Via Firenze si deve girare a sinistra, scendere giù per Via Nazionale, e attraversare il ponte San Giovanni. Dopo il ponte si deve prendere la seconda traversa che è Via Veneto. In fondo a Via Veneto c'è una piazza: il duomo è lì.

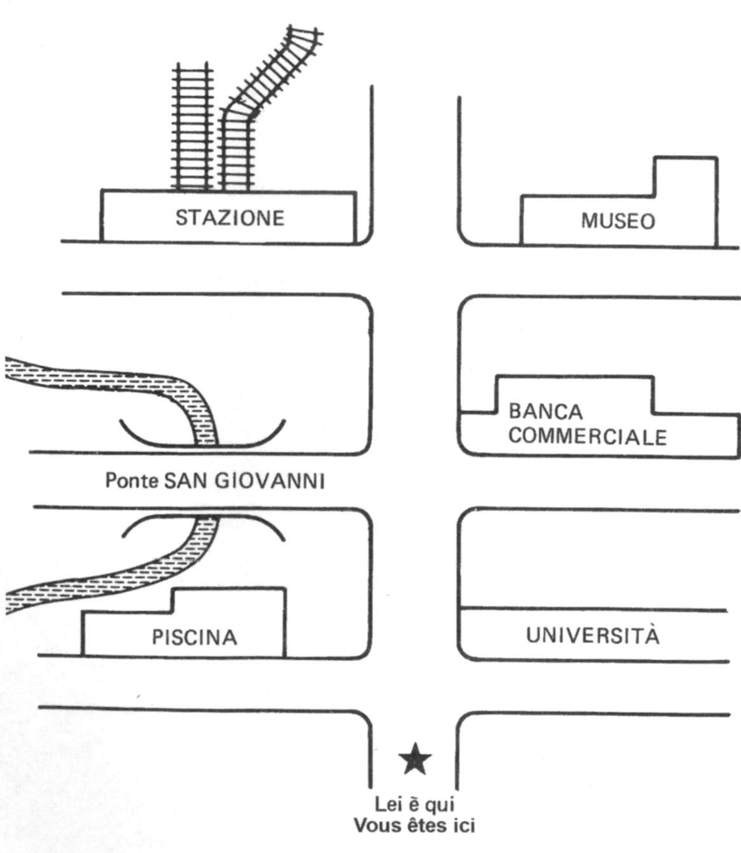

4 Donnez l'ordre qui correspond à la question. (L'endroit est indiqué entre parenthèses.)

Esempio:	**Dove devo parcheggiare?**	**(in piazza)**
	Parcheggi in piazza!	
a	Dove devo aspettare?	(alla stazione)
b	Dove devo prenotare?	(all'agenzia)
c	Dove devo leggere?	(qui)
d	Dove devo pulire?	(dappertutto)
e	Dove devo venire?	(a casa)
f	Dove devo pagare?	(alla cassa)

5 On vous demande la permission de faire quelque chose. Vous répondez affirmativement en employant le pronom objet + l'impératif.

Esempio:	**Posso mangiare questi spaghetti?**
	Sì, sì. Li mangi!
a	Posso mangiare queste lasagne?
b	Posso bere questo vino?
c	Posso aprire la finestra?
d	Posso fare i biglietti?
e	Posso prendere la sua macchina?
f	Posso prenotare l'albergo?

6 Vous trouverez p.168 un plan du centre de **Trento**, une ville de la région de montagnes des **Dolomiti**, dans le nord de l'Italie. Trois séries de consignes sont données à trois personnes différentes. Chacune se trouve à **Piazza Duomo**, indiquée par une croix sur le plan, devant **Fontana del Nettuno** 1 *la Fontaine de Neptune*, et demande comment aller à un certain endroit. Au fur et à mesure que vous entendrez le chemin indiqué à chaque personne, suivez-le sur le plan et découvrez où il mène.

a Vada verso Palazzo Cazuffi che è a sinistra e la Torre Civica che è a destra. Subito dopo la torre giri a destra. Prenda la prima traversa a sinistra. Dopo pochi passi, a destra, trova la piazza che cerca.

b Vada in Via Cavour. Prenda la prima strada a sinistra e continui fino all'incrocio di Via Prepositura e Via Antonio Rosmini. Il monumento che vuole è davanti a lei.

c Attraversi la piazza. Dopo la Torre Civica giri a destra e vada fino in fondo a Via San Vigilio. Poi giri a sinistra e continui lungo Via Santissima Trinità. In fondo alla strada c'è la chiesa che cerca.

ⓘ **I beni culturali** *le patrimoine culturel* relève d'un ministère créé à cet effet : **Il Ministero dei Beni Ambientali e Culturali**. Les Italiens sont très fiers de leurs monuments et on trouve dans presque toutes les villes des œuvres d'art ou des bâtiments à admirer. **Trento** est un bon exemple de ville au riche passé historique.

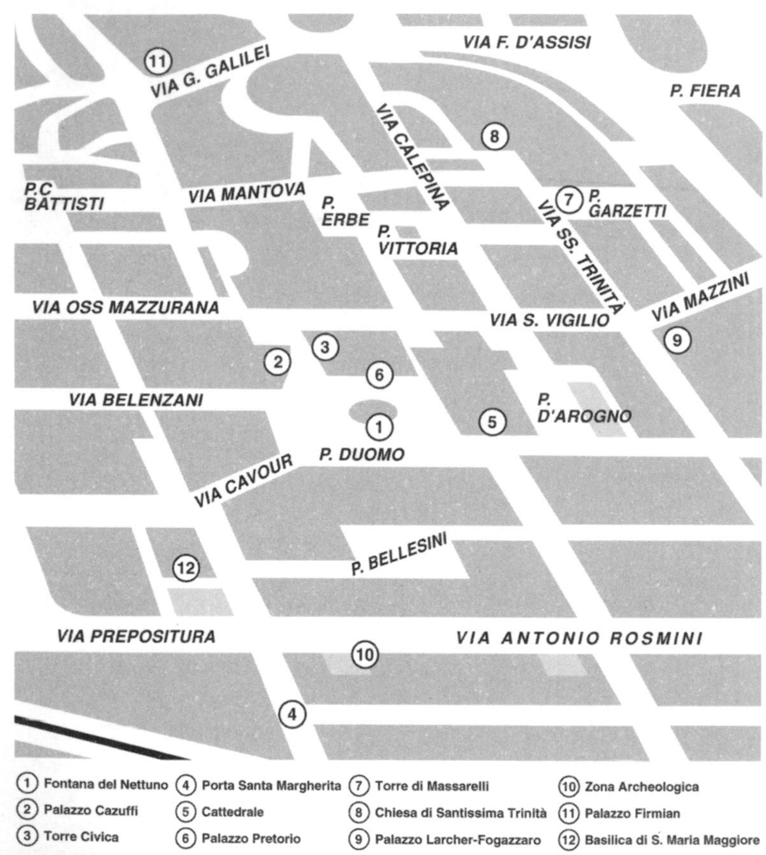

15

cos'hai fatto oggi?

qu'est-ce que tu as fait aujourd'hui ?

Dans ce chapitre vous apprendrez à :

- demander ce que quelqu'un a fait
- demander à quelqu'un de rapporter ce qu'on lui a dit
- demander ce qui s'est passé
- raconter ce qu'on a fait ou dit

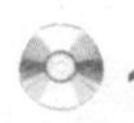

1 Cos' hai fatto di bello?
Qu'est-ce que tu as fait de beau ?

a **Vero o falso?** Elena ha mangiato a casa.
b Elena ha bevuto il vino, il liquore o l'acqua minerale?

Elena	Hai dormito fino a tardi oggi?
Fabrizio	Eh, sì, perché stanotte ho dormito male.
Elena	Oh, mi dispiace!
Fabrizio	Ma tu, cos'hai fatto di bello?
Elena	Nel pomeriggio ho fatto una bella passeggiata e stasera ho mangiato in una trattoria con il mio ragazzo.
Fabrizio	Avete mangiato bene?
Elena	Benissimo! Ed abbiamo bevuto una bottiglia di Barbera.

hai dormito? (de **dormire**)	*tu as dormi ?*
stanotte	*cette nuit* (passée), *la nuit dernière*
male	*mal*
fare una passeggiata	*se promener*
ho mangiato (de **mangiare**)	*j'ai mangé*
abbiamo bevuto (de **bere**)	*nous avons bu*

2 Cos'hai fatto oggi? *Qu'est-ce que tu as fait aujourd'hui ?*

Voici un dialogue entre un homme qui rentre tard et sa femme, qui était malade mais se sent maintenant mieux. Elle est inquiète de son retard.

a **Vero o falso?** Il marito ha perso il treno.
b Come sta la moglie adesso?

Moglie	Come mai così tardi? Cos'è successo?
Marito	Non è successo niente. Scusa, cara. Ho perso l'autobus. Ho dovuto aspettare venti minuti alla fermata. Tu, piuttosto, come ti senti?
Moglie	Adesso sto meglio, grazie.
Marito	Cos'hai fatto oggi?
Moglie	Ho dormito quasi tutto il giorno.

come mai...?	*comment se fait-il ?*
così tardi	*si tard*
Cos'è successo? (de **succedere**)	*Qu'est-ce qui s'est passé ?*
ho perso (de **perdere**)	*j'ai raté*
Come ti senti?	*Comment te sens-tu ?*
sto meglio	*je vais mieux*
quasi	*presque*

3 Che cosa ti ha detto? *Qu'est-ce qu'il t'a dit ?*

Elle répète à son mari ce qu'a dit le médecin : elle doit se reposer.

a **Vero o falso?** La moglie ha chiamato il medico.
b Il medico ha visitato il marito?

Marito	Hai visto il medico?
Moglie	Sì. L'ho chiamato stamattina.
Marito	E che cosa ti ha detto?
Moglie	Ha detto che ho bisogno soltanto di un po' di riposo. Nulla di grave.
Marito	Meno male! Ti ha dato delle medicine?
Moglie	No. Non mi ha dato niente.

Hai visto (de **vedere**) **il medico?**	*Tu as vu le médecin ?*
l'ho chiamato (de **chiamare**)	*je l'ai appelé*
stamattina	*ce matin*
ho bisogno di	*j'ai besoin de*
soltanto	*seulement*
nulla di grave	*rien de grave*
Ti ha dato...?	*Il t'a donné... ?*
meno male!	*heureusement !, tant mieux !*

Grammaire

1 Passé composé

En italien on emploie le passé composé (passato prossimo) pour décrire quelque chose qui s'est déroulé dans le passé. Il se forme à partir du présent de **essere** ou **avere** + participe passé. Dans ce chapitre nous nous concentrerons sur les verbes dont le passé composé se forme à partir d'**avere**, puisque c'est le cas de la majorité des verbes italiens.

Formation du participe passé

Le participe passé des verbes réguliers se forme en changeant la terminaison de l'infinitif comme suit :

Infinitif			Infinitif	Participe passé	
-are	devient	**-ato:**	**parlare**	**parlato**	*parlé*
-ere	devient	**-uto:**	**vendere**	**venduto**	*vendu*
-ire	devient	**-ito:**	**finire**	**finito**	*fini*

Ho parlato *J'ai parlé*
Ho venduto *J'ai vendu*
Ho finito *J'ai fini*

Vous remarquerez, dans le tableau ci-dessous, que, comme en français, le participe passé du passé composé formé avec **avere** est toujours au masculin singulier : **ho parlato** *j'ai parlé*, **ho dormito** *j'ai dormi*, **abbiamo parlato** *nous avons parlé*, **abbiamo dormito** *nous avons dormi*.

Passé composé		**parl-are**	*parler*
(io)	**ho**	**parlato**	*j'ai parlé*
(tu)	**hai**	**parlato**	*tu as parlé*
(lei)	**ha**	**parlato**	*vous* (vouvoiement singulier) *avez parlé*
(lui, lei)	**ha**	**parlato**	*il/elle a parlé*
(noi)	**abbiamo**	**parlato**	*nous avons parlé*
(voi)	**avete**	**parlato**	*vous (pl) avez parlé*
(loro)	**hanno**	**parlato**	*ils/elles ont parlé*

Passé composé		**vend-ere**	*vendre*
(io)	**ho**	**venduto**	*j'ai vendu*
(tu)	**hai**	**venduto**	*tu as vendu*
(lei)	**ha**	**venduto**	*vous* (vouvoiement singulier) *avez vendu*
(lui, lei)	**ha**	**venduto**	*il/elle a vendu*
(noi)	**abbiamo**	**venduto**	*nous avons vendu*
(voi)	**avete**	**venduto**	*vous* (pl) *avez vendu*
(loro)	**hanno**	**venduto**	*ils/elles ont vendu*

Passé composé		**fin-ire**	*finir*
(io)	**ho**	**fin*i*to**	*j'ai fini*
(tu)	**hai**	**fin*i*to**	*tu as fini*
(lei)	**ha**	**fin*i*to**	*vous* (vouvoiement singulier) *avez fini*
(lui, lei)	**ha**	**fin*i*to**	*il/elle a fini*
(noi)	**abbiamo**	**fin*i*to**	*nous avons fini*
(voi)	**avete**	**fin*i*to**	*vous* (pl) *avez fini*
(loro)	**hanno**	**fin*i*to**	*ils/elles ont fini*

Participes passés irréguliers

Voici une liste des participes passés irréguliers les plus fréquents :

Infinitif		Participe passé		Infinitif		Participe passé	
accendere	*allumer*	**acceso**	*allumé*	**mettere**	*mettre*	**messo**	*mis*
aprire	*ouvrir*	**aperto**	*ouvert*	**perdere**	*perdre*	**perso**	*perdu*
bere	*boire*	**bevuto**	*bu*	**prendere**	*prendre*	**preso**	*pris*
chiedere	*demander*	**chiesto**	*demandé*	**rispondere**	*répondre*	**risposto**	*répondu*
chiudere	*fermer*	**chiuso**	*fermé*	**rompere**	*casser*	**rotto**	*cassé*
dire	*dire*	**detto**	*dit*	**scrivere**	*écrire*	**scritto**	*écrit*
fare	*faire*	**fatto**	*fait*	**togliere**	*enlever, ôter*	**tolto**	*enlevé, ôté*
leggere	*lire*	**letto**	*lu*	**vedere**	*voir*	**visto**	*vu*

Cos'ha detto? *Qu'est-ce que vous avez dit ?*
Ho visto Mirella. *J'ai vu Mirella.*

Pour l'instant, il importe que vous parveniez à reconnaître certains de ces participes passés. Lorsque vous aurez besoin d'employer un participe, consultez le tableau ci-dessus.

2 Con il mio ragazzo *Avec mon copain*

Remarquez que **ragazzo**, qui signifie garçon, veut aussi dire *copain* (= petit ami). De même, **la mia ragazza** se traduit par *ma copine*.

3 Aver bisogno di *Avoir besoin de*

Le besoin ou la nécessité s'expriment en italien par **aver bisogno di** :

Ho bisogno soltanto di un po' di riposo. *J'ai juste besoin d'un peu de repos.*
Siamo contenti così. Non abbiamo bisogno di niente. *Nous sommes heureux comme ça. Nous n'avons besoin de rien.*

4 Le passé composé et les expressions temporelles

Les expressions ci-dessous vous seront utiles lorsque vous voudrez parler du passé :

L'ho visto	**ieri** **l'altro ieri***	**mattina** **pomeriggio** **sera**	*je l'ai vu*	*hier* *avant-hier*	*matin* *après-midi* *soir*
	la settimana scorsa **il mese scorso** **l'anno scorso**			*la semaine dernière* *le mois dernier* *l'année dernière*	
	molto tempo **poco tempo** **pochi giorni** **alcune settimane** **cinque minuti**	**fa**		*il y a*	*longtemps* *peu (de temps)* *quelques jours* *quelques semaines* *cinq minutes*

* *Avant-hier matin/dans l'après-midi/soir* peut se traduire par **l'altro ieri mattina/pomeriggio/sera**.

5 Stanotte *Cette nuit*

Ce mot, de même que son équivalent français, peut s'appliquer, selon le contexte, à la nuit précédente ou à la nuit à venir. Si le verbe est au passé, **stanotte** se rapporte forcément à la nuit dernière :

Stanotte non ho chiuso occhio. *Je n'ai pas fermé l'œil cette nuit* ou *la nuit dernière.*

6 Pronoms objet

Mi, ti, ci, vi sont aussi des pronoms objet. Ils signifient non seulement *moi-même, toi-même*, etc. (voir Verbes réfléchis, Chapitre 13, p. 150), mais aussi **me, te, nous, vous**. Ils précèdent le plus souvent le verbe et ne portent pas d'accent tonique :

Ida non	***mi*** ***ti*** ***ci*** ***vi***	***mi*** **capisce** ***ci*** ***vi***	*Ida ne*	*me* *te* *nous* *vous* (pl)	*comprend pas*

Les pronoms **me, te, ecc.** suivent le verbe et portent l'accent tonique (**ho visto *te***), de même que lorsqu'ils sont employés avec une préposition (***con* me, *da* te, ecc.**).

7 Expressions avec *stare*

Expressions avec *stare* décrivant l'état de santé :

Come sta? (Sto) bene/ male/meglio/peggio	*Comment allez-vous ? Je vais bien/ mal/mieux/plus mal*

Le présent de **stare** est identique à celui de **dare** (p. 93) :

sto stai sta stiamo state stanno

8 Che *Que*

Questo è il libro che devo comprare.	*C'est le livre que je dois acheter.*
So che non è vero.	*Je sais que ce n'est pas vrai.*
La ragazza che inviti è fidanzata.	*La fille que tu invites est fiancée.*
Mi ha detto che è disoccupato.	*Il m'a dit qu'il est au chômage.*

Comment dit-on... ?

1	Pour demander à quelqu'un ce qu'il a fait	**Cos'hai fatto?**
	Pour dire ce que vous avez fait	**Ho dormito, ho mangiato, ho bevuto, ho fatto una passeggiata, ecc.**
2	Pour demander à quelqu'un de rapporter ce qu'on lui a dit	**Cosa ti ha detto?**
	Pour rapporter ce que quelqu'un vous a dit	**(Mi) ha detto che...**
3	Pour demander à votre interlocuteur ce qu'on lui a donné	**Cosa ti ha dato?**
	Pour dire ce qu'on vous a donné	**Mi ha dato...**
4	Pour demander ce qui s'est passé	**Cos'è successo?**

Exercices

1 A, B, C et D racontent comment ils ont passé leur soirée. Complétez les phrases à l'aide des verbes donnés dans l'encadré ci-dessous.

A Ho ____ alla lettera di mio fratello che vive in America ed ____ in ordine la mia camera.
B ____ degli amici a casa. ____ insieme, poi abbiamo ____ tutta la notte.
C Io e il mio ragazzo ____ un programma molto interessante in televisione.
D Mio cugino mi ____ da Milano. ____ un'ora al telefono a parlare con lui e con mio nipote.

abbiamo visto - ho passato - ha chiamato - abbiamo bevuto - risposto - ho messo - ho invitato - giocato a bridge

2 Faites correspondre les morceaux de phrase de la colonne de droite à ceux de la colonne de gauche :

i	Hai letto	**a**	la telefonata?
ii	Ho dormito	**b**	un sacco di soldi.
iii	Hai risposto	**c**	il gas?
iv	Hai fatto	**d**	molto bene.
v	Ho rotto	**e**	alle sue domande?
vi	Hai spento	**f**	il giornale?
vii	Ho speso (j'ai dépensé)	**g**	il bicchiere.

3 Complétez les phrases suivantes en choisissant **mi** ou ti selon le sens. Attention à bien différencier les verbes à la première personne et ceux à la deuxième personne (tutoiement).

a Dove sei? Non ____ vedo.
b Cosa dici? Non ____ sento.
c Scusa, chi sei? Non ____ conosco.
d Sono qui. Non ____ vedi?
e Come? Non ____ capisco.
f Quando ____ inviti a cena?
g Allora, ____ accompagni?
h Va bene. ____ aspetto davanti al teatro.

4 Voici des extraits de cartes postales envoyées par des amis italiens. Dites à votre interlocuteur ce que chacun d'entre eux a fait. Par exemple, (a) commencerait par : **Vittoria ha...**

a

.... Ieri ho visto il Papa in Piazza San Pietro....
Saluti da Roma
Vittoria

b

Firenze
... Ho comprato una villa fra Siena e Firenze...
Un caro saluto
Gino

c

Viareggio
...Finalmente ho aperto un'agenzia immobiliare!...
Quando vieni in Italia?
Roberto

d

e

f

Diano Marina
......Abbiamo fatto molti
bagni...
Un abbraccio
Renzo e Mara
Sanremo
......Abbiamo giocato
alla roulette e abbiamo
perso......
A presto!
Ada e Lino
Verona
......Ieri sera abbiamo
visto l'Aida.
Stupenda!......
Molti baci
Federico e Anna

5 **Ora tocca a te!** Écrivez une carte postale depuis **Bari** :
« J'ai vu beaucoup de choses intéressantes. Amitiés de Bari. »

6 Vous trouverez ci-dessous une liste de choses que **Mara** a décidé de faire lundi dernier. Elle n'a cependant mené à bien que les projets qui sont cochés. Les croix signifient que **Mara** n'a pas réussi à faire la chose en question. Dites, en italien, ce qu'elle a fait et ce qu'elle n'a pas fait.

a pranzare dai suoi genitori ✓
b chiamare l'elettricista ✕

c guardare il programma 'TV 7 Speciale' ✓
d pulire la casa ×
e pagare l'affitto ×
f giocare a tennis con Marco ✓
g portare la macchina dal meccanico ✓
h scrivere una cartolina a sua zia Maria ✓

7 Ora tocca a te!

Vous	*Qu'est-ce que tu as fait de beau aujourd'hui ?*
Olga	Ho lavorato tutto il giorno.
Vous	*Tu n'as pas vu ton copain ?*
Olga	Sì. All'ora di pranzo.
Vous	*Vous avez mangé ensemble ?*
Olga	Sì. In una elegante trattoria in Via Manzoni.
Vous	*Alors pourquoi est-ce que tu n'es pas contente ?*
Olga	Perché ho dovuto pagare io per il pranzo.

ⓘ Les vins

Le vin, au même titre que le pain, est un élément essentiel de tout repas pris en famille.
Il existe trois catégories de vin : les **vini di tavola** *vins de table*, les **VQPRD** (**vini di qualità prodotti in regione determinata** *vins de qualité produits dans une région déterminée*) et les **vini speciali** *vins spéciaux*. Les **VQPRD** sont soumis à des contrôles plus stricts que les **vini di tavola** ; ils se répartissent en **vini DOC** (**denominazione di origine controllata**) et **vini DOCG** (**denominazione di origine controllata e garantita**), plus prestigieux. Quant aux vins spéciaux, il s'agit des **vini spumanti** *vins mousseux*, **vini liquorosi** *vins liquoreux* et **vini aromatizzati** *vins aromatisés*.

16

le piace viaggiare?

vous aimez voyager ?

Dans ce chapitre vous apprendrez à :

- demander à quelqu'un s'il est (déjà) allé à...
- dire où vous avez habité et travaillé et où vous êtes né(e)
- dire quand vous avez fait telle ou telle chose
- dire depuis combien de temps vous faites telle ou telle chose

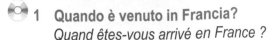

1 Quando è venuto in Francia? *Quand êtes-vous arrivé en France ?*

Entretien avec un immigré italien arrivé en France il y a 20 ans.

a **Vero o falso?** L'immigrato ha lavorato prima a Parigi.
b Dov'è andato ad abitare dopo tre anni?

Giornalista	Quando è venuto in Francia ?
Immigrato	Vent'anni fa.
Giornalista	È vissuto sempre a Parigi?
Immigrato	No. Quando sono arrivato, sono andato a lavorare a Roubaix.
Giornalista	Si trova bene in Francia?
Immigrato	Abbastanza bene. Ma ogni tanto sento la nostalgia dell'Italia.
Giornalista	Quanto tempo è rimasto a Roubaix?
Immigrato	Tre anni. Dopo sono venuto ad abitare a Parigi.

È vissuto...? (de **vivere**)	*Vous avez vécu... ?*
trovarsi bene	*se plaire*
abbastanza	*assez*
ogni tanto	*de temps en temps*
sento la nostalgia dell'Italia	*j'ai le mal du pays, j'ai la nostalgie de l'Italie*
è rimasto...? (de **rimanere** irrég.)	*vous êtes resté... ?*

2 Le è piaciuta l'Italia? *Est-ce que l'Italie lui a plu ?*

La journaliste demande à l'immigré s'il est déjà retourné dans son pays.

a **Vero o falso?** L'immigrato è tornato in Italia molte volte.
b Dove spera di ritornare con sua moglie?

Giornalista	È mai tornato nel suo paese nativo?
Immigrato	Sì. Ci sono tornato con mia moglie molte volte.
Giornalista	Sua moglie è italiana?
Immigrato	È di origine italiana, ma è nata a Tolosa.
Giornalista	Le è piaciuta l'Italia?
Immigrato	Sì. Le è piaciuta molto. Infatti speriamo di ritornarci quest'anno.

paese nativo	*pays natal*
sperare di	*espérer* + infinitif

 3 Incontro in Sicilia *Rencontre en Sicile*

Sandro rencontre par hasard son ami **Marcello** en Sicile.

a **Vero o falso?** Sandro è in Sicilia da una settimana.
b Con quale treno è partito Marcello?

Sandro	Chi si vede! Che sorpresa!
Marcello	Ciao, Sandro! Da quanto tempo sei qui?
Sandro	Da una settimana. E tu?
Marcello	Sono appena arrivato. Sono partito stamattina col treno delle 10.40 (dieci e quaranta) e sono arrivato un'ora fa.
Sandro	È la prima volta che vieni in Sicilia?
Marcello	No. Ci sono venuto nel '97.
Sandro	Ti piace di più Agrigento o Siracusa?
Marcello	Non sono mai stato né ad Agrigento, né a Siracusa.

Chi si vede!	*Ça alors, quelle surprise !*
Da quanto tempo sei qui?	*Depuis combien de temps es-tu là ?*
non sono mai stato né... né...	*je ne suis jamais allé ni... ni...*

 4 Sei mai stato in Sardegna? *Es-tu déjà allé en Sardaigne ?*

Sandro veut payer un café à **Marcello** mais celui-ci doit partir.

a **Vero o falso?** Marcello non è mai stato in Sardegna.
b Perché Marcello non accetta il caffè?

Sandro	... E la Sardegna? Sei mai stato in Sardegna?
Marcello	Purtroppo no. Lo so che c'è tanto da vedere anche lì.
Sandro	Posso offrirti un caffè?
Marcello	No, grazie. Devo scappare.
Sandro	Così presto?
Marcello	Purtroppo sì. Mi dispiace.
Sandro	Allora ti accompagno.

purtroppo	*malheureusement*
tanto da vedere	*tant de choses à voir*
così presto	*déjà*
accompagnare	*accompagner*

Grammaire

1 Passé composé (suite)

Nous allons voir, dans ce chapitre, les verbes dont le passé composé se forme avec **essere**, c'est-à-dire la plupart des verbes intransitifs ainsi que le verbe **essere** lui-même. Le passé composé se forme sur le présent de **essere** (**sono, sei, è, siamo, siete, sono**) plus le participe passé (Chapitre 15, pp. 172–3), qui, comme en français, doit s'accorder avec le sujet.

Sono tornato.	*Je suis revenu.*
Sono tornata.	*Je suis revenue.*
Siamo tornati.	*Nous sommes revenus.*
Siamo tornate.	*Nous sommes revenues.*
Roberto è and*ato* in Italia.	*Roberto est allé en Italie.*
Lucia è and*ata* negli Stati Uniti.	*Lucia est allée aux États-Unis.*
I signor*i* Cortese *sono* and*ati* all'estero.	*M. et Mme Cortese sont partis à l'étranger.*
***Le* ragazze *sono* and*ate* a scuola.**	*Les filles sont allées à l'école.*
Id*a* non è and*ata* in Germania.	*Ida n'est pas allée en Allemagne.*

Le participe passé de **essere** *être* est **stato**.
Notez que le participe passé de **stare** et de **essere** est le même : **stato**.

Passé	essere	*être*
(io)	**sono stato/stata**	*j'ai été*
(tu)	**sei stato/stata**	*tu as été*
(lui, lei)	**è stato/stata**	*il/elle a été, vous avez été* (vouvoiement singulier)
(noi)	**siamo stati/state**	*nous avons été*
(voi)	**siete stati/state**	*vous avez été* (pl)
(loro)	**sono stati/state**	*ils/elles ont été*

Voici la liste des verbes les plus courants dont le passé composé se forme avec **essere** :

Verbes réguliers			
andare	*aller*	**sono andato/a**	*je suis allé(e)*
arrivare	*arriver*	**sono arrivato/a**	*je suis arrivé(e)*
entrare	*entrer*	**sono entrato/a**	*je suis entré(e)*
partire	*partir*	**sono partito/a**	*je suis parti(e)*
tornare	*revenir*	**sono tornato/a**	*je suis revenu(e)*
uscire	*sortir*	**sono uscito/a**	*je suis sorti(e)*
Verbes irréguliers			
essere	*être*	**sono stato/a**	*j'ai été*
nascere	*naître*	**sono nato/a**	*je suis né(e)*
rimanere	*rester*	**sono rimasto/a**	*je suis resté(e)*
venire	*venir*	**sono venuto/a**	*je suis venu(e)*
vivere*	*vivre*	**sono vissuto/a**	*j'ai vécu*

* Le passé composé de **vivere** peut aussi se former avec **avere** : **ho vissuto**.

Dans les chapitres suivants, les verbes dont le passé composé se forme avec **essere** seront suivis d'un astérisque, par exemple : **salire*** *monter (dans un autobus, un train, etc.)*

2 … fa *Il y a…*

Fa équivaut au *il y a* français dans son acception temporelle.

Il treno è partito cinque minuti *fa*.	*Le train est parti il y a cinq minutes.*
Siamo arrivati un'ora *fa*.	*Nous sommes arrivés il y a une heure.*

3 Ci *Y/Nous*

Ci peut vouloir dire soit *y*, soit *nous*. Le contexte devrait suffire à faire la différence. **Ci** se comporte comme un pronom inaccentué : il précède le verbe ou s'accole à un infinitif. **Ci + è** se contracte en **c'è** lorsqu'il veut dire *y* (voir Chapitre 6, p. 68).

È mai stato a Firenze?	*Êtes-vous déjà allé à Florence ?*
Sì. Ci sono stato diverse volte.	*Oui, j'y suis allé plusieurs fois.*
C'è stato il mese scorso.	*Il y est allé le mois dernier.*
Spero di andarci l'anno prossimo.	*J'espère y aller l'année prochaine.*

4 Le è piaciuta l'Italia? *Est-ce que l'Italie vous a plu ?*

Lorsqu'il est employé de façon impersonnelle (donc uniquement à la troisième personne), **piacere** a un passé composé formé avec **essere** et se comporte comme un adjectif pour ce qui est de l'accord en genre et en nombre :

Le è piaci*uto lo* spettacolo?	*Est-ce que le spectacle vous a plu ?*
Le è piaci*uta la* mostra?	*Est-ce que l'exposition vous a plu ?*
Le *sono* piaci*uti i* quadr*i*?	*Est-ce que les tableaux vous ont plu ?*
No. Non mi *sono* piaciut*i*.	*Non, ils ne m'ont pas plu.*

5 Sperare di (*Espérer*) + infinitif

Espérer + infinitif se traduit par **sperare *di* + infinitif** :

***Spero di* rivederla al più presto.**	*J'espère vous revoir très bientôt.*

6 Expression de la date : nel '98 *en 1998*

On emploie **in + article défini** car **anno** *année* est sous-entendu. On omet souvent le « 19 » à l'oral. En revanche, on dit toujours **nel 2003** (duemilatrè).

7 Ti piace di più...? *Tu préfères...?*

Piacere di più peut remplacer **preferire**. **Di più** (*plus* ou *le plus*) se place en fin de phrase et a la même valeur que **più** :

La musica classica *mi piace di più*.	*Je préfère la musique classique.*
È quello che lavora *di più*.	*C'est celui qui travaille le plus.*

8 Né... né *Ni... ni*

Cette expression, comme son équivalent français, exige une double négation, à moins que **né** ne soit placé en début de phrase :

Non vado *né* a Firenze *né* a Roma.	*Je ne vais ni à Florence ni à Rome.*
Non conosco *né* lui *né* lei.	*Je ne les connais ni l'un ni l'autre.*
***Né* Carlo *né* Pietro vanno all'università.**	*Ni Carlo ni Pietro ne vont à l'université.*

9 Lo so... *Je sais...*

Lo s'emploie avec **sapere** même lorsque l'on fait référence à un complément d'objet qui reste vague :

Dov'è Carlo? Non *lo* so.	*Où est Carlo ? Je ne sais pas.*
Sai il mio indirizzo? Sì. *Lo* so.	*Tu connais mon adresse ? Oui(, je la connais.)*
Come *lo sai*?	*Comment le sais-tu ?*

10 Con (*Avec*) + article

Col = con + il. Coi = con + i. Ces contractions sont facultatives :

Vado a Firenze *col/con il* direttore.	*Je vais à Florence avec le directeur.*
Parlano *coi/con i* ragazzi.	*Ils parlent aux garçons.*

Con + article peut s'employer au lieu de **in** (p. 57) lorsqu'on parle des moyens de transport :

Ci vado *col/con il* treno/*con la* metropolitana.	*J'y vais en train/en métro.*

Comment dit-on...?

1	*Êtes-vous (déjà) allé(e) à... ?*	**È (mai) stato/a... in Sardegna? ... a Roma?**
	Je suis allé(e) à...	**Sono stato/a in.../a...**
2	*J'ai vécu...*	**Ho vissuto/Sono vissuto/a...**
3	*Je suis né(e)...*	**Sono nato/a...**
4	*il y a deux/dix/vingt ans*	**due/dieci/vent'anni fa**
5	*Je suis ici depuis...*	**Sono qui da cinque minuti/da un'ora, ecc.**
	J'attends depuis...	**Aspetto da mezz'ora, ecc.**
6	*... m'a beaucoup plu*	**... mi è piaciuto/a moltissimo**

Exercices

1 Dans la colonne de gauche de la page suivante, vous trouverez une liste de ce qu'**Alberto** a l'habitude de faire chaque jour de la semaine. En vous aidant des mots de la colonne de droite, dites ce qu'il a fait la semaine dernière.

Esempio: **(Generalmente) il lunedì va al cinema.**
(Ma) lunedì scorso è andato a teatro.

	Generalmente	**La settimana scorsa**
a	Il lunedì va al cinema.	a teatro
b	Il martedì cena presto.	tardi
c	Il mercoledì studia molto.	affatto
d	Il giovedì lavora fino alle sei.	dieci
e	Il venerdì mangia a casa.	fuori
f	Il sabato gioca a carte.	scacchi (*échecs*)
g	La domenica dorme fino alle dieci.	mezzogiorno

2 Mettez-vous à la place d'Alberto et dites ce que vous avez fait lundi, jeudi et dimanche de la semaine dernière.

3 Faites des phrases pour chacune des personnes figurant dans les colonnes **b**, **c**, **d** et **e** en prenant comme modèle la vie de **Pietro Rossi** (colonne a).

a	b	c	d	e
Pietro Rossi	**Paolo Nuzzo**	**Mirella Perrone**	**I signori Caraffi**	**Anna e Silvia**
È nato nel '70. **È stato in America** **per dieci anni.** **È andato a Boston.** **Poi è tornato in Italia.**	'69 Austria 2 Vienna Italia	'57 Francia 1 Parigi Sicilia	'58 Spagna 12 Barcellona Sardegna	'71 Grecia 6 Atene Roma

4 Lisez attentivement le texte ci-dessous et répondez aux questions en vous mettant à la place d'**Anna**. Chaque réponse doit comporter le mot **ci** et reprendre le verbe de la question.

Esempio: **a È mai stata all'estero?**
Sì. Ci sono stata molte volte.

Anna è stata all'estero molte volte. In aprile è andata in Italia con Marcello. È ritornata a Pisa nel mese di agosto. Poi è andata a Firenze in macchina con la sua amica Francesca.

- **a** È mai stata all'estero?
- **b** Quando è andata in Italia con Marcello?
- **c** Quando è ritornata a Pisa?
- **d** Com'è andata a Firenze?
- **e** C'è andata con sua sorella?

5 Répondez aux questions suivantes en employant le pronom qui convient et la durée figurant entre parenthèses, comme dans l'exemple.

Esempio: **Da quanto tempo Lucia aspetta l'autobus? (5 minuti)**
L'aspetta da cinque minuti.

a	Da quanto tempo Sandro non vede sua sorella?	(2 anni)
b	Da quanto tempo Marcello conosce Sandra?	(molti anni)
c	Da quanto tempo suona il violino Francesca?	(9 anni)
d	Da quanto tempo Mirella studia l'italiano?	(6 mesi)
e	Da quanto tempo non vedono Roberto?	(molto tempo)
f	Da quanto tempo Anna e Roberto aspettano il treno?	(poco tempo)

6 Combinez les deux phrases données en **a, b, c, d** et **e** en employant **fa** comme dans l'exemple.

Esempio: **Sono le dieci. Sandro è andato in banca alle nove e un quarto.**
Sandro è andato in banca tre quarti d'ora fa.

a Sono le undici. Mara è andata a fare la spesa alle nove.
b È l'una. Sergio è venuto a pranzo a mezzogiorno.
c Sono le sette e mezza. Mario è tornato dal lavoro alle sei.
d Sono le undici e mezza. Carlo è andato a letto alle undici.
e Sono le cinque e mezza. Filippo è uscito alle cinque e venticinque.

7 **Ora tocca a te!** Une journaliste vous demande où vous êtes allé et ce que vous avez fait en Italie.

Giornalista	Va mai in Italia?
Vous	*Oui, j'y vais presque chaque année.*
Giornalista	Dov'è stato l'anno scorso?
Vous	*Je suis allé à Venise et à Vérone.*
Giornalista	È rimasto molto tempo a Verona?
Vous	*Deux nuits. Pour l'opéra.*
Giornalista	È andato con amici?
Vous	*Non. Je préfère voyager seul.*
Giornalista	Ma parla benissimo! Sono italiani i suoi genitori?
Vous	*Oui. Et... j'ai étudié l'italien à l'université.*
Giornalista	Dove? In Italia?
Vous	*D'abord en Italie, puis à la Sorbonne.*
Giornalista	Quanto tempo fa?
Vous	*Il y a deux ans.*

8 In che parte d'Italia si trovano Agrigento, Palermo, Taormina e Siracusa?

ⓘ Lorsqu'ils parlent de l'endroit dont ils sont originaires, les Italiens disent **il mio paese**. Grosso modo, **paese** signifie *village* ou *petite ville* et n'a pas d'équivalent exact en français. **Il mio paese nativo** ou **natale** se traduirait par *mon village natal* ou *l'endroit où je suis né(e)*. **Paese** peut aussi vouloir dire *pays*, mais dans ce cas il prend souvent une majuscule : **L'Italia è un bel Paese.** *L'Italie est un beau pays.*

Vous trouverez une liste de serveurs régionaux à l'adresse suivante grâce à un simple clic sur une carte interactive de l'Italie : http://www.cilea.it/www-map/nir-map.html

17

tante cose da fare!

tant de choses à faire !

Dans ce chapitre vous apprendrez à :

- dire que vous avez déjà fait telle ou telle chose
- dire que vous n'avez pas encore fait telle ou telle chose
- demander à quelqu'un combien il a payé telle ou telle chose
- dire combien vous avez payé telle ou telle chose

1 Quando vai a fare la spesa?
Quand vas-tu faire les courses ?

La mère demande à sa fille si elle a acheté tout ce qu'elle lui avait demandé.

a **Vero o falso?** Marisa è andata al supermercato con la mamma.
b Dove ha messo il pesce Marisa?

Mamma	Quando vai a fare la spesa, Marisa?
Marisa	L'ho già fatta, mamma! Sono andata al supermercato con Valeria.
Mamma	Hai preso tutto?
Marisa	Sì. Pane, burro, latte, uova, biscotti...
Mamma	Ma, hai comprato il pesce per stasera?
Marisa	Sì. L'ho comprato. Ne ho preso mezzo chilo.
Mamma	E dove l'hai messo? Non lo vedo.
Marisa	L'ho messo in frigorifero con l'altra roba.
Mamma	Ah brava, Marisa! Grazie.

l'ho già fatta (de **fare**)	*je les ai déjà faites* (*les* = les courses)
l'ho messo (de **mettere**)	*je l'ai mis*
hai preso...? (de **prendere**)	*est-ce que tu as acheté... ?*

2 Il regalo per Sandro, l'avete preso?
Vous avez acheté un cadeau pour Sandro ?

Franco demande à **Sonia** et **Daniele** s'ils ont fait tout ce qu'il y avait à faire.

a **Vero o falso?** Daniele e Sonia hanno comprato un portafoglio per Sandro.
b Perché non hanno prenotato i posti per il concerto?

Franco	Avete comprato le cartoline?
Sonia	Sì. Le abbiamo pure scritte.
Franco	Quante ne avete comprate?
Daniele	Dodici. Ne abbiamo mandata una anche alla vicina di casa.
Franco	Il regalo per Sandro, l'avete preso?
Sonia	Sì. Gli abbiamo comprato una cravatta di seta pura. Eccola qua! Ti piace?
Franco	È veramente elegante! Quanto l'avete pagata?
Daniele	Parecchio.
Franco	I posti per il concerto di domani sera, li avete prenotati?
Sonia	No. Non li abbiamo ancora prenotati. Non abbiamo avuto tempo.

pure	*aussi*
mandare	*envoyer*
vicina di casa	*voisine*
gli abbiamo comprato	*nous lui avons acheté*
parecchio	*assez cher* (payer)
prenotare	*réserver*
non... ancora	*pas encore*

3 L'ho spento *Je l'ai éteint*

Adriano découvre que **Cesare** a débranché la prise...

a **Vero o falso?** Cesare ha spento il videoregistratore.

b Che cos'ha fatto Cesare per spegnere il videoregistratore?

Adriano Oddio! Che hai fatto, hai rotto il videoregistratore?

Cesare No. L'ho spento. Ho tolto la spina perché devo usare l'aspirapolvere.

oddio!	*mon Dieu !*
Hai rotto (de **rompere) il videoregistratore?**	*Tu as cassé le magnétoscope ?*
togliere la spina	*débrancher la prise*
aspirapolvere (m.)	*aspirateur*
L'ho spento (de **spegnere** irrég.)	*Je l'ai éteint*

Grammaire

1 Accord du participe passé

De même qu'en français, lorsque le passé composé est formé avec **avere** et précédé de **lo, la, li, le, l'** (pronoms complément d'objet direct), le participe passé doit s'accorder. En revanche, si en français l'accord ne se fait pas en présence du *en* placé avant le verbe, il se fait en italien en présence de **ne** :

Avete comprato *le* cartoline?	*Vous avez acheté les cartes postales ?*
Sì. *Le* abbiamo pure scritte.	*Oui, nous les avons aussi écrites.*
... e *ne* abbiamo mandat*a* una...	*... et nous en avons envoyé une...*

Comme nous l'avons déjà vu, **lo** et **la** (singulier uniquement) sont le plus souvent abrégés en **l'** devant une voyelle ou un **'h'** (Chapitre 8, p. 93). **L'** peut donc représenter soit un masculin soit un féminin. Au passé composé, la terminaison du participe passé permet de faire la distinction :

Lo + ho devient **l'ho**. **Lo ho letto** devient donc **L'ho letto** *Je l'ai lu.*

De même, **la + ho** devient **l'ho**. **La ho letta** devient donc **L'ho letta** *Je l'ai lue.*

Ha letto il libro?	*Avez-vous lu le livre ?*
Sì. *L'ho* letto.	*Oui, je l'ai lu.*
Ha letto *la* rivista?	*Avez-vous lu la revue ?*
Sì. *L'ho* letta.	*Oui, je l'ai lue.*
Gino ha letto *la* lettera.	*Gino a lu la lettre.*
***L'ha* letta.**	*Il l'a lue.*
Sara ha letto il biglietto.	*Sara a lu le mot.*
***L'ha* letto.**	*Elle l'a lu.*

Les phrases ci-dessous récapitulent les différentes possibilités d'accord du participe passé :

Hai visto	**Pietro?**	**Sì.**	**L'ho visto.**	*As-tu vu*	*Pietro ?*	*Oui,*	*je l'ai vu.*
	Maria?		**L'ho vista.**		*Maria ?*		*je l'ai vue.*
	i ragazzi?		***Li* ho visti.**		*les garçons ?*		*je les ai vus.*
	le ragazze?		***Le* ho viste.**		*les filles ?*		*je les ai vues.*

Hai chiuso	***il* cassetto?**	**Sì.**	**L'ho chiuso.**	*As-tu fermé ?*	*le tiroir ?*	*Oui,*	*je l'ai fermé.*
	***la* valigia?**		**L'ho chiusa.**		*la valise ?*		*je l'ai fermée.*
	***i* cassetti?**		***Li* ho chiusi.**		*les tiroirs ?*		*je les ai fermés.*
	***le* valigie?**		***Le* ho chiuse.**		*les valises ?*		*je les ai fermées.*

En l'absence de pronom, l'accord du participe passé n'est pas obligatoire si le complément d'objet précède le verbe. Les deux variantes suivantes sont donc possibles :

La rivista che ho { **comprato.** / **comprata.** } *La revue que j'ai achetée.*

2 Listes

Si vous avez une liste de mots italiens indénombrables, il n'est pas nécessaire d'utiliser l'article : **pane, burro, latte...**

3 Il regalo... l'avete preso? *Vous avez acheté le cadeau ?*

Il n'est pas rare, notamment dans la langue parlée, que, pour insister sur un élément de la phrase, on emploie à la fois le nom et le pronom, comme dans l'exemple ci-dessus. Autres exemples :

***I posti... li* avete prenotat*i*?**	*Vous avez réservé les places ?*
L'hai letto *il giornale* di oggi?	*Tu as lu le journal d'aujourd'hui ?*
***La carne l'*ho messa nel congelatore.**	*J'ai mis la viande au congélateur.*

4 Passé composé de *dovere, potere, sapere, volere*

Le passé composé de ces verbes peut toujours se former avec **avere** :

ho dovuto, avete voluto, hanno potuto, abbiamo saputo

Cela dit, lorsque le passé composé du verbe qui suit se forme avec **essere**, il existe deux possibilités :

Non	**ho** **sono**	} **potuto venire.**	*Je n'ai pas pu venir.*
	Abbiamo dovuto **Siamo dovuti**	} **partire.**	*Nous avons dû partir.*

Avec **dovere, potere, sapere, volere** il existe également deux possibilités quant à la position du pronom inaccentué (voir Chapitre 9, p. 104) :

Non ho potuto far*lo*. **Non *l'*ho potuto fare.**	} *Je n'ai pas pu le faire.*
Devo alzar*mi* presto. ***Mi* devo alzare presto.**	} *Je dois me lever tôt.*

5 Già *déjà*, non... ancora *pas encore*

Observez la position de **già** et d'**ancora** dans les exemples suivants :

Quando fai la spesa?	*Quand vas-tu faire les courses ?*
L'ho *già* fatta.	*Je les ai déjà faites.*
Hai fatto la spesa?	*Est-ce que tu as fait les courses ?*
***Non* l'ho *ancora* fatta.**	*Je ne les ai pas encore faites.*

6 Eccola qua/qui *La voici*

Si on veut être plus précis, on peut ajouter **qua/qui** *ici*, ou **là/lì** *là* à **eccolo, eccola, ecc.** : **Eccolo qui/là**.

7 Tanto/a, tanti/e *Tant de, tellement de*

Observez l'emploi au singulier et au pluriel des adjectifs ci-dessus :

Al mercato c'è tanta frutta!	*Il y a tellement de fruits au marché !*
Ho tante cose da fare!	*J'ai tant de choses à faire !*

 Comment dit-on... ?

1 Pour dire que vous avez déjà fait telle ou telle chose	**L'ho già fatto./L'ho già fatta.**
2 Pour dire que vous ne l'avez pas encore faite	**Non l'ho ancora fatto./Non l'ho ancora fatta.**
3 Pour demander à quelqu'un combien il a payé telle ou telle chose	**Quanto l'ha pagato?/Quanto l'ha pagata?**
4 Pour dire combien vous avez payé telle ou telle chose	**L'ho pagato/L'ho pagata...**

Exercices

1 Les questions suivantes vous sont adressées. Répondez-y en employant **ne** et en respectant les principes d'accord du participe passé.

Esempio: **Quante birre ha preso? (due)**
Ne ho prese due.

a Quanti pacchi ha mandato? (uno)
b Quanti film ha visto? (molti)
c Quante lettere ha spedito? (sei)
d Quante cartoline ha scritto? (quattro)
e Quante gallerie ha visitato? (una)
f Quanti soldi ha speso? (molti)
g Quanti euro ha cambiato? (pochi)
h Quanti caffè ha bevuto oggi? (tre)

2 Votre supérieur vous demande quand vous comptez effectuer certaines tâches. Fidèle à votre réputation d'efficacité, vous avez déjà tout fait.

Esempio: **Quando paga il conto?**
L'ho già pagato.

a Quando scrive le lettere?
b Quando compra i francobolli?
c Quando vede i signori Marelli?
d Quando fa le due telefonate a Parigi?
e Quando sbriga la corrispondenza?
f Quando finisce il rapporto?
g Quando prepara i documenti?
h Quando consulta l'agenda?

3 Vous avez fait tellement d'heures au bureau que vous avez négligé vos tâches ménagères. Lorsque votre colocataire vous interroge à ce propos, vous devez bien admettre que vous n'avez encore rien fait.

Esempio: **Hai preparato la cena?**
No. Non l'ho ancora preparata.

a Hai fatto il letto?
b Hai pulito l'appartamento?
c Hai pagato l'affitto?
d Hai fatto la spesa?
e Hai comprato i giornali?
f Hai riparato la luce?

4 Complétez les phrases suivantes avec le verbe au passé composé qui convient.

Esempio: **Mario ha comprato il gelato e l'____.**
Mario ha comprato il gelato e l'ha mangiato.

a Ho preso una penna e ____ una lettera a Marco.
b Ho comprato il giornale e l'____.
c Ho acceso la radio e l'____.
d Giorgio ha comprato la birra e l'____.
e Anna ha preso il vestito dall'armadio e l'____.
f Sono andati alla stazione ma purtroppo ____ il treno.

5 **Ora tocca a te!** Dans le dialogue suivant, vous tenez le rôle du mari qui a égaré son passeport.

Moglie Allora, caro, partiamo?
Vous *Je ne suis pas encore prêt.*
Moglie Che cosa cerchi?
Vous *Mon passeport. Où est-ce que je l'ai mis ? Est-ce que tu l'as pris ?*
Moglie No. Hai guardato in macchina?
Vous *Oui, j'ai regardé. Il n'y est pas.*
Moglie Non l'hai lasciato in banca stamattina quando hai cambiato i soldi?
Vous *Non. Ah... Un instant... Je l'ai peut-être mis dans la chambre.*
Moglie No. Di là non c'è. Ho pulito in tutte le camere e non ho visto niente.
Vous *Tu ne l'as pas par hasard mis avec les autres papiers ?*
Moglie No, no. In borsa ho soltanto i biglietti del treno.
Vous *Que c'est embêtant ! Qu'est-ce qu'on va faire maintenant sans passeport ?*
Moglie Hai guardato nello studio?
Vous *Oui, j'ai regardé partout.*
Moglie Oddio! Ed il treno parte fra mezz'ora!

ⓘ Les pâtes

L'Italie produit plus de 600 sortes de pâtes. **Fusilli, rigatoni** et **fettuccine** en sont trois exemples. Le menu du déjeuner (pris vers 13 h) de la famille italienne moyenne comprend le plus souvent un plat de pâtes en entrée. Les pâtes sont agrémentées de toutes sortes de **salse** *sauces*, à base notamment de tomates. Bien que les **salse** tomate traditionnelles soient préparées avec des tomates fraîches, les conserves de tomates (entières ou en purée) sont couramment employées.

18

che cosa regalare?

quel cadeau offrir ?

Dans ce chapitre vous apprendrez à :

- demander quel cadeau offrir à telle ou telle personne
- donner une idée de cadeau pour cette personne
- organiser un rendez-vous pour plus tard

 1 Il compleanno di Renzo *L'anniversaire de Renzo*

Beatrice discute avec **Alfredo** du cadeau d'anniversaire de **Renzo**. Remarquez que dans certains cas **gli** vient avant le verbe, et dans d'autres, après.

a **Vero o falso?** Renzo usa spesso il profumo.
b Perché Beatrice vuol fare un regalo a Renzo?

Beatrice	Sabato è il compleanno di Renzo e non so ancora cosa regalargli.
Alfredo	Perché non gli compri un romanzo?
Beatrice	I romanzi non gli piacciono.
Alfredo	Puoi prendergli un profumo.
Beatrice	Però il profumo non lo usa mai.
Alfredo	Quanto vuoi spendere?
Beatrice	Non troppo. E non posso neanche regalargli un accendino perché non fuma.

Non so ancora cosa regalargli	*Je ne sais pas encore quoi lui offrir*
gli	*lui*
romanzo	*roman*
non posso neanche...	*je ne peux pas... non plus*
fumare	*fumer*

 2 Il problema è risolto *Le problème est résolu*

a **Vero o falso?** Beatrice prende un nuovo stereo per Renzo.
b Cosa vuol fare Alfredo sabato mattina?

Alfredo	Gli piace la musica?
Beatrice	Mi sembra di sì. So che ha un nuovo stereo.
Alfredo	Allora il problema è risolto. Gli puoi portare un cd.
Beatrice	Buona idea! Gli prendo un cd di musica classica.
Alfredo	Io non gli regalo nulla. Gli mando solamente un biglietto d'auguri. Però sabato mattina gli telefono.

mi sembra di sì	*il me semble que oui*
disco, cd	*disque, CD*
cassetta	*cassette*
non... nulla	*ne... rien*
solamente	*seulement*
biglietto d'auguri	*carte (d'anniversaire, etc.)*

3 L'onomastico di Carla *La fête de Carla*

Sandra décide d'acheter des chocolats à la pâtisserie, et **Livio** d'acheter un bouquet de roses chez le fleuriste pour la fête de **Carla**.

a **Vero o falso?** Sandra e Livio devono sbrigarsi perché sono invitati per l'una.
b Cosa devono fare Livio e Sandra all'una?

Sandra	Dio mio! È già mezzogiorno! Dobbiamo sbrigarci!
Livio	A che ora dobbiamo andare a pranzo da Carla?
Sandra	Siamo invitati per l'una.
Livio	Cosa le portiamo? Dei fiori?
Sandra	Possiamo prenderle dei cioccolatini dal pasticciere qui di fronte. So che i dolci le piacciono molto.
Livio	Ottima idea! Le compriamo una scatola di cioccolatini assortiti ed un bel mazzo di rose.
Sandra	Il guaio è che non abbiamo abbastanza tempo per andare in tutti e due i negozi.
Livio	Allora facciamo così: io vado dal fioraio mentre tu vai dal pasticciere, e poi ci incontriamo sotto il palazzo di Carla.

Dio mio!	*mon Dieu !*
Dobbiamo sbrigarci!	*Il faut nous dépêcher !*
da Carla	*chez Carla*
fiore (m)	*fleur*
scatola	*boîte*
mazzo	*bouquet*
il guaio è che...	*le problème, c'est que...*
mentre	*pendant que*
fioraio	*fleuriste*
poi ci incontriamo	*après on se retrouve*

Grammaire

1 Pronoms complément d'objet indirect (inaccentués)

Singulier		Pluriel	
mi	*me*	**ci**	*nous*
ti	*te*	**vi**	*vous* (pl)
gli	*lui* (masc.)	**gli** / **(a)* loro**	*leur* (masc./fém.)
le	*lui* (fém.)/*vous* (vouvoiement singulier)		

Pour commencer, concentrons-nous sur **le** et **gli** :

Le / **Gli** } **parlo dopo.** *Je vous* (vouvoiement singulier)/*lui* (fém.) *parlerai après.*
Je lui (masc.)/*leur parlerai après.*

Le porto la valigia. *Je vous porte votre valise./Je lui porte sa valise.*

Gli apro la porta. *Je vais lui/leur ouvrir la porte.*

Tout comme les pronoms du Chapitre 17, p. 193, ils se placent habituellement devant le verbe, mais, lorsqu'ils sont employés avec un infinitif, ils lui sont accolés (**regalargli** équivaut à **regalare + gli**).

Gli vorrei telefonare. / **Vorrei telefonargli.** } *Je voudrais lui téléphoner.*

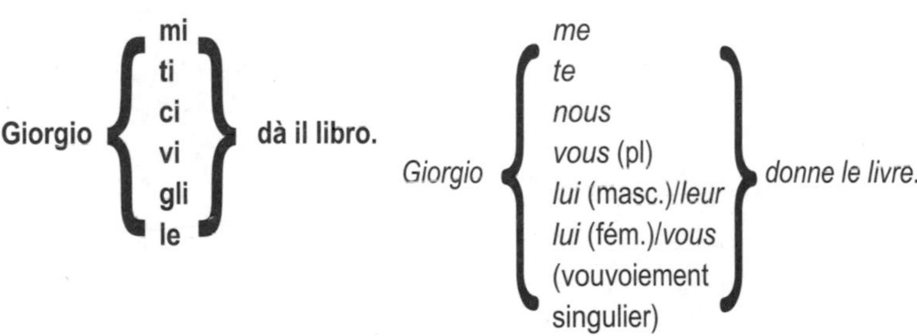

Giorgio
mi
ti
ci
vi
gli
le
dà il libro.
Giorgio
me
te
nous
vous (pl)
lui (masc.)/leur
lui (fém.)/vous
(vouvoiement
singulier)
donne le livre.

***Gli** équivaut à *lui* ou *leur* mais, à l'écrit (et parfois à l'oral), *leur* se dit *loro* ou *a loro*. *Loro* ne précède jamais le verbe et ne peut jamais s'accoler à l'infinitif.

Giorgio dà il libro *a loro*. / **Giorgio dà *loro* il libro.** } *Giorgio leur donne le livre.*

2 Non... neanche *Ne... non plus*

Neanche est le contraire de **anche** :

anch'io, anche lei; neanch'io, neanche lei.

Vengo *anch'io*.	*Je viens aussi.*
(Io) *non* so cosa dire.	*Je ne sais pas quoi dire.*
***Neanch'io*.**	*Moi non plus.*
***Non* ci andate *neanche* voi?**	*Vous n'y allez pas non plus ?*
***Non* ci andiamo *neanche* noi.**	*Nous n'y allons pas non plus.*

3 Mi sembra/mi pare… *Il me semble…*

Mi sembra s'utilise de la même façon que **mi piace** (Chapitre 11, p. 127), avec le pronom complément d'objet indirect (p. 201).

Non *mi sembra* il momento adatto.	*Il ne me semble pas que ce soit le bon moment.*
***Le pare* giusto?**	*Cela vous semble juste ?*
***Gli piace* questo disco?**	*Est-ce qu'il aime ce disque ?*
I fiori *le piacciono* molto.	*Elle aime beaucoup les fleurs.*
***Le piacciono* i dolci?**	*Vous aimez les sucreries ?*

Lorsqu'il est employé avec **sì** ou **no**, **sembra**, tout comme **pensare** et **credere** *penser, croire*, doit être suivi de **di**.

Mi sembra di sì.	*Il me semble que oui.*
Penso di no.	*Je pense que non, je ne pense pas.*

4 Seulement

Solamente, solo et **soltanto** peuvent tous s'employer pour traduire *seulement*.

5 Dobbiamo sbrigarci *Il faut nous dépêcher*

Ce verbe réfléchi étant à l'infinitif, le pronom **ci** lui est accolé. **Sbrigarci** (Dialogue 3) est la forme contractée de **sbrigare + ci**.

6 Ottimo/a, meglio, migliore *Excellent(e), meilleur(e)*

L'adjectif **ottimo/a** a la même signification que **buonissimo/a** *très bon(ne), excellent(e). Meilleur(e)* se traduit par **migliore** et *mieux* par **meglio** :

Fanno degli *ottimi* affari.	*Ils font d'excellentes affaires.*
Lei mi dà *ottime* notizie.	*Vous me donnez là d'excellentes nouvelles.*
Questo libro è *migliore* di quello.	*Ce livre-ci est meilleur que celui-là.*
Lo so *meglio* di te!	*Je le sais mieux que toi !*

Il/la migliore veut dire *le/la meilleur(e)* :

Secondo me *il* periodo *migliore* per visitare l'Italia è la primavera.	*À mon avis, la meilleure période pour visiter l'Italie est le printemps.*
Mario e Paolo sono *i miei migliori* amici.	*Mario et Paolo sont mes meilleurs amis.*

Buono/a, migliore, il/la migliore équivalent donc à *bon(ne), meilleur(e), le/la meilleur(e)*.

7 Ci incontriamo *On se retrouve*

Incontrarsi est un verbe pronominal réciproque. Nous avons déjà vu cet emploi avec **ci vediamo**.
Voici d'autres exemples de verbes pronominaux réciproques :

Da quanto tempo si conoscono Anna e Marcello?	*Depuis combien de temps Anna et Marcello se connaissent-ils ?*
Paolo e Marisa non si parlano.	*Paolo et Marisa ne se parlent pas.*

Gli (*les*) peut s'abréger en **gl'** mais uniquement devant un mot commençant par un **i** :

Gl'italiani *si salutano* molte volte prima di lasciarsi.	*Les Italiens se disent au revoir à de multiples reprises avant de se quitter.*

8 Dal fioraio *Chez le fleuriste*

Da ou **da + article**, lorsqu'il est employé avec un nom désignant une personne, signifie *chez* (c'est-à-dire *au domicile de* ou *au magasin/au cabinet de*, etc.) :

Vado dal tabaccaio.	*Je vais au bureau de tabac.*
Vai da Giulia?	*Tu vas chez Giulia ?*
Prima vado dal dottore, poi dal salumiere.	*D'abord je vais chez le docteur, puis chez l'épicier* ou *à l'épicerie.*
Vado dalla mia amica.	*Je vais chez mon amie.*
Perché non vieni da me?	*Pourquoi ne viens-tu pas chez moi ?*

Comment dit-on... ?

1	Pour demander quel cadeau offrir à telle ou telle personne	**Cosa posso regalare a...?**
2	Donner une idée de cadeau	**Perché non gli compri...?/le compri...?**
3	Proposer d'acheter tel ou tel cadeau	**Posso prendergli.../ prenderle...**
4	Organiser un rendez-vous pour plus tard	**Ci incontriamo più tardi.**

Exercices

1 **È il compleanno di Adriano** C'est l'anniversaire d'**Adriano**. Voici la liste de ses amis et de ce que chacun fait pour l'occasion. Composez une phrase pour chacun sur le modèle du premier exemple.

Esempio: Anna gli dà una cravatta.

a Anna (*dare*) cravatta.
b Renzo (*dare*) libro.
c Beatrice (*portare*) cd.
d Livio (*mandare*) dvd.
e Matteo (*regalare*) profumo.
f Maria (*telefonare*) per fargli gli auguri.

2 Le temps presse pour **Rita**, à qui on demande quand elle compte faire tout ce qu'elle a à faire. Répondez à sa place en employant **gli** ou **le**.

Esempio: **Quando telefona a Beatrice? (domani)**
Le telefono domani.

a	Quando telefona a Giulia?	(stasera)
b	Quando telefona a Renzo?	(più tardi)
c	Quando telefona a Marco?	(dopo cena)
d	Quando scrive a Anna?	(domani)
e	Quando scrive a Gina?	(oggi)
f	Quando parla a Silvio e Eva?	(dopo la lezione)

3 On vous demande de décider quel cadeau doit revenir à chacun de vos amis. Posez vous-même la question, puis répondez-y en accolant le pronom objet à l'infinitif.

Esempio: **a** **A chi vuole dare il disco?**
Voglio darlo a Carla.

a	Carla:	(*dare*) disco
b	Beatrice:	(*mandare*) biglietto d'auguri
c	Maria:	(*regalare*) borsa di pelle
d	Marco:	(*portare*) cioccolatini
e	Gino:	(*dare*) portafoglio

4 Dans le dialogue suivant, choisissez l'option qui correspond à chacun des contextes. Lisez le dialogue en entier avant de faire votre choix.

Lucia Hai il *nome / francobollo/biglietto* per la lettera?
Eva No. Non *ce l'ho / ce l'ha/ce l'hanno*.
Lucia Perché non *la / lo / le* compri?
Eva Perché la posta è *qui / chiusa / aperta*.
Lucia Ma il tabaccaio è *aperto / chiuso / nuovo*.
Eva Sì. Però qui vicino non c'è un *pasticciere/ fioraio / tabaccaio* e vorrei spedire questa lettera stasera.
Lucia Perché vuoi *spedirlo / spedire / sperdirla* stasera?
Eva Perché domani è il compleanno di Filippo e devo *mandare / mandarli / mandargli* gli auguri.
Lucia A chi devi *mandarli / mandargli / mandarle*? Non ho capito.
Eva A Filippo.

5 **Giorgio** et **Pina** se connaissent, se voient, etc. Faites une phrase unique pour chaque paire de phrases, comme dans l'exemple. (Il n'est pas nécessaire de répéter **Giorgio e Pina** à chaque fois.)

Esempio: **Giorgio conosce Pina. Pina conosce Giorgio.**
(Giorgio e Pina) si conoscono.

a Giorgio incontra Pina. Pina incontra Giorgio.
b Giorgio vede Pina. Pina vede Giorgio.
c Giorgio parla con Pina. Pina parla con Giorgio.
d Giorgio saluta Pina. Pina saluta Giorgio.
e Giorgio bacia Pina. Pina bacia Giorgio.
f Giorgio abbraccia Pina. Pina abbraccia Giorgio.

6 **Ora tocca a te!** Imaginez que vous êtes Carla.

Giorgio	Dove vai, Carla?
Vous	*D'abord je vais à la poste, puis je vais acheter un cadeau pour Antonio.*
Giorgio	Perché? È il suo compleanno?
Vous	*Non. C'est sa fête.*
Giorgio	Cosa gli compri?
Vous	*Je ne sais pas encore.*
Giorgio	Gli piace leggere?
Vous	*Il me semble que non.*
Giorgio	Quanto vuoi spendere?
Vous	*Pas trop.*
Giorgio	Sai se gli piace la musica?
Vous	*Je sais qu'il aime écouter de la musique en conduisant.*
Giorgio	Puoi comprargli una cassetta, allora.
Vous	*Excellente idée !*

ⓘ Lorsqu'on est invité à déjeuner ou à dîner chez quelqu'un, il est de bon ton d'apporter **un mazzo di fiori** *un bouquet de fleurs* à l'hôtesse.

I dolci, mot à mot *sucreries*, peut désigner à la fois les bonbons, les gâteaux ou les biscuits. Parmi les **dolci** les plus prisés en Italie, on peut citer les **baci** (mot à mot *baisers*), qui sont de petits chocolats fourrés à la noisette. **Il dolce** (voir Chapitre 7, p. 86) signifie le dessert.

La **pasticceria** vend des pâtisseries et des glaces. Beaucoup de **pasticcerie** font salon de thé. Voici **Tanti auguri a te!** (mot à mot *Tant de vœux pour toi*), qui est la version italienne de la chanson *Joyeux Anniversaire !* :

Tanti auguri a te,
Tanti auguri a te,
Tanti auguri a Renzo, (remplacer par le prénom qui convient)
Tanti auguri a te!

Reportez-vous à présent au *Test d'auto-évaluation III* (p. 290).

19

studio e lavoro

études et travail

Dans ce chapitre vous apprendrez à :

- parler de vos études et de votre travail
- parler des endroits que vous avez visités et dire combien de temps vous y avez séjourné
- dire que vous vous êtes bien amusé(e) ou que vous avez passé un agréable séjour
- poser le même genre de questions à quelqu'un d'autre

1 Intervista con una studentessa
Entretien avec une étudiante

Un journaliste interviewe une étudiante titlulaire d'une licence. Elle suit actuellement des cours de langues.

a **Vero o falso?** La studentessa è laureata.
b (La studentessa) è mai stata in Russia?

Giornalista	Si laurea quest'anno, signorina?
Studentessa	No. Mi sono già laureata.
Giornalista	E perché frequenta l'università?
Studentessa	Perché mi sono iscritta al corso di laurea in lingue. Studio il francese e il russo.
Giornalista	È mai stata in Russia?
Studentessa	No. Non ci sono mai stata. Ma sono andata diverse volte in Francia. C'è tanto da vedere!
Giornalista	Conosce bene Parigi?
Studentessa	Abbastanza bene, almeno credo. Ci sono ritornata anche quest'anno.
Giornalista	C'è andata da sola?
Studentessa	No. Con mio padre e mia madre.

frequentare	*fréquenter, aller à*
mi sono iscritta (de **iscriversi**)	*je me suis inscrite*
diversi/e	*plusieurs*
almeno	*au moins*
laurearsi	*obtenir son diplôme*

2 Preferiamo viaggiare per conto nostro
Nous préférons voyager tout seuls

Lorsque le journaliste lui demande si elle et ses parents ont fait un voyage organisé (**viaggio organizzato**), l'étudiante répond qu'ils préfèrent voyager seuls.

a **Vero o falso?** La studentessa e i suoi genitori sono stati a Orléans solo di passaggio.
b Per quanto tempo (la studentessa) è andata in Belgio?

Giornalista	Avete fatto un viaggio organizzato?
Studentessa	No, no. Noi preferiamo viaggiare per conto nostro.

Giornalista	Siete stati a Orléans?
Studentessa	Sì. Ma solo di passaggio quando siamo ritornati da Tolosa.
Giornalista	Vi siete fermati parecchio tempo nel sud della Francia?
Studentessa	Una settimana solamente. Dopo i miei genitori sono andati a Parigi ed io sono partita per il Belgio per quattro giorni.
Giornalista	E poi...?
Studentessa	E poi ci siamo incontrati a Orléans per fare insieme il viaggio di ritorno. Ci siamo divertiti moltissimo.

di passaggio	*au passage, en passant*
fermarsi	*séjourner, rester*
parecchio tempo	*longtemps*
incontrarsi	*se retrouver*
insieme	*ensemble*
divertirsi	*(bien) s'amuser*

3 Un operaio di fabbrica *Un ouvrier d'usine*

Un ouvrier d'usine explique qu'il a quitté Messine pour venir travailler à Milan (dans le nord de l'Italie) parce qu'il n'y a pas suffisamment d'emplois dans le sud.

a **Vero o falso?** Marcello lavora in un negozio.

b Come si trova Marcello a Milano?

Giornalista	Da che parte dell'Italia viene?
Marcello	Da Messina. Sono siciliano.
Giornalista	Quanti anni sono che lavora a Milano?
Marcello	Una quindicina di anni.
Giornalista	Sua sorella mi ha detto che vi trovate bene qui nel nord.
Marcello	È vero. Si guadagna molto. E nella fabbrica in cui lavoriamo noi, gli operai sono trattati veramente bene. Fra poco avremo anche l'aumento.
Giornalista	Come mai vi siete trasferiti qui?
Marcello	Nel sud, purtroppo, è difficile trovare lavoro per tutti.

Quanti anni sono che lavora...?	*Depuis combien d'années travaillez-vous... ?*
una quindicina di...	*une quinzaine de...*
in cui	*dans lequel, dans laquelle*
fra poco	*d'ici peu, bientôt*
avremo l'aumento	*nous aurons une augmentation*
trattare	*traiter*
... vi siete trasferiti (de **trasferirsi) qui?**	*... vous êtes-vous installés ici ?*

Grammaire

1 Passé composé des verbes réfléchis

Tous les verbes réfléchis ainsi que la plupart des verbes impersonnels (ou employés de façon impersonnelle) ont un passé composé formé sur **essere**.

***Si è divertito* alla festa di Renzo?**	*Vous vous êtes amusé à la fête de Renzo ?*
Sì. *Mi sono divertito molto.*	*Oui, je me suis beaucoup amusé.*
***Ti sei alzata* tardi stamattina?**	*Tu t'es levée tard ce matin ?*
No. *Mi sono alzata* presto.	*Non, je me suis levée tôt.*
***Vi siete asciugati*?**	*Vous vous êtes séchés ?*
Sì. *Ci siamo asciugati* con l'asciugamano celeste.	*Oui, nous nous sommes séchés avec la serviette bleue.*

Passé composé **fermarsi** *s'arrêter, séjourner, rester*		
(io)	mi sono fermato/a	*je me suis arrêté(e)*
(tu)	ti sei fermato/a	*tu t'es arrêté(e)*
(lui, lei)	si è fermato/fermata	*il/elle s'est arrêté(e), vous vous êtes arrêté(e)*
(noi)	ci siamo fermati/e	*nous nous sommes arrêté(e)s*
(voi)	vi siete fermati/e	*vous vous êtes arrêté(e)s*
(loro)	si sono fermati/e	*ils/elles se sont arrêté(e)s*

2 Per conto nostro *Tout seuls*

Pour dire que l'on fait quelque chose tout seul ou à son compte, on emploie cette expression avec l'adjectif possessif qui convient : **per conto mio, per conto tuo/suo/vostro**, etc.

Perché stai qui seduto per conto tuo?	*Pourquoi es-tu assis ici tout seul ?*
Lavoro per conto mio.	*Je travaille à mon compte.*
Lui lavora per conto suo.	*Il travaille à son compte.*

3 Una quindicina *Une quinzaine*

Pour exprimer une quantité approximative (*...aine*), on remplace la voyelle finale du nombre par **-ina**, précedé de **una**. Cet emploi est valable pour 10, 15, 20 puis toutes les dizaines jusqu'à 90 :

Ha una ventina d'anni.	*Il a une vingtaine d'années.*
Ci sono una trentina di persone.	*Il y a une trentaine de personnes.*
Una quindicina di giorni.	*Une quinzaine de jours.*

4 Préposition + *che* (pronom relatif)

Après une préposition (p. 46), **cui** remplace **che**. Observez la différence entre le premier exemple ci-dessous et les suivants :

La casa *che* ha comprato è modernissima.	*La maison qu'il a achetée est hyper-moderne.*
La casa *in cui* abita è modernissima.	*La maison dans laquelle il habite est hyper-moderne.*
Non capisco la ragione *per cui* non vuoi andarci.	*Je ne comprends pas la raison pour laquelle tu ne veux pas y aller.*
Questo è l'ingegnere *di cui* ti ho parlato.	*Voici l'ingénieur dont je t'ai parlé.*

5 È difficile trovare lavoro...
Il est difficile de trouver du travail...

Comme en français, beaucoup d'autres adjectifs peuvent s'employer de cette façon, c'est-à-dire suivis de l'infinitif : **facile** *facile* ; **possibile** *possible* ; **interessante** *intéressant(e)* ; **importante** *important(e)*. Il y a toutefois une différence à souligner entre les deux langues puisqu'il n'y a pas de préposition entre l'adjectif et l'infinitif en italien.

È facile spendere i soldi.	*C'est facile de dépenser de l'argent.*
A quest'ora è difficile trovare un posto.	*À cette heure-ci il est difficile de trouver une place.*
È importante studiare.	*Il est important d'étudier.*

Comment dit-on... ?

1 Quand passez-vous vos examens ? **Quando si laurea?**
J'ai déjà obtenu mon diplôme. **Mi sono già laureato/a.**

2 Je me suis inscrit(e) aux cours de... **Mi sono iscritto/a al corso di...**

3 Les salaires sont bons. Les ouvriers sont bien traités. **Si guadagna molto. Gli operai sono trattati bene.**

4 Combien de temps êtes-vous resté(e) à... ? **Quanto tempo si è fermato/a in/a...?**
Je suis resté(e)... **Mi sono fermato/a una settimana, ecc.**

5 Vous vous êtes bien amusé(e) ? **Si è divertito? Si è divertita?**
Je me suis beaucoup amusé(e). **Mi sono divertito/a moltissimo.**

Exercices

1 **Giorgio, Anna, Marco, Carlo** et **Filippo** se sont tous inscrits dans des universités différentes et chacun a obtenu son diplôme dans une matière particulière. Le nombre d'années d'études est donné entre parenthèses. Composez deux phrases pour chacun en vous inspirant de l'exemple de Giorgio.

Esempio: **Giorgio si è iscritto all'università di Milano. Si è laureato in ingegneria in cinque anni.**

Giorgio Milano: ingegneria (5)
Marco Roma: medicina (6)
Anna Bologna: matematica e fisica (7)
Carlo e Filippo Napoli: legge (4)

l'ingegneria *l'ingénierie*
la legge *le droit*

2 **Marco** reçoit des instructions sur ce qu'il doit faire. Lisez ces consignes puis, en vous aidant de l'exemple, imaginez comment il rapporterait ce qu'il a fait. (Les infinitifs en gras doivent être mis au passé composé.)

Esempio: **Mi sono alzato presto...**

Devi **alzarti** presto. Devi **vestirti** subito e **fare** colazione. Devi **comprare** le cartoline dal tabaccaio all'angolo e poi **telefonare** a Giulio e **chiedergli** il nuovo indirizzo. Dopo devi **andare** all'ufficio e **dire** a Marco di non venire sabato. Al ritorno devi **prendere** i soldi in banca e **fare** la spesa.

3 Reprenez l'**exercice numéro 5** au chapitre 18, p. 205. Imaginez que vous êtes Pina et que vous avez rencontré **Giorgio** hier : **Io e Giorgio ci siamo incontrati ieri**. Continuez, mais sans répéter **ieri**. Commencez par : **Ci...**

4 **Mario** a rencontré la femme idéale, comme vous pourrez le constater en lisant ce qu'il dit à ses amis à son sujet. Complétez chacune des phrases en employant une fois seulement chacune des prépositions suivantes + **cui** : **a/con/da/di/per.**

Questa è la ragazza...

Questa è la ragazza:

a ____ ti ho parlato.
b ____ esco.
c ____ ricevo tante telefonate.
d ____ non dormo la notte.
e ____ scrivo sempre.

5 **Ora tocca a te!** Vous et votre compagnon suivez un stage d'été à l'université de Pérouse. Un journaliste vous interroge et vous répondez en votre nom et en celui de votre compagnon.

Giornalista Siete tedeschi?
Vous *Non, nous sommes français.*
Giornalista Da quanto tempo siete qui?
Vous *Nous sommes ici depuis une quinzaine de jours.*

Giornalista	Siete venuti in aereo?
Vous	*Non, nous sommes venus en voiture.*
Giornalista	E perché siete venuti a Perugia?
Vous	*Parce que nous nous sommes inscrits à l'université pour y étudier l'italien.*
Giornalista	Quanto tempo dura il corso?
Vous	*Il dure un mois.*
Giornalista	Avete visitato altri posti?
Vous	*Pas beaucoup. Mais dimanche dernier nous nous sommes levés tôt et nous sommes allés à Assise.*
Giornalista	Vi siete divertiti?
Vous	*Nous nous sommes beaucoup amusés.*

6 Lisez le paragraphe ci-dessous et répondez aux questions sur l'**Accademia Rimini**.

Gli studenti di questa scuola

a dove cenano?
b dove vanno il pomeriggio?
c dove fanno la mini-crociera?

ⓘ Les écoles de langue où l'on apprend l'italien sont présentes dans tout le pays, notamment dans les stations balnéaires, ainsi que les villes où le patrimoine culturel et artistique est particulièrement riche. Voici un exemple des prestations que propose l' **Accad<u>e</u>mia R<u>i</u>mini**.

ACCADEMIA RIMINI

CULTURA E LINGUA
ITALIANA, RIMINI
ITALIA,

CORSI 2003

STESSE TARIFFE DEL 2002

MINI-CORSO
CORSO BASE
CORSO GENERALE
CORSO SEMI-INTENSIVO
CORSO INTENSIVO
CORSO INDIVIDUALE
CORSO "BUSINESS"
CORSI DI CULTURA
CORSI TRIMESTRALI
CORSI "A CASA DELL'INSEGNANTE"
PROGRAMMI PER GRUPPI
SETTIMANA LINGUISTICA
SEMINARI E STAGE
POMERIGGIO AL PARCO MINICROCIERA SUL
MARE ADRIATICO A CENA SULLA SPIAGGIA

20

come si sente?

comment vous sentez-vous ?

Dans ce chapitre vous apprendrez à :

- dire comment vous vous sentez (bien/mal)
- expliquer ce qui ne va pas (où vous avez mal)
- dire pour quand vous avez besoin de telle ou telle chose
- poser le même genre de questions à quelqu'un d'autre

1 Non mi sento molto bene *Je ne me sens pas très bien*

Una signorina demande une aspirine parce qu'elle ne se sent pas très bien.

a **Vero o falso?** La signorina prende le compresse con l'acqua.
b Quante compresse prende la signorina?

Sig.na	Ha delle aspirine, per favore?
Signore	No. Mi dispiace, non ne ho. Perché? Si sente male?
Sig.na	Non mi sento molto bene. Ho mal di testa e mal di gola.
Signore	Ha la febbre?
Sig.na	Penso di no. Ma ho anche il raffreddore e un po' di tosse. A che ora apre la farmacia?
Signore	Fra un'ora. Un attimo… Ho delle compresse per la gola. Le vuole con l'acqua o senz'acqua?
Sig.na	Non importa. Le prendo così, senz'acqua.

sentirsi male	*se sentir mal*
mal di testa (m)	*mal à la tête*
mal di gola (m)	*mal à la gorge*
febbre (f)	*fièvre*
raffreddore (m)	*rhume*
tosse (f)	*toux*
compressa	*comprimé, cachet*

2 Dal medico *Chez le médecin*

Lorsque le médecin lui demande où elle a mal, **la signora** répond qu'elle a mal à la tête et aux jambes (**le gambe**). Elle a aussi des maux d'estomac (**disturbi allo stomaco**).

a **Vero o falso?** La signora ha preso un po' d'insolazione.
b Dove deve andare la signora con la ricetta?

Medico	Dove le fa male?
Signora	Qui e qui: mi fa male la testa e mi fanno male le gambe. Ho anche dei disturbi allo stomaco.
Medico	Respiri profondamente!… Ancora… Va bene. Si rivesta!
Signora	È grave, dottore? Devo andare in ospedale?

Medico	No, no. Stia tranquilla! Non è nulla di grave. Ha preso una leggera insolazione. Tenga! Vada in farmacia con questa ricetta. Resti a letto per un paio di giorni e prenda queste medicine.
Signora	Quante volte al giorno devo prenderle?
Medico	Tre volte. Le capsule prima dei pasti e le pillole dopo i pasti.
Signora	Grazie, dottore. Quanto le devo per la visita?
Medico	Si rivolga alla mia segretaria.

respirare	*respirer*
profondamente	*profondément*
ancora	*encore*
rivestirsi	*se rhabiller*
Stia tranquilla!	*Ne vous inquiétez pas !*
insolazione (f)	*insolation*
tenga!	*voilà !*
ricetta (f)	*ordonnance*
pasto	*repas*
devo (de **dovere**)	*je dois*
si rivolga	*adressez-vous*

 3 Dal dentista *Chez le dentiste*

La signorina dit au dentiste qu'elle a mal aux dents (**mal di denti**) et il lui demande quelle dent (**quale dente**) lui fait mal.

a **Vero o falso?** La signora ha mal di testa.
b Che cosa le dà il dentista per lavare i denti?

Signorina	Buongiorno, dottore.
Dentista	Buongiorno, signorina. Mi dica!
Signorina	Ho mal di denti.
Dentista	Si accomodi! Prego, si sieda!
Signorina	Grazie.
Dentista	Quale dente le fa male?
Signorina	Questo. Ma che guaio! Proprio ora che ho gli esami!
Dentista	Ah, sì!... Questo davanti... È cariato. Non si preoccupi!
Signorina	Deve toglierlo?
Dentista	No. no. Stia tranquilla! Le faccio una medicazione prima di piombarlo e poi le dò uno spazzolino e un dentifricio speciali.

Mi dica!	*Dites-moi !, Qu'est-ce que je peux faire pour vous ?*
si sieda! (de **sedersi**)	*asseyez-vous !*
proprio	*juste*
esame (m)	*examen*
cariato/a	*carié(e)*
medicazione (f)	*pansement*
piombare	*faire un plombage (à)*
spazzolino	*brosse à dents*

 4 Dall'ottico *Chez l'opticien*

L'avvocato demande à l'opticien s'il peut **riparare** *réparer* ses **occhiali** *lunettes*, qui sont cassées. L'opticien demande s'il en a besoin tout de suite.

a **Vero o falso?** L'avvocato non deve telefonare prima di andare a prendere gli occhiali.

b Cosa deve riparare l'ottico?

Avvocato	Si sono rotti gli occhiali. Può ripararli?
Ottico	Vediamo... Sì, sì. È cosa da niente, avvocato. Li lasci qui. Le occorrono subito?
Avvocato	Mi servono per domenica.
Ottico	Ah, fra quattro giorni. Va bene. Saranno pronti senz'altro per domenica.
Avvocato	Devo telefonare prima di venire a prenderli?
Ottico	No, no. Non è necessario.
Avvocato	Grazie mille.
Ottico	Prego. Arrivederla!

cosa da niente	*rien de grave*
Le occorrono subito?	*Vous en avez besoin tout de suite ?*
mi servono (de **servire**)	*j'en ai besoin*
saranno	*ils/elles seront*
pronto/a	*prêt(e)*
senz'altro	*sans faute*
prima di venire	*avant de venir*

Grammaire

1 Ho la febbre *J'ai de la fièvre*

De nombreuses expressions relatives à l'état de santé (**la salute**) sont formées à partir de **avere** + article défini ou **avere + mal di** :

Ho	**la febbre.**	*J'ai de la fièvre.*
	la tosse.	*Je tousse.*
	il raffreddore.	*J'ai un rhume.*
	l'influenza.	*J'ai la grippe.*

Ho mal di	**gola.**	*à la gorge.*
	testa.	*à la tête.*
	stomaco.	*J'ai mal à l'estomac.*
	denti.	*aux dents.*

Pour dire *attraper un rhume*, on emploie le verbe **prendere** :

Ho preso il raffreddore. *J'ai attrapé un rhume.*

2 Mi fa male! *J'ai mal !*

Pour parler d'une douleur, en dehors des expressions figées formées sur **aver mal di** (voir ci-dessus), on peut aussi employer **far male** (mot à mot : *faire mal*), qui est beaucoup plus général et peut s'appliquer à n'importe quelle partie du corps. Cette expression se construit avec le pronom objet indirect (**mi, gli, le, ecc.**, voir p. 201).
Le verbe **fare** peut être soit au singulier (**fa**), soit au pluriel (**fanno**), selon la partie du corps qui est douloureuse. Par exemple :

Mi fa* male *il ginocchio.	*J'ai mal au genou.* (mot à mot : *Le genou me fait mal.*)
Mi fanno* male *i piedi.	*J'ai mal aux pieds* (mot à mot : *Les pieds me font mal.*)

En italien on n'emploie pas l'adjectif possessif lorsqu'on parle des parties du corps (comme en français) ou de choses que l'on porte sur soi, à moins d'une ambiguïté :

***Mi fa* male *la* testa.**	*J'ai mal à la tête.*
Dove ha messo *il* biglietto?	*Où avez-vous mis votre billet ?*
Un momento. Prendo *il* cappotto e vengo.	*Un instant. Je prends mon manteau et j'arrive.*

mi	fa male	la bocca.	j'ai mal	*à la bouche*
ti		il braccio.	*tu as mal*	*au bras*
le		il dito.	*elle a mal/vous avez mal*	*au doigt*
gli		il ginocchio.	*il a mal*	*au genou*
		la mano.		*à la main*
		il naso.		*au nez*
		l'occhio destro.		*à l'œil droit*
		l'orecchio.		*à l'oreille*
		la schiena.		*au dos*
		lo stomaco.		*à l'estomac*

Remarque : certains féminins se terminent en **-o** : **la mano** ; pluriel : **le mani**. Observez, dans le tableau ci-dessous, les irrégularités dans la formation du pluriel des différentes parties du corps :

Singulier			Pluriel	
il braccio **il dito** **il ginocchio**			**le braccia** **le dita** **le ginocchia**	
mi **ti** **le** **gli**	**fanno male**	**le braccia.** **i denti.** **le ginocchia.** **le mani.** **i piedi.**	*j'ai mal* *tu as mal* *elle a mal/vous avez mal* *il a mal*	*aux bras* *aux dents* *aux genoux* *aux mains* *aux pieds*

3 Verbes réfléchis : vouvoiement (*lei*) à l'impératif

L'impératif des verbes réfléchis (**lei**) se forme de la même façon que tous les autres verbes (p. 161), mais il doit être précédé de **si** (*vous*) :

Si vesta! **(vestirsi)**	*Habillez-vous !*
Va alla festa? ***Si diverta*****! (divertirsi)**	*Vous allez à la fête ? Amusez-vous bien !*
Mi preparo in due minuti.	*Je serai prêt(e) dans deux minutes.*
Non c'è fretta. ***Si cambi*** **(cambiarsi) con calma!**	*Rien ne presse. Changez-vous tranquillement !*

La forme négative de l'impératif se forme en plaçant **non** devant le verbe :

Non **si preoccupi!**	*Ne vous inquiétez pas !*
Non **si asciughi con l'asciugamano verde!**	*Ne vous séchez pas avec la serviette verte !*

4 *Prima di* (*avant de*) + infinitif

Prima di fonctionne exactement comme *avant de*, c'est-à-dire suivi d'un infinitif :

Devo telefonare prima di venire? *Est-ce que je dois téléphoner avant de venir ?*
Mi lasci l'indirizzo prima di partire. *Donnez-moi votre adresse avant de partir.*

5 Sedersi *S'asseoir*

Si sieda! *Asseyez-vous !* est la forme du vouvoiement (**lei**) de l'impératif du verbe **sedersi**, qui est un verbe irrégulier. Comme nous l'avons déjà vu, elle s'obtient en remplaçant la désinence de la première personne du singulier du présent (**-o**) par **-a** (p. 162).

Présent **sedersi** *s'asseoir*	
mi siedo	**ci sediamo**
ti siedi	**vi sedete**
si siede	**si siedono**

6 Tenga! *Tenez !, Voilà !*

Tenga, du verbe **tenere** tenir, se construit sur le même modèle que **venire** (p. 93) :

Présent **tenere** *tenir*	
tengo	**teniamo**
tieni	**tenete**
tiene	**tengono**

7 Avoir besoin de

Occorrere et **servire** servent tous deux à exprimer l'idée de nécessité ou de besoin. Le verbe s'accorde avec la chose dont on a besoin et la personne qui en a besoin devient le complément d'objet indirect :

***Le* serve il dizionario?** *Avez-vous besoin du dictionnaire ?*
Sì. *Mi* serve. *Oui (, j'en ai besoin).*
***Gli* occorre la scheda telefonica.** *Il a besoin d'une carte téléphonique.*

Quando ***le*** { **occorr*ono*** / **serv*ono*** } ***gli*** **occhiali?.**		*Pour quand avez-vous besoin des lunettes ?*
Mi { **occorr*ono*** / **serv*ono*** }	**per domenica.**	*J'en ai besoin pour dimanche*

Comment dit-on... ?

1	Pour demander à quelqu'un comment il se sent	**Come si sente?**
	Pour dire comment vous vous sentez	**Mi sento bene/male/meglio, ecc.**
2	Pour parler d'un problème de santé	**Ho mal di testa/mal di denti, ecc.** **Ho la febbre/il raffreddore, ecc.**
3	Pour demander à quelqu'un où il a mal	**Dove le fa male?**
	Pour dire où on a mal	**Mi fa male la testa.** **Mi fanno male le gambe, ecc.**
4	Pour demander à quelqu'un pour quand il a besoin de telle ou telle chose	**Quando le occorre/le occorrono?** **Quando le serve/le servono?**
	Pour dire que vous en avez besoin pour telle ou telle date	**Mi occorre/occorrono per...** **Mi serve/servono per...**

Exercices

1 Que disent ces gens ? Chacun d'entre eux explique où il a mal.

Employez **Mi fa male/mi fanno male...**

Anna

Giorgio

Alessandro

Livio

Orazio

Gina

2 Vérifiez tout d'abord les réponses de l'exercice **1**, puis trouvez la phrase dans laquelle chacune s'insère. Cette fois-ci employez **le/gli** au lieu de **mi** pour dire où ont mal **Anna, Giorgio, ecc.**

a Anna non può giocare a tennis perché...
b Giorgio non può respirare perché...
c Livio non può leggere il giornale perché...
d Orazio non può camminare perché...
e Gina non può stare in piedi perché...
f Alessandro non può giocare a calcio perché...

3 Complétez les phrases suivantes avec l'expression formée sur **avere** qui convient le mieux : **il raffreddore, la febbre, mal di denti, mal di testa, mal di gola, mal di stomaco**. (Chaque expression ne doit apparaître qu'une seule fois.)

a Rita non vuole parlare troppo perché...
b Non vuole leggere perché...
c Vuole prendere delle aspirine, perché...
d Non vuole mangiare molto perché...
e Vuole telefonare al dentista perché...
f Ha bisogno di molti fazzoletti di carta (*mouchoirs en papier*) perché...

4 Choisissez, dans la liste suivante, le verbe qui convient pour chacune des phrases ci-dessous. Les verbes doivent être à l'impératif et n'être utilisés qu'une seule fois chacun : **lavarsi, asciugarsi, divertirsi, riposarsi, mettersi**.

a Si metta sul letto e ____.
b Prenda l'asciugamano e ____.
c Prenda il dentifrico e lo spazzolino e ____i denti.
d Si tolga la giacca e ____il cappotto.
e Vada alla festa e ____.

5 Répondez à chacune des questions par un ordre négatif (= interdiction), en remplaçant le nom par un pronom.

Esempio: **Devo accendere la luce?**
No. Non l'accenda.

a Devo prendere le pillole?
b Devo fare i biglietti?
c Devo telefonare a Livio?
d Devo scrivere a Ida?
e Devo aprire la porta?
f Devo chiudere le valigie?

6 **Ora tocca a te!** Vous êtes en voiture avec **Mara**. Vous avez besoin de vous reposer. Complétez le dialogue.

Vous	*Je ne me sens pas bien.*
Mara	Che hai? Ti fa male la testa?
Vous	*Non. J'ai mal aux yeux.*
Mara	Perché non ti metti gli occhiali?
Vous	*Malheureusement, elles sont chez l'opticien.*
Mara	Ma posso guidare io se vuoi.
Vous	*D'accord. Comme ça* je peux me reposer un peu.*
Mara	Che ne dici di fermarci un momento in farmacia?
Vous	*Bonne idée ! Et après nous pouvons aller boire quelque chose.*
Mara	Allora prima ci fermiamo in farmacia e poi andiamo al Bar Quattro Fontane.

* *comme ça* **così**

ⓘ La sécurite sociale

En Italie, tout comme en France, il existe un **Servizio Sanitario Nazionale** *système de sécurité sociale* auquel tous les travailleurs cotisent. Les étrangers qui tombent malades ou ont un accident sur le territoire italien bénéficient des prestations de la sécurité sociale sur présentation de la carte européenne d'assurance maladie.

PROF. MARIO BRUNO STUDIO DENTISTICO

21

progetti: vacanze, musica, arte

projets : vacances, musique, art

Dans ce chapitre vous apprendrez à :

- dire à quelle date vous comptez partir en vacances
- dire chez qui vous comptez aller
- dire à quelle date tel ou tel CD, livre, etc. doit sortir
- demander à quelle date telle ou telle exposition doit se tenir
- dire à quelqu'un que vous le tiendrez au courant

1 Progetti per le vacanze *Projets de vacances*

Une journaliste demande à **Massimo** s'il a déjà pris ses vacances (**le ferie**). Il répond qu'il les prendra fin juillet.

a **Vero o falso?** Massimo non ha ancora avuto le ferie.
b Dove andranno Massimo e sua moglie per le ferie, e da chi andranno?

Giornalista Ha già avuto le ferie?
Massimo No. Le avrò alla fine di luglio.
Giornalista Dove andrà a passarle? In Calabria?
Massimo Naturalmente. Andremo dai nostri parenti.
Giornalista Li andrà a trovare certamente tutti!
Massimo Eh, no. Sarà impossibile vederli tutti. Ne abbiamo tanti!
Giornalista E quando partirà?
Massimo Fra una settimana, ai primi di agosto.

Dove andrà (de **andare**)?	*Où irez-vous ?*
sarà (de **essere**)	*il sera…*
Quando partirà (de **partire**)?	*Quand partirez-vous ?*
ai primi di	au début de

2 Non le dà fastidio tanto sole? *La chaleur ne vous gêne pas ?*

Massimo explique qu'il va aller à **Catanzaro** pour le 15 août et qu'il se promènera ensuite un peu avant de rentrer à Milan.

a **Vero o falso?** Il sole dà fastidio a Massimo.
b Perché Massimo dovrà essere sul posto di lavoro il venti agosto?

Giornalista Nel mese di agosto fa un caldo da morire. Non le dà fastidio tanto sole?
Massimo Macché! E poi ci siamo abituati.
Giornalista Rimarrà per il ferragosto, immagino.
Massimo Ah, sì. Resteremo a Catanzaro per le feste e poi andremo un po' in giro prima di ritornare a Milano.
Giornalista Quando ricomincerà a lavorare?
Massimo Dovrò essere sul posto di lavoro il venti agosto.

un caldo da morire	*une chaleur insupportable*
macché	*pas du tout*
essere abituato/a a	*être habitué(e) à*
rimarrà (de **rimanere** irrég.)	*vous resterez*
ferragosto	*le 15 août*
dovrò (de **dovere**)	*je devrai*
sul posto di lavoro	*au travail (mot à mot : sur le lieu de travail)*

3 Una mostra d'arte *Une exposition d'art*

Lucia parle à **Claudio** d'une grande exposition d'art sur laquelle elle travaille. Elle espère qu'il ira la visiter.

a **Vero o falso?** Lucia dovrà lavorare alla mostra per tutto il periodo dell'esposizione.

b Claudio rivedrà Lucia domenica o sabato?

Lucia	Senti, Claudio, fra tre giorni ci sarà una mostra di arte moderna.
Claudio	Ci saranno molti quadri?
Lucia	Moltissimi, perché è un'esposizione importante.
Claudio	Ho sentito dire che vari oggetti verranno dal Museo di Arte Moderna di New York, è vero?
Lucia	Sì, è vero. Verrai anche tu, spero!
Claudio	Si dovrà fare la fila per entrare?
Lucia	Boh...! Ma penso di sì.
Claudio	Per quanto tempo ci sarà la mostra?
Lucia	Resterà aperta due o tre mesi, credo. Ma non ne sono certa. Te lo farò sapere.
Claudio	E tu lavorerai lì durante tutto il periodo dell'esposizione?
Lucia	Eh, sì. Per forza. Ed ora, scusami Claudio, ma devo andare.
Claudio	Quando ti rivedrò un'altra volta?
Lucia	Dunque... Fammi pensare... Sì, domenica, cioè no, meglio sabato.

sentir(e) dire che	*entendre dire que*
te lo farò (de **fare**) **sapere**	*je te tiendrai au courant*
fare la fila	*faire la queue*
oggetto	*objet*
per forza	*il faudra bien*
verranno (de **venire**)	*ils viendront*
boh...!	*je ne sais pas*
rivedrò (de **rivedere**)	*je reverrai*
fammi pensare	*laisse-moi réfléchir*
cioè	*c'est-à-dire (que)*

4 In un negozio di dischi *Dans un magasin de disques*

Una signorina veut savoir quand sortira la compilation (**raccolta di canzoni**) du **Festival di Sanremo**.

a **Vero o falso?** La signorina vuole consultare la raccolta delle ultime canzoni.
b Che cosa deve fare la signorina dopo aver consultato il catalogo?

Signorina	Scusi, ha il catalogo dei nuovi cd?
Commesso	Sì. Lo vuole consultare? Quando avrà finito, me lo riporti qui per favore. Tenga!
Signorina	Grazie. Quando uscirà la raccolta delle ultime canzoni del Festival di Sanremo?
Commesso	Il nuovo cd sarà in vendita dal primo aprile. Glielo metto da parte?
Signorina	Sì, perché domani parto per le vacanze, e non so se sarò di ritorno in tempo per comprarlo. Immagino che andrà a ruba.
Commesso	Gliene potremo conservare uno, ma deve lasciare un deposito.
Signorina	Un deposito? Quanto?
Commesso	Il trenta per cento del prezzo.

quando avrà finito	*quand vous aurez terminé*
in vendita	*en vente*
trenta per cento	*trente pour cent*
Glielo metto da parte?	*Je vous le réserve ?, Je vous en mets un de côté ?*
andare a ruba	*se vendre comme des petits pains*
Gliene potremo (de **potere**) **conservare uno.**	*Nous pourrons vous en réserver un, Nous pourrons vous en mettre un de côté.*

5 Potrà trovarle sull'internet
Vous les trouverez sur Internet

Le vendeur dit à la **Signorina** qu'elle pourra régler le solde lorsqu'elle viendra récupérer le CD.

a **Vero o falso?** Il commesso dà una ricevuta alla signorina.
b Cosa dovrà fare la signorina se col cd non ci saranno i testi?

Commesso	Pagherà il resto quando verrà a ritirarlo.
Signorina	Va bene, grazie. Prendo anche questi due altri cd. Quanto fa?
Commesso	Le faccio il conto... Un attimo, signorina, aspetti che le dò la ricevuta per quando ritirerà il cd.
Signorina	Sì, grazie. Un'ultima cosa. Sa se col cd ci saranno i testi delle canzoni? Mi interessano anche le parole.
Commesso	Mi spiace, non saprei. Se non ci saranno, potrà trovarle su internet.

ritirerà (de **ritirare**)	*vous récupérerez*
testo	*texte*
mi splace = mi dispiace	*je regrette, je suis désolé(e)*
non saprei (de **sapere**)	*je ne sais pas, je ne saurais pas vous dire*
richiedere	*demander, commander*

Grammaire

1 Futur : formation

La désinence de l'infinitif des verbes en **-are** ou **-ere** est remplacée par **-erò, -erai, -erà, ecc.**

Celle des verbes en **-ire** devient **-irò, -irai, -irà, ecc** :

prendere *prendre* **prenderò** *je prendrai*

ATTENZIONE! Notez bien l'accent final des première et troisième personnes du singulier (**io** et **lui/lei**) : il marque la place de l'accent tonique.

Futur **parlare** *parler*	**prendere** *prendre*	**coprire** *couvrir*
parl*erò* *je parlerai, etc.* **parl*erai*** **parl*erà*** **parler*emo*** **parler*ete*** **parler*anno***	**prend*erò*** **prend*erai*** **prend*erà*** **prend*eremo*** **prend*erete*** **prend*eranno***	**copr*irò*** **copr*irai*** **copr*irà*** **copr*iremo*** **copr*irete*** **copr*iranno***

Pour **pagare** et les autres verbes se terminant en **-care** ou **-gare**, il faut ajouter un 'h' à toutes les personnes du futur afin de conserver le son 'k'ou 'g' de l'infinitif (p. 140) :

pagare	**pa*gherò*, pa*gherai*, pa*gherà*, ecc.**
cercare	**cer*cherò*, cer*cherai*, cer*cherà*, ecc.**

Il n'y a pas de 'i' au futur des verbes se terminant en **-giare** ou **-ciare** :

mangiare	**man*gerò*, man*gerai*, man*gerà*, ecc.**
lasciare	**las*cerò*, las*cerai*, las*cerà*, ecc.**
cominciare	**comin*cerò*, comin*cerai*, comin*cerà*, ecc.**

2 Futur : formation irrégulière

Futur **avere** *avoir*	
avrò *j'aurai, etc.* **avrai** **avrà**	**avremo** **avrete** **avranno**

Les terminaisons du futur sont toujours les mêmes, mais le radical de certains verbes subit parfois une contraction. Voici les plus courants d'entre eux, dont la plupart figurent dans ce chapitre. Ces verbes suivent le même modèle que **avere** pour la formation du futur :

Verbes dont le futur se forme sur le même modèle que **avere** :		
andare	*aller*	**andrò, andrai, andrà, andremo, andrete, andranno.**
cadere	*tomber*	**cadrò, cadrai, cadrà, ecc.**
dovere	*devoir*	**dovrò, dovrai, dovrà, ecc.**
potere	*pouvoir*	**potrò, potrai, potrà, ecc.**
sapere	*savoir*	**saprò, saprai, saprà, ecc.**
vedere	*voir*	**vedrò, vedrai, vedrà, ecc.**
vivere	*vivre*	**vivrò, vivrai, vivrà, ecc.**

Futur	**fare** *faire*
farò	**faremo**
farai	**farete**
farà	**faranno**

Verbes dont le futur se forme sur le même modèle que **fare** :

dare	*donner*	**darò, darai, darà, ecc.**
stare	*rester*	**starò, starai, starà, ecc.**

Les verbes suivants ont une consonne redoublée au futur.

Verbes ayant une consonne redoublée au futur :

bere	*boire*	**berrò, berrai, berrà, berremo, berrete, berranno**
rimanere	*rester*	**rimarrò, rimarrai, rimarrà, ecc.**
tenere	*tenir*	**terrò, terrai, terrà, ecc.**
venire	*venir*	**verrò, verrai, verrà, ecc.**
volere	*vouloir*	**vorrò, vorrai, vorrà, ecc.**

Futur	**sedersi** *s'asseoir*	
mi siederò		**ci siederemo**
ti siederai	*je m'assiérai,*	**vi siederete**
si siederà	*etc.*	**si siederanno**

Futur	**essere** *être*	
sarò		**saremo**
sarai	*je serai, etc.*	**sarete**
sarà		**saranno**

3 Futur : emploi

Le futur s'emploie en italien pour parler de l'avenir :

***Verremo a* prenderti alla stazione.** *Nous viendrons te chercher à la gare.*

Comme nous l'avons vu précédemment, le présent est parfois employé en italien pour parler d'un événement imminent. Dans ce cas, le futur est également possible :

Lo *faccio* più tardi.
Lo *farò* più tardi. } *Je le ferai plus tard.*

Ci *penso* io.
Ci *penserò* io. } *Je m'en occupe, je m'en occuperai.*

Fra, qui équivaut à *dans* (telle période de temps) et **per**, qui signifie *pour* (telle date), se rapportent à des événements devant se passer dans un avenir proche. Ils sont par conséquent souvent employés avec le futur :

Lo *vedrò fra* una settimana.	*Je le verrai dans une semaine.*
Lo *finirò per* venerdì.	*Je le terminerai pour vendredi.*

Le futur sert également à suggérer la probabilité ou la possibilité :

Chi *sarà* a quest'ora?	*Qui est-ce que ça peut bien être à une heure pareille ?*
***Sarà* Mirella.**	*Ce doit être Mirella.*
Chi è quel ragazzo?	*Qui est ce garçon ?*
***Sarà* il suo fidanzato.**	*Ce doit être son fiancé.*
Che ore sono?	*Quelle heure est-il ?*
***Saranno* le nove.**	*Il doit être autour de neuf heures.*

4 Macché!

Macché sert à contredire ou à nier ce qui a été dit précédemment :

Funziona bene quest'ascensore?	*Est-ce que cet ascenseur fonctionne bien ?*
***Macché!* È sempre guasto.**	*Oh non alors ! Il est tout le temps en panne.*
Guadagni molto?	*Vous gagnez beaucoup ?*
***Macché!* Lo stipendio che prendo non mi basta neanche per vivere.**	*Oh non alors ! Mon salaire n'est même pas suffisant pour vivre.*
Gliel'hanno regalato?	*On vous l'a offert ?*
***Macché* regalato! L'ho comprato.**	*Comment ça offert ! Je l'ai acheté.*

5 Sentire *Entendre, ressentir*

Sentire peut signifier soit *entendre* soit *ressentir.* **Sentir(e) dire** équivaut à *entendre dire* et **sentir(e) parlare** à *entendre parler* :

Ho *sentito dire* che questo film è bello.	*J'ai entendu dire que c'était un bon film.*
Non ne ho mai *sentito parlare*.	*Je n'en ai jamais entendu parler.*

Senti! (**tu**) et **senta!** (**lei**) servent à attirer l'attention et correspondent en français à *Dis/Dites !* ou à *Excuse(z)-moi !* :

Senti! **Perché non usciamo?**	*Dis ! Pourquoi est-ce qu'on ne sortirait pas ?*
Senta **per favore! Quando parte il prossimo treno per Verona?**	*Excusez-moi ! Quand part le prochain train pour Vérone ?*

6 Boh....! *Je ne sais pas !*

On peut employer cette exclamation lorsqu'on ignore ou qu'on n'est pas certain de telle ou telle chose.

Chi è quel signore? Boh..!	*Qui est cet homme ? Je ne sais pas, Je n'en sais rien.*

7 Per forza *(Mot à mot : par force)*

Cette expression rend l'idée que l'on doit faire quelque chose par nécessité, que l'on en ait envie ou pas :

Devi lavorare domani?	*Est-ce que tu dois travailler demain ?*
Sì, *per forza*, altrimenti mi licenziano.	*Oui, il le faut absolument, sinon c'est le licenciement.*
Devi già andare?	*Tu pars déjà ?*
***Per forza*, altrimenti perderò l'aereo.**	*Oui, il le faut bien, sinon je vais rater mon avion.*
Devo farlo *per forza*.	*Il faut absolument que je le fasse.*

8 Pronoms doubles : *Te lo farò sapere* *Je te tiendrai au courant*

Nous avons déjà vu que **ci + ne** devient **ce ne** dans l'expression **ce ne sono**. De même, lorsque **ci** signifie *à nous*, il devient **ce** devant un autre pronom personnel. C'est aussi le cas des pronoms complément d'objet indirect (**mi, ti, ci, vi**), qui deviennent **me, te, ce, ve** devant **lo, la, li, le** et **ne** :

***Mi* dà *il libro*.**	*Il me donne le livre.*
***Me lo* dà.**	*Il me le donne.*
***Ti* darò *la ricevuta*.**	*Je te donnerai le reçu.*
***Te la* darò.**	*Je te le donnerai.*
***Te lo* farò sapere.**	*Je te tiendrai au courant* (mot à mot : *je te le ferai savoir*).

Vi* presenterò *la mia ragazza.	*Je vous présenterai ma copine.*
***Ve la* presenterò.**	*Je vous la présenterai.*
Nino *ci* presterà *la macchina.*	*Nino nous prêtera sa voiture.*
***Ce la* presterà.**	*Il nous la prêtera.*
***Quante bottiglie* di vino *ci* porterà?**	*Combien de bouteilles de vin nous apporterez-vous ?*
***Ve ne* porterò due.**	*Je vous en apporterai deux.*

Les pronoms objet indirect **gli** et **le** + pronoms objet direct sont traités au chapitre 24, p. 267.

Comment dit-on... ?

1	Pour demander à quelqu'un quand il compte prendre ses congés annuels ; pour dire quand vous comptez prendre les vôtres	**Quando avrai le ferie? Le avrò alla fine di giugno/ fra una settimana/fra un mese, ecc.**
2	Pour demander à quelqu'un où il va en vacances et pour dire chez qui vous comptez aller	**Dove andrai? Andrò dai miei genitori/da un mio amico, ecc.**
3	Pour demander quand sortira tel ou tel livre, CD, etc. ; pour dire quand il sortira	**Quando uscirà il libro, il cd, ecc? Uscirà il dieci marzo, il quindici maggio, ecc.**
4	Pour demander à quelqu'un quand aura lieu telle ou telle exposition	**Quando ci sarà la mostra?**
	Pour dire à quelqu'un qu'on le tiendra au courant.	**Te lo farò sapere.**

Exercices

1 Voici une liste de choses qu'**Antonella** doit faire samedi prochain. Mettez-vous à la place d'**Antonella** et répondez à la première personne, au futur, comme dans l'exemple.

Antonella, cosa farai sabato prossimo?
Esempio: a Mi alzerò presto, ecc.

Sabato prossimo Antonella deve:

- **a** alzarsi presto
- **b** bere un bicchiere di latte
- **c** andare al mercato
- **d** fare i letti
- **e** pulire le camere
- **f** preparare da mangiare
- **g** sparecchiare (*débarrasser*) la tavola
- **h** lavare i piatti
- **i** riposarsi un po'
- **j** prendere un po' di sole in terrazza
- **k** andare ad aiutare sua zia nel negozio di elettrodomestici (*appareils électroménagers*)
- **l** finire di lavorare verso le otto
- **m** uscire con delle simpaticissime amiche

2 Répondez aux questions suivantes en employant la 3ème personne du pluriel du futur.

Esempio: **Finiscono oggi? ____ fra un paio di settimane.**
No. Finiranno fra un paio di settimane.

- **a** Escono subito? ____ più tardi.
- **b** Restano a pranzo? ____ a cena.
- **c** Vengono sabato? ____ domenica.
- **d** Possono farlo adesso? ____ domani pomeriggio.
- **e** Sono qui alle cinque? ____ per le otto.
- **f** Lo fanno stamattina? ____ dopo pranzo.
- **g** Arrivano questa settimana? ____ la settimana prossima.
- **h** La costruiscono quest'anno? ____ fra tre anni. (**costruire** *construire*)

3 Remplacez l'infinitif (entre parenthèses) par la première personne du pluriel du futur. Commencez par : **Fra due settimane andremo...**

Fra due settimane (*andare*) con i nostri amici in villeggiatura. (*Stare*) al mare per una diecina di giorni e poi (*trascorrere*) una settimana in montagna dove abbiamo una piccola villetta. (*Tornare*) il quattordici agosto per passare le feste a casa. Il quindici (*dare*) un grande pranzo all'aperto: (*invitare*) tutti i nostri parenti. Nel pomeriggio (*guardare*) la processione dal balcone e poi (*andare*) un po' in giro per il paese. La sera (*sedersi*) alla pasticceria 'Roma' dove (*prendere*) il gelato e (*ascoltare*) la musica fino a mezzanotte.

andare in villeggiatura	*aller en vacances*
villetta	*petite maison*
processione	*procession*

4 Toutes les questions qui suivent s'adressent soit à vous, soit à vous et à votre compagnon/compagne : répondez en employant **me** ou **ce** + pronom objet direct + verbe, comme dans l'exemple.

Esempio: **Chi le mostrerà le diapositive?** ____ **il professore.**
Me le mostrerà il professore.
Chi vi mostrerà le diapositive? ____ **il professore.**
Ce le mostrerà il professore.

a Chi le riparerà la macchina? ____ il meccanico.
b Chi le cambierà gli euro? ____ il cassiere.
c Chi vi prenoterà l'albergo? ____ il nostro amico Sandro.
d Chi le farà il quadro? ____ un pittore francese.
e Chi vi porterà il vino dall'Italia? ____ un nostro collega.
f Chi le disegnerà la casa? ____ un architetto italiano.
g Chi le regalerà il dizionario? ____ mia sorella.
h Chi vi troverà l'appartamento ____ nostro cugino.

5 **Ora tocca a te!** Vous êtes dans une librairie et vous demandez un livre sur l'Italie (**sull'Italia**).

Vous *Je voudrais un livre sur l'Italie.*
Libraio Che tipo di libro? Desidera qualcosa sulla politica o sull'economia?
Vous *Je cherche plutôt un livre pour les touristes.*
Libraio Dunque, è una guida che desidera?
Vous *Oui. J'aimerais faire un circuit dans les lacs.*
Libraio Ah! Allora le serve un libro sull'Italia settentrionale!
Vous *Exactement. Puis-je voir ce que* vous avez ?*
Libraio Mi dispiace, ma al momento non abbiamo niente.
Vous *Comment est-ce que ça se fait ?*
Libraio Purtroppo ho venduto l'ultimo un'ora fa.
Vous *Vous n'en attendez pas d'autres ?*
Libraio Naturalmente! Ma lei quando parte?
Vous *Je partirai le premier juin.*
Libraio Bene. Se viene qui alla fine di maggio avrò proprio ciò che desidera.
Vous *Puis-je réserver un exemplaire dès maintenant ?*
Libraio Senz'altro. Mi lasci il dieci per cento di anticipo e il suo indirizzo. Quando il libro arriverà glielo farò sapere.

ce que* **ciò che

6 Lisez le prospectus ci-dessous. Il traite des manifestations culturelles (**manifestazioni**) de l'été. Répondez aux questions suivantes.

Dove si deve andare per vedere:

a **La Mostra dei mobili antichi?**
b **La Mostra dei telefilm?**
c **La festa del lago?**

MANIFESTAZIONI

A Castiglion Fiorentino: **Palio dei rioni** la terza domenica di guigno.
A Cortona **Mostra-mercato nazionale del mobile antico** in agosto-settembre.
A Castiglione del Lago: **festa del Lago** con sfilata di barche illuminate, in agosto; **mercato dell'antiquariato** il terzo sabato di ogni mese da aprile a settembre. A Montepulciano: **Cantiere internazionale d'arte**, con mostre d'arte e spettacoli di teatro e concerti, in luglio e agosto. A Chianciano Terme: **Mostra internazionale dei telefilm** a maggio-giugno. A Chiusi: **Estate musicale** in luglio.

ⓘ Le feste *Les fêtes*

De nombreuses villes italiennes célèbrent encore aujourd'hui les fêtes religieuses. Même les petits villages rendent hommage à leur patron et, dans de nombreuses villes, chaque quartier organise ses propres réjouissances. Celles-ci durent souvent plusieurs jours, avec des processions, des fanfares, des manifestations sportives et des feux d'artifice. **Le sagre** sont consacrées à tel ou tel produit agricole, par exemple **l'uva** *raisin* ou **pomodori** *tomates*. Il existe également des fêtes à caractère historique telles que **il Palio** de Sienne, qui remonte au Moyen Âge.

ⓘ Il Ferragosto

L'Assomption, le 15 août, est un jour férié en Italie comme en France. Beaucoup d'Italiens prennent leurs congés pendant cette période. **La Festa dell'Assunta** *la fête de l'Assomption* se tient à cette occasion dans le sud du pays.

ⓘ Sites Internet

Renseignements sur les films et les salles de cinéma dans toute l'Italie :
http://www.trovacinema.it/

Art (**Nuova Accademia delle Belle Arti di Milano**) : http://naba.it

22

ieri e oggi

hier et aujourd'hui

Dans ce chapitre vous apprendrez à :

- dire où vous travailliez avant
- dire si votre travail vous plaisait
- dire où vous habitiez
- dire ce que vous faisiez habituellement
- poser des questions du même genre.

 1 Dove lavoravi? *Où travaillais-tu ?*

Filippo demande à **Michele** où il travaillait avant de s'installer à Rome. **Michele** dit qu'il habitait à Turin et qu'il travaillait chez Fiat.

a **Vero o falso?** A Torino Michele abitava in periferia.
b La moglie di Michele, quando abitava a Torino, trovava la vita molto interessante?

Filippo	Dove lavoravi prima di trasferirti a Roma?
Michele	Ero a Torino. Lavoravo alla Fiat.
Filippo	E non ti piaceva stare lì?
Michele	No. La vita di fabbrica non mi andava proprio.
Filippo	Abitavate in centro?
Michele	No. Avevamo un appartamento in periferia; mia moglie trovava la vita molto monotona. Non veniva mai a trovarci nessuno. E tu, cosa fai qui?
Filippo	Adesso sono impiegato in una grande società straniera. Prima lavoravo anch'io in fabbrica.
Michele	Una volta riuscivo a sopportare quel lavoro, adesso non più.

fabbrica	*usine*
non mi andava (de **andare**)	*ne me convenait pas*
avevamo (de **avere**)	*nous avions*
sono impiegato	*je suis employé*
società	*société*
riuscivo (de riuscire) **a sopportare**	*j'arrivais à supporter*

 2 Dieci anni dopo *Dix ans plus tard*

Deux hommes évoquent l'époque où ils étaient célibataires (**scapoli**).

a **Vero o falso?** Quando Nino e Dario erano scapoli non uscivano mai.
b Che cosa dicevano sempre quando erano scapoli?

Dario	Lo sapevi che abbiamo un altro bambino?
Nino	No, Non lo sapevo. Rallegramenti! Ti ricordi di quando eravamo scapoli? Dicevamo sempre che non volevamo sposarci.
Dario	Eh, come no! Me lo ricordo bene! Si dice sempre così finché non si incontra la donna ideale.
Nino	Che bei tempi, i tempi del liceo! Uscivamo ogni sera e

	facevamo sempre tardi. Ti ricordi quella notte in cui ci siamo ubriacati e abbiamo fatto il bagno nel fiume?
Dario	Altroché! Una volta si poteva passare tutta la notte fuori; allora non ci si preoccupava di niente. Si era giovani e spensierati, ma ora con i bambini...
Nino	Hai ragione. E poi c'è l'età. Un tempo bevevo e mangiavo senza problemi. Ora il medico mi ha proibito di bere.
Dario	Purtroppo il tempo passa per tutti, e anche la salute se ne va.

rallegramenti!	*félicitations !*
come no! Me lo ricordo...	*bien sûr ! Je m'en souviens...*
finché non si incontra	*jusqu'à ce qu'on rencontre*
ubriacarsi	*se soûler*
fiume (m.)	*rivière*
altroché!	*et comment !*
spensierato/a	*insouciant(e)*
far tardi	*rentrer tard*
un tempo	*avant*
la salute se ne va	*on n'a plus la santé comme avant*

3 Colloquio per un nuovo posto di lavoro
Entretien d'embauche

La signora Esposito demande à **Eugenio Parisi** où il a entendu parler de ce poste. Il répond qu'il a lu une annonce dans le journal à ce sujet (**l'inserzione sul giornale**).

a **Vero o falso?** Eugenio Parisi lavorava in una banca.
b Perché non ha fatto gli studi universitari?

Sig.ra E.	Come ha saputo di questo impiego?
Eugenio P.	Ho visto l'inserzione sul giornale.
Sig.ra E.	Che titolo di studio ha?
Eugenio P.	La maturità classica.
Sig.ra E.	Non ha fatto gli studi universitari?
Eugenio P.	Non ho potuto. Mio padre era gravemente ammalato e non poteva più mantenerci. Così mi sono impiegato in un'azienda agricola.
Sig.ra E.	Che cosa faceva lì?
Eugenio P.	Mi occupavo della produzione.

Sig.ra E.	È stato licenziato?
Eugenio P.	No. Il padrone ha venduto tutto.
Sig.ra E.	Vedrà che ora con la nostra ditta si troverà bene.

titolo di studio	*diplômes*
maturità classica	*diplôme de fin d'études secondaires* (équivalent du baccalauréat)
ammalato/a	*malade*
mantenere	*entretenir*
azienda agricola	*grosse exploitation agricole*
impiegarsi	*trouver un emploi*
occuparsi di	*s'occuper de*
licenziato/a	*licencié(e)*
ditta	*entreprise*

4 Sa suonare? *Jouez-vous d'un instrument ?*

a **Vero o falso?** Bruno sa suonare il pianoforte.

b Nel passato anche Antonio suonava il pianoforte?

Antonio	Da quanto tempo suona il pianoforte?
Bruno	Da quando ero piccolo. E lei, sa suonare?
Antonio	Una volta suonavo la chitarra. Adesso non suono più.
Bruno	Che tipo di musica suonava?
Antonio	Soprattutto musica rock.
Bruno	Era professionista?
Antonio	No. Ero dilettante.

chitarra	*guitare*
una volta...	*avant...*
soprattutto	*surtout*
il/la professionista	*le/la professionnel(le)*
il/la dilettante	*l'amateur(trice)*

Grammaire

1 Imparfait : formation

L'imparfait se forme en remplaçant la désinence **-are, -ere** ou **-ire** de l'infinitif par la terminaison qui convient.

parl-*are* **parl**-*avo* *je parlais*
vend-*ere* **vend**-*evo* *je vendais*
fin-*ire* **fin**-*ivo* *je finissais*

Imparfait **parlare** *parler*	**vendere** *vendre*	**finire** *finir*
parlavo	**vendevo**	**finivo**
parlavi	**vendevi**	**finivi**
parlava	**vendeva**	**finiva**
parlavamo	**vendevamo**	**finivamo**
parlavate	**vendevate**	**finivate**
parlavano	**vendevano**	**finivano**

L'accent tonique tombe toujours sur l'avant-dernière syllabe, sauf à la 3ème personne du pluriel, où il se déplace sur l'avant avant-dernière :

Imparfait **andare** *aller*	
andavo	**andavamo**
andavi	**andavate**
andava	**andavano**

Le verbe **essere** est la seule exception à ce système de terminaisons :

Imparfait **essere** *être*	
ero *j'étais*	**eravamo**
eri	**eravate**
era	**erano**

Il existe plusieurs autres verbes dont les terminaisons obéissent aux règles habituelles, mais dont le radical change. Les principaux verbes de ce groupe sont les suivants :

Infinif		Imparfait
bere	*boire*	**bevevo, bevevi, beveva, bevevamo, bevevate, bevevano**
dire	*dire*	**dicevo, dicevi, diceva, ecc.**
fare	*faire*	**facevo, facevi, faceva, ecc.**
produrre	*produire*	**producevo, producevi, produceva, ecc.**

2 Imparfait : emploi

Comme en français, l'imparfait italien exprime la continuité dans le passé, décrit une action qui se répète ou un état de choses, toujours dans le passé. Le passé composé, lui, se rapporte à une action déjà terminée au moment où l'on parle.

Mentre *aspettavo* l'autobus, è arrivato un tassì. — *Tandis que j'attendais l'autobus, un taxi est arrivé.*
Mentre *guidavo*, mi sono accorto che non *avevo* più benzina. — *Tout en conduisant, je me suis rendu compte que je n'avais plus d'essence.*
***Uscivamo* ogni sera.** — *Nous sortions tous les soirs.*
***Facevamo* sempre tardi.** — *Nous rentrions toujours tard.*
Ha detto che *abitava* a Venezia. — *Il a dit qu'il habitait à Venise.*
In Francia non *conosceva* nessuno. — *Il ne connaissait personne en France.*
In quanti *eravate*? — *Combien étiez-vous ?*
***Eravamo* in venti, ma ora siamo in dieci.** — *Nous étions vingt, mais maintenant nous sommes dix.*
Non *sapevo* che *eri* qui. — *Je ne savais pas que tu étais ici.*

On trouve fréquemment à l'imparfait les verbes tels que **essere** et **avere**, qui décrivent des états plutôt que des actions. C'est aussi le cas de : **volevo** (*je voulais*), **pensavo** (*je pensais*), **credevo** (je croyais) et **immaginavo** (j'imaginais).

Giorgio *voleva* sapere dove *andavi*. — *Giorgio voulait savoir où tu allais.*
***Pensavano* solo a divertirsi.** — *Ils ne pensaient qu'à s'amuser.*

3 Finché (non) *Jusqu'à ce que, tant que*

Finché est souvent suivi de **non**, même s'il n'a pas un sens négatif :

Non uscirai *finché non* te lo dico io. — *Tu ne sortiras pas tant que je ne te l'aurai pas dit.*
Lo aspetterò *finché (non)* verrà. — *J'attendrai jusqu'à ce qu'il arrive.*

4 Non ci si preoccupava, si era... *On ne se faisait pas de souci, on était...*

Voici une liste de points importants concernant l'emploi impersonnel de **si** *on*.

a Le verbe qui accompagne le pronom impersonnel **si** est au pluriel si le nom auquel il se rapporte est un pluriel :

In questo istituto *si insegna* l'italiano. — *Dans cette école on enseigne l'italien.*
In questo istituto *si insegnano* le lingue straniere. — *Dans cette école on enseigne les langues étrangères* (mot à mot : *les langues étrangères sont enseignées*).

b Lorsque le pronom impersonnel **si** est suivi du verbe **essere** et d'un adjectif, le verbe est toujours au singulier et l'adjectif au pluriel :

Quando *si è giovani*, si impara presto.	*Quand on est jeune, on apprend vite.*

c Lorsque l'emploi impersonnel concerne un verbe réfléchi (**divertirsi, lavarsi, ecc.**), on fait précéder le verbe de **ci si** :

(lui) si diverte *il s'amuse*	***ci* si diverte** *on s'amuse*
(lei) si lava *elle se lave*	***ci* si lava** *on se lave*

5 Professionista *Professionnel(le)*

Les noms ou adjectifs qui se terminent en **-ista** peuvent être soit masculins, soit féminins. Le pluriel se termine en **-i** pour le masculin et en **-e** pour le féminin :

il giornalista *(le journaliste)*	**i giornalisti**
la giornalista *(la journaliste)*	**le giornaliste**

De même, **il/la: pian*ista*, chitarr*ista*, violin*ista*, farmac*ista*, l'art*ista*, ecc.**

6 Andarsene *S'en aller*

Andarsene est formé à partir du verbe **andare** et du pronom **si**, qui, suivi de **ne**, devient **se**. Selon le même principe, les pronoms réfléchis **mi, ti, ci, vi** deviennent **me, te, ce, ve** devant **ne**. Voici toutes les formes du présent du verbe **andarsene** :

(io) me ne vado	**(noi) ce ne andiamo**
(tu) te ne vai	**(voi) ve ne andate**
(lui/lei) se ne va	**(loro) se ne vanno**

C'est un verbe qui revient souvent dans la langue parlée. L'une des traductions possibles à la première personne est : *j'y vais* (ou *je m'en vais*).

	Me ne devo andare	
ou	**devo andarmene.**	*Je dois y aller.*

N'oubliez pas que le passé composé de **andarsene** se forme avec **essere** :

Poichè mi annoiavo, *me ne sono andato.*	*Comme je m'ennuyais, je suis parti.*
***Se ne sono andati* senza neanche salutarci.**	*Ils sont partis sans même nous dire au revoir.*

Le dialogue suivant illustre en contexte le passé composé de **andarsene** :

Tutti se ne sono andati. (*Tout le monde est parti.*)

A A che ora ***te ne sei andato*** ieri sera?
B ***Me ne sono andato*** a mezzanotte.
A Io e Luisa invece, ***ce ne siamo andati*** alle dieci.
B Perché ***ve ne siete andati*** così presto?
A Perché eravamo stanchi. Anche Ida e Gino ***se ne sono andati*** così tardi?
B No. Loro ***se ne sono andati*** subito dopo che ***ve ne siete andati voi***, perché stamattina dovevano alzarsi presto.

Comment dit-on... ?

1	Pour demander à votre interlocuteur où il travaillait	**Dove lavorava?**
	Pour dire où vous travailliez	**Lavoravo...**
2	Pour demander à votre interlocuteur s'il aimait ce qu'il faisait	**(Non) le piaceva?**
	et pour répondre	**(Non) mi piaceva.**
3	Pour demander à votre interlocuteur où il habitait	**Dove abitava?**
	Pour dire où vous habitiez	**Abitavo...**
4	Pour demander à votre interlocuteur ce qu'il faisait	**Cosa faceva?**
	Pour dire ce que vous faisiez	**Uscivo, bevevo, mangiavo, andavo, suonavo,... ecc.**

Exercices

1 **Luciano** est d'humeur nostalgique. Il compare la vie à **Salerno** telle qu'il se la rappelle et sa vie actuelle à Strasbourg. Dites d'une part ce qu'il faisait ou ce qui se passait à Salerne (colonne de gauche ; imparfait) et d'autre part ce qu'il fait ou ce qui se passe aujourd'hui (colonne de droite ; présent).

Esempio:	**A Salerno:**	**A Strasburgo:**
	a *(abitare)* in un bell' appartamento	**Abitavo in un bell'appartamento.**
	in una vecchia casa	**Abito in una vecchia casa.**

A Salerno:
a (*abitare*) in un bell'appartamento
b (*fare*) così caldo
c (*esserci*) tanto sole
d (*uscire*) ogni sera
e (*venire a trovarmi*) tante persone
f (*andare*) ogni domenica alla spiaggia
g (*parlare*) con tanta gente

A Strasburgo:
in una vecchia casa
così freddo
tanta pioggia
non… mai
non… nessuno
qualche volta in piscina
non… con nessuno

2 Répondez aux questions suivantes en employant la personne de l'imparfait qui convient, comme dans les exemples.

Esempi: **Perché Franca non è uscita ieri? ____** *(piovere)*
Perché pioveva.
Perché non mi avete scritto? ____non *(avere)* **il tuo indirizzo.**
Perché non avevamo il tuo indirizzo.

a Perché Franco non l'ha bevuto il caffè? ____ *(essere)* troppo forte.
b Perché sei andato dal dentista? ____ mi *(far male)* un dente.
c Perché avete comprato due biciclette? ____ *(costare)* poco.
d Perché hai cambiato lavoro? ____ dove *(essere)* prima *(dovere)* lavorare troppo.
e Perché non ha comprato la casa in Via Roma? ____ *(essere)* troppo cara.
f Perché non avete mangiato nulla? ____ non *(avere)* appetito.
g Perché hanno bevuto tutta quell'acqua? ____ *(avere)* sete.
h Perché siete andati a letto così presto? ____ *(essere)* stanchi morti.
i Perché sei andato dal medico? ____ non *(sentirsi)* bene.
j Perché Ida è andata in banca? ____ *(aver bisogno di)* soldi.

3 **Gianfranco** n'a vraiment pas eu de chance la semaine dernière : à chaque fois qu'il commençait une activité quelconque (**imparfait**), quelque chose est venu l'interrompre (**passé composé**).

Esempio: **Mentre Gianfranco (*mangiare*), (*rompersi*) il dente.**
Mentre Gianfranco mangiava si è rotto il dente.

a Mentre Gianfranco *(radersi)**, *(telefonare)* Marco.
b Mentre *(scrivere)*, *(rompersi)* la penna.

c Mentre *(riparare)* la macchina, *(arrivare)* Francesca.
d Mentre *(cucinare)*, *(scottarsi)* la mano.
e Mentre *(leggere)*, *(andarsene)* la luce.
f Mentre *(guardare)* la tv, sua moglie gli *(chiedere)* di aggiustare la lavatrice.

***radersi** *se raser*

4 Lisez les **piccoli annunci** (**inserzioni**) et répondez aux questions.

i

NEOLAUREATA offresi come babysitter di pomeriggio e di sera. Abita a Bergamo. Telefono: 035 437027

ii

Marisa, diplomata in ragioneria, si offre per mezza giornata per lavori d'ufficio. Telefonatele nelle ore dei pasti al numero 041 643000 6 di Venezia.

iii

Siamo due giovani prossimi alle nozze. Vorremmo (nous aimerions) prendere in affitto un appartamento, anche piccolo ma confortevole. Telefonateci al numero 050 489312 di Pisa.

iv

Laureato scienze politiche, trentenne, pluriennale esperienza *(plusieurs années d'expérience)* lavorativa, francese, inglese, tedesco, esamina proposte interessanti. Roma 06 201482.

i
- a È laureata da molto tempo?
- b Per quale periodo della giornata si offre come baby-sitter?
- c Dove vive?

ii
- a Ha il diploma di segretaria o di ragioniera?
- b Per quanto tempo vuole lavorare?
- c Quando bisogna telefonarle?

iii
- a Sono già sposati i due giovani?
- b Vogliono comprare l'appartamento?
- c L'appartamento deve essere per forza grande?

iv
- a È laureato in scienze economiche e bancarie?
- b Quanti anni ha?
- c Lavora da poco tempo?
- d Quali lingue conosce?

5 **Tutti se ne vanno** *Tout le monde s'en va* : ce dialogue contient toutes les formes du présent du verbe **andarsene**. Complétez les phrases avec la forme qui convient :

Esempio: **È tardi. ____ vado.**
È tardi. Me ne vado.

A Ma come! Già ____ vai?
B Eh, sì. ____ devo andare.
A E Bruna? ____ va anche lei?
B No. Bruna non ____ va ancora. Però Anna e Roberto ____ vanno. E voi, quando ____ andate?
A Noi ____ andiamo più tardi.

Tutti se ne vanno.

Tutti se ne sono andati.

6 **Ora tocca a te!** Vous êtes **il datore di lavoro** (*employeur*) et vous faites passer un entretien d'embauche à une candidate.

Vous *Où travailliez-vous lorsque vous étiez à Naples ?*
Signora Lavoravo in un'azienda agricola che esportava frutta in tutta Europa.
Vous *Mais vous-même, que faisiez-vous exactement ?*
Signora Controllavo la qualità della frutta.
Vous *Trouviez-vous le travail difficile ?*
Signora Sì, Perché bastava un piccolo sbaglio per perdere clienti molto importanti.
Vous *Pendant combien de temps avez-vous travaillé dans cette entreprise ?*
Signora Tre anni e mezzo. Poi ce ne siamo andati a Sorrento, Perché mio padre era stanco di vivere in una grande città.
Vous *Est-ce pour cette raison que vous voulez changez d'emploi ?*
Signora Sì, soprattutto per questo.

7 Secondo l'annuncio, qual è la percentuale degli studenti che supera gli esami?

Anche chi lavora e non ha tempo può conseguire la

LAUREA

PRESSO QUALSIASI UNIVERSITÀ ITALIANA

CEPU prepara agli esami di tutte le Facoltà, cura le pratiche burocratiche, fornisce testi e dispense, garantisce un insegnamento personalizzato attraverso lezioni tenute da TUTOR individuali. Incontri in giorni e orari a scelta dalle 9.00 alle 22.00. Oltre 1200 TUTOR INDIVIDUALI.

70 CENTRI IN ITALIA.

CHIEDI INFORMAZIONI

Via Bertola, 50/c – TORINO

Con noi il 91% supera gli esami

ⓘ L'emploi

La crise économique et le manque de travail dans le sud de l'Italie ont provoqué dans les années 1950 une émigration importante vers le nord du pays, où, par contraste, l'industrie a connu une période d'expansion rapide, comme en témoigne le cas de Fiat à Turin. C'est principalement pour cette raison que l'on trouve actuellement dans le nord, surtout dans les grandes villes, beaucoup de gens originaires du sud.

Bien qu'il soit toujours particulièrement difficile de trouver du travail (**lavoro**) dans le sud de l'Italie et dans les îles (Sardaigne, Sicile), en raison du faible niveau d'investissement dans l'industrie et dans les infrastructures, le problème du chômage s'est aujourd'hui étendu au reste du pays, d'où une surenchère des diplômes requis au moment de l'embauche.

23

senza complimenti!

sans façons !

Dans ce chapitre vous apprendrez à :

- inviter quelqu'un avec qui vous avez des rapports amicaux
- demander à votre interlocuteur ce qu'il était en train de dire
- dire que vous étiez sur le point de...
- demander à quelqu'un de vous rendre un service
- dire à quelqu'un de ne pas faire de façons

1 Stavamo proprio parlando di te
Nous étions justement en train de parler de toi

Angelo a entendu la sonnette (**hanno suonato il campanello**). **Bruna** va ouvrir et fait entrer **Gianna**.

a **Vero o falso?** Quando hanno suonato, Angelo è andato ad aprire la porta.
b Cos'ha scritto Gianna per Bruna?

Angelo	Hanno suonato il campanello. Vado ad aprire?
Bruna	No, Angelo, vado io. Dev'essere Gianna. Ciao Gianna! Entra! Stavamo proprio parlando di te.
Gianna	Davvero? E che cosa stavate dicendo?
Bruna	Ah...
Gianna	Sono venuta a salutarti Perché parto domani mattina presto. Disturbo?
Bruna	No, no, figurati! Vieni, cara, vieni. Entra pure!
Gianna	Grazie.
Bruna	Ma Perché stai in piedi? Siediti! Faccio il caffè!
Gianna	No, grazie. Me ne devo andare. Ho promesso alla mamma di aiutarla a fare le valigie. Ti lascio il mio indirizzo?
Bruna	Sì, sì. Stavo proprio per chiedertelo. Scrivimelo qui sopra.
Gianna	Ecco, tieni. Ed ora ti saluto.

Davvero? E che cosa stavate dicendo?	*C'est vrai ? Et qu'est-ce que vous disiez ?*
Sì, sì. Stavo proprio per chiedertelo.	*Oui, oui. J'allais justement te la demander.*
promettere (part. passé : **promesso**)	*promettre*
dev'essere	*ce doit être*

2 Ma dai, siediti! *Assieds-toi, voyons !*

Bruna offre un verre de liqueur à **Gianna**.

a **Vero o falso?** Bruna offre a Gianna un bicchierino di liquore.
b Gianna fuma ancora?

Bruna	Ma siediti! Cosa posso offrirti? Lo prendi un bicchierino di liquore?

Gianna No, grazie.

Bruna Ma dai, siediti! Solo due minuti. Non fare complimenti!

Gianna Non faccio complimenti. E poi, non bevo più. Ho anche smesso di fumare.

Bruna Che brava! Ma oggi fa' un'eccezione. Tieni, assaggia questa Sambuca! Vedi com'è buona! Cin cin!

Gianna Cin cin!

oggi fa' un'eccezione	*aujourd'hui, fais une exception*
smettere di (part. passé : **smesso**)	*arrêter de*
assaggiare	*goûter*
Sambuca	*liqueur anisée typique du Latium*
cin cin!	*tchin tchin !*

3 Che cosa facciamo da mangiare?
Qu'allons-nous faire à manger ?

Romano suggère de préparer **la pastasciutta** (des pâtes accompagnées d'une sauce).

a **Vero o falso?** Romano chiede a Silvio di prendergli una scatola di pomodori.

b A Romano piace l'aglio?

Romano Senti, Silvio, facciamo la pasta?

Silvio D'accordo. Fammi un favore, prendimi una scatola di pomodori!

Romano Quale? Quella grande?

Silvio No. Quella che hai in mano. Dammi anche l'apriscatole!

Romano Dov'è? Lì dentro?

Silvio Sì. Nel secondo cassetto.

Romano Non metterci l'aglio nella salsa, però, Perché non mi piace. Falla solo con la cipolla. È cotta la pasta?

Silvio Penso di sì. Assaggiala! Dimmi se c'è abbastanza sale! Attento! Non scottarti!

Romano Per me va bene. Se la vuoi al dente, è pronta.

Fammi un favore!	*Sois gentil...* (pour demander un service)
falla	*fais-les*
Prendimi una scatola.	*Passe-moi une boîte de conserve.*
dammi	*donne-moi*
apriscatole (m.)	*ouvre-boîte*
lì dentro	*là-dedans*
aglio, cipolla	*ail, oignon*
Assaggiala!	*Goûte !*
Non scottarti!	*Ne te brûle pas !*
al dente	*al dente* (= ferme ; mot à mot : *à la dent*)

Grammaire

1 Impératif : *tu*, *noi* et *voi*

Pour obtenir la deuxième personne du singulier (**tu**) de l'impératif des verbes réguliers en **-are**, on remplace la désinence **-are** de l'infinitif par **-a** :

ordin-**are** deviens **ordina** :

***Ordina* il secondo piatto!**	*Commande le plat principal !*
***Paga* il conto!**	*Paie l'addition !*

Pour la plupart des verbes en **-ere** et **-ire**, la deuxième personne du singulier de l'impératif est la même que celle du présent :

(tu) prendi...	→	***Prendi* il cappello e l'ombrello!** *Prends ton chapeau et ton parapluie !*	
(tu) chiudi...	→	**Chiudi (la porta) a chiave!** *Ferme la porte à clé !*	
(tu) vieni...	→	**Vieni dentro!**	*Entre !*
(tu) corri...	→	**Corri! corri!**	*Cours ! Cours !*
(tu) scendi...	→	**Scendi giù!**	*Descends !*

Pour mettre l'impératif deuxième personne (**tu**) à la forme négative, on ajoute **non** devant l'infinitif :

Alberto, non toccare il quadro!	*Alberto ! Ne touche pas le tableau !*
Maria, non parlare con la bocca piena!	*Maria ! Ne parle pas avec la bouche pleine !*
Non cambiare discorso!	*Ne change pas de sujet !*

Comme nous l'avons vu au chapitre 14, p. 163, les première (**noi**) et deuxième (**voi**) personnes du pluriel de l'impératif sont les mêmes qu'au présent. La forme négative s'obtient en plaçant **non** devant le verbe :

Non parlate tutti insieme! *Ne parlez pas tous à la fois !*

2 L'impératif avec les pronoms inaccentués et les pronoms réfléchis

À la troisième personne du singulier de l'impératif (**lei**), le pronom inaccentué et le pronom réfléchi précèdent l'impératif :

***Mi porti* una forchetta e un coltello!** *Apportez-moi une fourchette et un couteau !*
***Si sieda* qui!** *Asseyez-vous ici !*
Non *si preoccupi*! *Ne vous inquiétez pas !*
***Mi scusi* tanto, signor Sauri!** *Je suis vraiment désolé, monsieur Sauri !*

Aux autres personnes de l'impératif, les pronoms inaccentués et les pronoms réfléchis suivent le verbe et lui sont accolés, sauf à la forme négative, où on a le choix :

***Scusami* del ritardo!** *Excuse mon retard !*
***Non dargli* la mancia!** ou ***Non gli dare* la mancia!** *Ne lui donne pas de pourboire !*
Non andarci! ou ***Non ci andare!*** *N'y va pas !*
***Accompagniamola* a casa!** *Raccompagnons-la !*
***Sediamoci* a tavola!** *Passons à table !*
***Sedetevi* qui!** *Asseyez-vous ici !*

3 Deuxième personne du singulier de l'impératif des verbes *fare*, *dire*, *stare*, *dare* et *andare* :

fa' *fais* **di'** *dis* **sta'** *reste* **da'** *donne* **va'** *va*

***Da'* un'occhiata al libro!** *Jette un coup d'œil sur ce livre !*
***Sta'* attento! *Sta'* zitto!** *Fais attention ! Tais-toi !*

À la deuxième personne du singulier des verbes ci-dessus, si le verbe est accolé à un pronom inaccentué (y compris **ci, vi** et **ne**), la consonne initiale est redoublée. Seule exception : **gli**.

fa' + lo devient **fallo** di' + mi devient **dimmi** da' + le devient **dalle** va' + ci devient **vacci** di' + gli devient **digli** sta' + mi devient **stammi**	***Fallo*** **subito!** ***Dimmi*** **la verità!** ***Dalle*** **il cucchiaio!** ***Vacci*** **tu!** ***Digli*** **di venire a pranzo!** ***Stammi*** **a sentire!**	*Fais-le tout de suite !* *Dis-moi la vérité !* *Donne-lui la cuiller !* *Vas-y toi !* *Dis-lui de venir déjeuner !* *Écoute-moi !*

4 Impératif de *essere*, *avere* et *stare*

Impératif		
essere *être*	**avere** *avoir*	**stare** *être, rester*
sii (tu)!	**abbi (tu)!**	**sta' (tu)!**
sia (lei)!	**abbia (lei)!**	**stia (lei)!**
siamo (noi)!	**abbiamo (noi)!**	**stiamo (noi)!**
siate (voi)!	**abbiate (voi)!**	**state (voi)!**

Abbiate **pazienza!** *Soyez patients !*
Siate **un po' più generosi!** *Soyez un peu plus généreux !*

5 Différentes acceptions de *pure*

Pure peut s'utiliser de diverses façons :

a Pour insister lorsqu'on donne sa permission :

Posso entrare? *Je peux entrer ?*
Entri ***pure*****!** *Entrez donc !, Mais bien sûr !*
Posso fare una telefonata? *Est-ce que je peux passer un coup de fil ?*
Sì, prego. Faccia pure! *Bien sûr, allez-y !*

b Comme synonyme de **anche** (= *aussi*) :

Vieni ***pure*** **tu!** *Viens toi aussi !*

6 Quello, quella, quelli, quelle *Ce*, *cette*, *ces* ; *celui*, *celle*, *ceux*, *celles*

Ces mots italiens peuvent être soit des adjectifs, soit des pronoms. Ils doivent s'accorder avec le nom auxquels ils se rapportent :

Questo rasoio non funziona: prendi ***quello*** **del mio ragazzo.** *Ce rasoir ne marche pas : prends celui de mon copain.*

Chi è *quella* donna?	*Qui est cette femme ?*
Quale? *Quella* con gli occhi celesti?	*Laquelle ? Celle qui a les yeux bleus ?*
Preferisco i quadri moderni a *quelli* antichi.	*Je préfère les tableaux modernes aux anciens.*

7 Traduction de « ce que »

Dans cette phrase, **quello che** signifie *ce que* :

Non sa *quello che* vuole.	*Il ne sait pas ce qu'il veut.*

On pourrait tout aussi bien dire :

Non sa *ciò che* vuole ou **Non sa *quel che* vuole.**

8 Expressions avec *in*

Voici encore plusieurs expressions contenant le mot **in**, dans lesquelles ni l'article défini ni l'adjectif possessif ne sont employés :

	testa?		*sur la tête ?*
Cos'hai *in*	**tasca?**	*Qu'as-tu*	*dans ta poche ?*
	mano?		*dans ta main ?*
	bocca?		*dans la bouche ?*

9 Come! *Quoi ! Comment !*

Employé seul, **Come!** traduit la surprise ; il équivaut à *Quoi !* ou *Comment !*

***Come!* Questa bottiglia è già vuota?**	*Quoi !* ou *Comment ! Cette bouteille est déjà vide ?*

10 Stare per (*Être sur le point de*) + infinitif

Cette construction traduit la notion d'imminence. Elle peut s'utiliser, tout comme en français, au présent ou à l'imparfait :

Lo spettacolo *sta per* finire.	*Le spectacle est sur le point de se terminer.*
Quando siamo usciti, *stava per* piovere.	*Quand nous sommes sortis, il allait pleuvoir.*
***Stiamo per* acquistare una nuova casa.**	*Nous sommes sur le point d'acheter une nouvelle maison.*

11 Le gérondif

Formation du gérondif

verbes en **-are** : supprimer **-are** et ajouter **-ando**
verbes en **-ere/-ire** : supprimer **-ere/-ire** et ajouter **-endo**

pag*are* → pag*ando*   pot*ere* → pot*endo*   fin*ire* → fin*endo*

On notera toutefois les trois formes suivantes, qui sont un peu particulières :

b*ere* → bev*endo*   f*are* → fac*endo*   d*ire* → dic*endo*

Emploi du gérondif

Le gérondif italien correspond au gérondif français (*en... ant*) :

Sbagliando s'impara.	*C'est en se trompant que l'on apprend.*

Cependant, la meilleure traduction est parfois *comme*.

***Dovendo* mantenere la famiglia, lavora molto.**	*Comme il doit faire vivre sa famille, il travaille beaucoup.*
Non *avendo* spiccioli, non mi ha dato il resto.	*Comme il n'avait pas de pièces, il ne m'a pas rendu la monnaie.*

Lorsqu'un gérondif est employé avec un pronom personnel complément d'objet direct inaccentué, ce dernier lui est accolé. En revanche, lorsque le gérondif est précédé de **stare** (voir ci-dessous), le pronom précède **stare** :

***Vedendolo* arrivare così tardi, ho pensato che...**	*Le voyant arriver si tard, j'ai pensé que...*

Stare + gérondif s'emploie pour parler d'une action tandis qu'elle se déroule. Il se traduit parfois par *être en train de* + infinitif :

Cosa *stai facendo*?	*Qu'est-ce que tu fais ?*
Di chi *stai parlando*?	*De qui parlez-vous ?*
***Stavamo uscendo* quando è arrivato un nostro amico.**	*Nous sortions juste lorsqu'un ami à nous est arrivé.*
Ha cambiato i soldi? No, *li sta cambiando* adesso.	*Est-ce qu'il a déjà changé l'argent ? Non, il est en train de le changer.*

Comment dit-on... ?

1	Pour faire entrer quelqu'un avec qui on a des rapports amicaux	**Vieni! Entra (pure)!**
	Pour faire asseoir quelqu'un	**Siediti!**
2	Pour demander à votre interlocuteur ce qu'il était en train de dire	**Cosa stavi dicendo?**
	Pour répondre à cette même question	**Stavo dicendo che...**
3	Pour dire que vous étiez sur le point de demander...	**Stavo per chiedere, ecc.**
4	Pour demander à quelqu'un de vous rendre un service	**Fammi un favore, prendimi, dammi, ecc.**
5	Pour dire à quelqu'un de ne pas faire de façons.	**Senza complimenti!**

Exercices

1 Vous êtes le supérieur de **Vincenzo Alvaro**. Un jour, au travail, il ne se sent pas très bien. Donnez-lui les instructions suivantes, en employant la deuxième personne du singulier de l'impératif (**tu**), comme dans l'exemple :

Esempio: **a Lasciare tutto.**
Lascia tutto!

a Lasciare tutto.
b Tornare a casa.
c Andare a letto.
d Coprirsi bene.*
e Prendere un paio di aspirine.
f Chiamare il medico.
g Rimanere a casa per qualche giorno.
h Non preoccuparsi di niente.

***coprirsi bene** (comme **aprire**) *bien se couvrir*

2 Transformez les affirmations suivantes en ordres ou en interdictions selon le sens. Employez la deuxième personne du singulier (**tu**).

Esempio: **È vietato entrare. Non entrare!**
È meglio telefonare. Telefona!

- a È vietato fumare.
- b È meglio prendere l'aereo.
- c È inutile insistere.
- d È vietato (*interdit*) parcheggiare lì.
- e È più conveniente andare in macchina.
- f È meglio portare l'ombrello.
- g È importante mettere la data su questo modulo.
- h È meglio usare la scheda telefonica.

3 Interdictions à la deuxième personne du singulier (**tu**) : dites à votre interlocuteur de ne pas faire telle ou telle chose. Répondez aux affirmations suivantes en employant **non** + infinitif + pronom complément d'objet direct. Choisissez les verbes dans la liste ci-dessous en veillant à n'utiliser chacun d'entre eux qu'une seule fois.

perdere **usare** **prendere** **attraversare** **pagare** **firmare** **comprare** **bere**

Esempio: **a Il contratto non mi piace.**
Non firmarlo!

- a Il contratto non mi piace.
- b La macchina è guasta.
- c Il prosciutto è troppo caro.
- d Il conto è sbagliato.
- e L'acqua non è potabile.
- f Questo treno è troppo lento.
- g Questa strada è pericolosa.
- h Questi documenti sono molto importanti.

contratto	*contrat*
potabile	*potable*
pericoloso	*dangereux*
guasto	*en panne*

4 Ordres et interdictions (**sta', va', di', da', fa'**) : on vous demande de dire à un enfant de faire telle ou telle chose. Suivez les consignes comme dans l'exemple. Si vous employez un pronom, il devra être accolé à l'impératif. Reportez-vous au paragraphe 3 de la partie Grammaire, où vous trouverez les formes de l'impératif qui s'appliquent ici.

Esempio: **Dica ad Alfredo di farle vedere cos'ha in mano.**
Alfredo, fammi vedere cos'hai in mano!

- **a** Dica a Luigi di stare zitto.
- **b** Dica ad Alfredo di farle assaggiare il gelato.
- **c** Dica ad Elena di andare all'altra tavola.
- **d** Dica a Vittorio di darle il bicchiere.
- **e** Dica a Maria di darle il sale e il pepe.
- **f** Dica a Nina di dirle cosa vuole per secondo piatto.

5 Complétez les phrases comme dans l'exemple. Selon le sens, vous devrez choisir entre le présent de **stare per** et **stare** + gérondif. Veillez à bien employer la personne qui correspond au verbe.

Esempio: **Gli ospiti non si sono ancora messi a tavola?**
No____ (chiacchierare) No. Stanno chiacchierando.

- **a** Posso parlare con Lucia?
  Mi spiace, ma ____ *(fare il bagno)*
- **b** Che buon odore viene dalla cucina!
  Sì. Mariangela ____ *(cucinare)*
- **c** Come sei bagnata Mirella!
  Sì. ____ *(piovere)*
- **d** Vera avrà molto da fare in questi giorni.
  Perché? ____ *(sposarsi)*
- **e** Che rumore viene da quella radio!
  Cosa vuoi! Il gruppo 'Ragazzi del Sole'____ *(suonare)*
- **f** Perché fanno le valigie?
  Perché ____ *(partire)*

un odore	*une odeur*
sposarsi	*se marier*
bagnato/a	*trempé(e)*
un rumore	*un bruit*

6 Dans la colonne A, vous verrez où se trouvent les personnes dont il est question dans chaque phrase. Reliez avec l'activité qui correspond dans la colonne B et faites des phrases en remplaçant l'infinitif par **stare** + gérondif à la place de l'infinitif.

Esempio: **Sandro è in banca. (cambiare) un assegno** (*chèque*)
Sandro è in banca. Sta cambiando un assegno.

A		B	
i	Laura è in sala da pranzo.	a	*(chiacchierare)*
ii	Siamo in un negozio di abbigliamento.	b	*(cucinare)*
iii	I signori Ricci sono in un supermercato.	c	*(fare)* la spesa
iv	Mario è in cucina.	d	*(lavorare)*
v	Alessandro è in ufficio.	e	*(mangiare)*
vi	Gli ospiti sono in salotto.	f	*(comprare)* delle cravatte

7 **Ora tocca a te!** Votre mère est surprise de vous voir debout de si bon matin ; elle a oublié que vous deviez passer un examen aujourd'hui.

Mamma Che fai in piedi così presto? Non sono ancora le cinque!
Vous *Je voudrais réviser un peu.*
Mamma A quest'ora? Come mai?
Vous *Mais tu ne savais pas que j'ai un examen aujourd'hui ?*
Mamma Ah, me n'ero proprio dimenticata! Ti preparo una tazza di caffè?
Vous *Non, merci. Retourne te coucher.*
Mamma Hai ancora molto da fare?
Vous *Non, pas beaucoup.*
Mamma Stai studiando tanto, è vero; fra un paio di anni però sarai medico!
Vous *Oui, mais uniquement si je réussis cet examen. C'est l'un des plus difficiles.*
Mamma Ma Perché ti preoccupi tanto?
Vous *Parce que, cette fois-ci, je n'ai pas confiance en moi.*
Mamma Non ti preoccupare! Andrà tutto perfettamente, vedrai.

ⓘ Senza complimenti!

Vous entendrez souvent cette expression dans la bouche des Italiens lorsqu'ils vous offrent quelque chose à boire ou à manger et qu'ils insistent pour que vous acceptiez. Si vous tenez à dire non, vous pouvez à votre tour dire **No, grazie. Senza complimenti!** ou **No, grazie. Non faccio complimenti!**

24

ha bisogno di aiuto?

vous avez besoin d'aide ?

Dans ce chapitre vous apprendrez à :

- demander de l'aide
- demander un conseil
- demander à votre correspondant de rester en ligne
- demander et dire à qui appartient telle ou telle chose

 1 Al commissariato *Au commissariat de police*

Una signora est venue signaler la perte de son passeport à la police. On lui dit qu'elle doit faire une déclaration (**fare la denuncia**).

a **Vero o falso?** La signora è agitata Perché ha perso il passaporto.
b Quando si è accorta di non avere più il passaporto?

Poliziotto	Che cosa posso fare per lei, signora?
Signora	Mi aiuti, per favore! Ho perso il passaporto.
Poliziotto	Non si agiti! Mi dica dove l'ha smarrito.
Signora	Questa mattina sono andata a visitare il Duomo e all'uscita mi sono accorta di non averlo più.
Poliziotto	Ne è sicura? Ha controllato bene?
Signora	Sì. L'ho cercato dappertutto. Che cosa mi consiglia di fare?
Poliziotto	Deve fare la denuncia.
Signora	Oddio! E come si fa?
Poliziotto	Stia tranquilla! Gliela scriviamo noi. Lei intanto si sieda.

aiutare	*aider*
agitarsi	*s'affoler*
smarrire	*perdre, égarer*
accorgersi	*se rendre compte*
controllare	*vérifier*
gliela scriviamo noi	*nous la ferons pour vous*

 2 Mi dia le sue generalità! *Veuillez décliner votre identité !*

Elle décline son identité pour permettre à **il poliziotto** de remplir la déclaration à sa place.

a **Vero o falso?** La signora deve firmare la denuncia.
b Dov'è nata la signora e in che anno?

Poliziotto	Di che nazionalità è?
Signora	Sono svizzera.
Poliziotto	Mi dia le sue generalità!
Signora	Franca Pesce, nata a Lugano, il venti luglio 1970, residente a Losanna, Via San Lorenzo numero 14…
Poliziotto	... e attualmente dimorante…
Signora	... presso mio padre, residente a Roma in Via Giuseppe Verdi, numero 6.

Poliziotto Ecco. Ho finito. Firmi qui sotto e metta la data.
Signora Vi mettete voi in contatto con me se lo trovate?
Poliziotto Sì, sì. Aspetti una nostra comunicazione!

le generalità	*l'identité* (nom, date de naissance, etc.)
dimorante	*demeurant*
presso	*chez*
mettersi in contatto	*prendre contact*
aspetti una nostra comunicazione	*nous vous tiendrons au courant* (mot à mot : *attendez notre message*)

 3 Un incidente *Un accident*

La signora A demande à une dame si elle peut utiliser son téléphone pour une urgence.

a **Vero o falso?** La signora A telefona all'ospedale Perché suo marito si sente male.

b La signora A ha chiesto alla signora B due favori. Quali sono?

Signora A Posso usare il suo telefono, per cortesia?
Signora B Venga, faccia pure! Che cos'è successo?
Signora A Mio marito si è sentito male per strada.
Signora B Mi dispiace. Conosce il numero del suo medico?
Signora A No. Mi aiuti a cercarlo, per favore.
Signora B Si calmi, signora! Eccolo! Questo è il numero di casa e questo quello dello studio. Ma Perché non telefona all'ospedale? Chiami il pronto soccorso!
Signora A Sì. Forse è meglio. Pronto!... È l'ospedale?... Come?... Cosa?... Non ho capito!... Alzi la voce!... Ah... Ho sbagliato numero? Mi scusi!

Venga, faccia pure!	*Entrez, je vous en prie !*
sentirsi male	*se sentir mal*
per strada	*dans la rue*
pronto soccorso	*service des urgences*
Come?	*Comment ? Pardon ?*
alzare la voce	*parler plus fort*

 4 Attenda in linea! *Ne quittez pas !*

Signora A passe le combiné à **Signora B**.

a **Vero o falso?** La centralinista non capisce subito ciò che le dice la signora B.
b Che cosa ha fatto la signora B per chiamare l'(auto)ambulanza?

Signora B	Dia a me, signora! Faccio io! Pronto? Mi passi il pronto soccorso!
Centralinista	Un attimo. Attenda in linea!... Parli pure!
Signora B	Un signore sta male. Mandi subito un' ambulanza in Via Pini.
Centralinista	Va bene, ma ripeta l'indirizzo e parli più lentamente, signora.
Signora B	Via dei Pini, 11. Accanto alla pasticceria 'La Perla'.

centralinista (m. ou f.)	*standardiste*
accanto a	*à côté de*

 5 Una stazione di servizio *Une station-service*

La signora demande à **il benzinaio** *pompiste* de faire le plein (**fare il pieno**).

a **Vero o falso?** La macchina è del benzinaio.
b La signora ha chiesto al benzinaio di controllare l'olio, l'acqua e le gomme?

Benzinaio	Di chi è questa macchina? È sua, signora?
Signora	Sì. È mia.
Benzinaio	Quanti litri, signora?
Signora	Mi faccia il pieno.
Benzinaio	Benzina verde?
Signora	Sì. E controlli l'olio e l'acqua, per piacere.
Benzinaio	Va bene, signora. Ecco fatto! Ho controllato anche le gomme. Tutto a posto.
Signora	Grazie. Quanto le devo? Ho solo questo biglietto da cinquecento.

benzina verde	*essence sans plomb*
gomma	*pneu*
tutto a posto	*tout va bien*

Grammaire

1 Come? *Comment ? Pardon?*

Lorsqu'on n'a pas bien compris ou pas bien entendu, on dit **Come?** ou **Prego?**

2 Pronoms doubles

a **Le** (*vous* [vouvoiement singulier], *lui* [féminin]) et gli (*lui* [masculin], *leur*) deviennent tous deux **glie** lorsqu'ils s'accolent aux pronoms **lo/la/li/le/ne** :

glielo, gliela, glieli, gliele, gliene.*

Les exemples suivants illustrent l'emploi des pronoms doubles :

Hai dato l'indirizzo a Carla?	*As-tu donné l'adresse à Carla ?*
No. *Glielo* darò domani.	*Non. Je **la lui** donnerai demain.*
Hai dato la chiave a Mario?	*As-tu donné la clé à Mario?*
No. *Gliela* darò più tardi.	*Non. Je **la lui** donnerai tout à l'heure.*
Hai dato i libri a Giulia?	*As-tu donné les livres à Julia?*
No. *Glieli* darò il mese prossimo.	*Non. Je **les lui** donnerai le mois prochain.*
Hai dato le diapositive ai tuoi genitori?	*As-tu donné les diapositives à tes parents?*
***Gliele* darò stasera.**	*Je **les leur** donnerai ce soir.*
***Glielo* farò sapere.**	*Je vous tiendrai au courant.* (mot à mot : *je **vous le** ferai savoir*)

* D'autres pronoms doubles sont donnés p. 234, § 8.

b Lorsqu'on emploie ces pronoms doubles avec un passé composé, il ne faut pas oublier d'accorder en genre et en nombre, comme en français, **lo/la/li/le/ne** avec le participe passé. Rappelons également que **glielo** et **gliela** (singulier uniquement) deviennent tous deux **gliel'** devant un **'h'**: **glielo + ho dato** devient donc **gliel'ho dato**.

Che bell'anello!	*Quelle jolie bague !*
Chi glie*l'ha* (glie*lo* + *ha*) regalato?	*Qui **vous l'a** offerte ?*
Me *l'ha* regalato il mio ragazzo.	*C'est mon ami qui **me l'a** offerte.*
Che bell*a* cas*a*!	*Quelle belle maison !*
Chi glie*l'ha* (glie*la* + *ha*) disegnat*a*?	*Qui a fait les plans ?* (mot à mot : *qui **vous l'a** dessinée ?*)
Che be*i* regal*i*!	*Quels beaux cadeaux !*
Chi glie*li* ha fatt*i*?	*Qui **vous les** a faits ?*

Che belle rose!	*Quelles belles roses !*
Chi glie*le* ha regalate?	*Qui **vous les** a offertes ?*

Pour finir, deux exemples avec **ne** :

Le ha parlato dei suoi progetti?	*Est-ce qu'il lui a parlé de ses projets ?*
Sì. *Gliene* ha parlato ieri.	*Oui, il **lui en** a parlé hier.*
Quanti cd *gli* hai comprato?	*Combien de CD lui as-tu achetés ?*
***Gliene* ho comprati *due*.**	*Je **lui en** ai acheté deux.*

3 Presso mio padre *Chez mon père*

Presso s'emploie aussi, comme le *chez* français, lorsqu'on écrit une adresse sur une enveloppe.

4 À moi, à toi, à nous

L'équivalent italien de *à moi, à toi, à nous*, etc. ou *de mes, de tes, de nos*, etc. est l'adjectif possessif placé devant le nom, sans préposition qui le précède :

Aspetto *un mio* amico.	*J'attends un ami à moi.*
***Due suoi* fratelli lavorano in Germania.**	*Deux de ses frères travaillent en Allemagne.*
Aspetti *una nostra* comunicazione	*Attendez que nous vous contactions* (mot à mot : *attendez notre message*)

5 Impératifs irréguliers

Infinitif	Impératif
avere	**abbia!**
dare	**dia!**
essere	**sia!**
stare	**stia!**

Notez les formes irrégulières suivantes, qui correspondent au vouvoiement singulier (**lei**) :

Non *abbia* paura!	*N'ayez pas peur !*
***Dia* una buona mancia!**	*Laissez un bon pourboire !*
***Sia* puntuale!**	*Soyez ponctuel !*
***Stia* attento!**	*Faites attention !*
***Stia* tranquilla!**	*Ne vous inquiétez pas !*

6 È mia elle *Il/Elle est à moi*

En réponse à la question **Di chi è/ Di chi sono?**, on emploie le possessif sans article défini :

Di chi è	**quel cane?**	**È mio.**	*À qui est*	*ce chien ?*	*Il/elle est à moi.*
	quella giacca?	**È mia.**		*cette veste ?*	
Di chi sono	**questi guanti?**	**Sono suoi.**	*À qui sont*	*ces gants ?*	*Ils/elles sont à lui/à elle/à vous.*
	queste scarpe?	**Sono sue.**		*ces chaussures ?*	

Comment dit-on... ?

1 Pour demander de l'aide — **Mi aiuti, per favore!**

2 Pour demander conseil — **Che cosa mi consiglia di fare?**

3 Veuillez décliner votre identité! — **Mi dia le sue generalità!**

4 Pour demander à votre correspondant de rester en ligne — **Attenda in linea!**

5 Pour demander/dire à qui appartient telle ou telle chose — **Di chi è questo/a?** **È mio/mia.**

Exercices

1 Vous êtes chargé(e) de surveiller un groupe d'enfants dans un restaurant. Vous leur dites ce qu'ils doivent et ne doivent pas faire.

Esempio: **Dica loro di: aspettare un attimo.**
Aspettate un attimo!

Dica loro di:

a lavarsi le mani
b aspettare qui
c venire a tavola
d sedersi
e non gridare
f non fare troppo rumore
g non toccare i fiori sulla tavola
h bere piano piano
i non parlare con la bocca piena

piano piano	*lentement*
gridare	*crier*

2 Chaque phrase de la colonne de droite est donnée en réponse à une phrase de la colonne de gauche, mais les paires sont dans le désordre. À vous de les reconstituer.

i	Dammi le chiavi!	**a**	Sì. Gliel'ho detto.
ii	Hai dato le riviste a Giulia?	**b**	Ma gliene ho già fatte tante!
iii	Hai detto a Stefano di venire a pranzo?	**c**	Ma te l'ho già detto cento volte!
iv	Perché non me lo dici?	**d**	Ma te l'ho già dato!
v	Falle una fotografia!	**e**	Ma te ne ho già fatte due!
vi	Fammi una fotografia!	**f**	No. Non gliele ho ancora date.
vii	Dammi l'indirizzo!	**g**	Gliel'ho già dato.
viii	Dagli il caffè!	**h**	Glieli ho già dati.
ix	Quando gli darai i soldi?	**i**	Te le ho già date.

3 **Ho dimenticato di** *j'ai oublié de* : Voici une liste de choses que vous avez oublié de faire et que votre voisin(e) vous propose très gentiment de faire à votre place. Vous devrez employer les pronoms doubles et le présent, comme dans l'exemple.

Esempio: **Ho dimenticato di fare la spesa.**
Non si preoccupi! Gliela faccio io.

a Ho dimenticato di fare i biglietti.
b Ho dimenticato di comprare il pane.
c Ho dimenticato di cambiare i soldi.
d Ho dimenticato di riportare i libri in biblioteca.
e Ho dimenticato di imbucare la lettera.
f Ho dimenticato di prendere il giornale.
g Ho dimenticato di chiudere le valigie.

4 **Di chi è?** *À qui est-ce ?* **Il signor Marchi**, votre supérieur, organise un grand nettoyage de printemps au bureau. Il veut savoir à qui appartiennent certaines choses. Faites comme si elles étaient à vous, à moins que la question ne soit suivie d'un (R), auquel cas l'objet en question appartient à votre collègue, **la signora Renata** (voir pp. 57 et 269).

Esempi: **Di chi è questa penna?** **È mia.** **Di chi è questo libro? (R)** **È suo.**

a Di chi è questa fotografia? **(R)**
b Di chi è questo ombrello? **(R)**
c Di chi è questo cappello?
d Di chi sono questi occhiali? **(R)**
e Di chi sono quei documenti?
f Di chi sono quelle chiavi? **(R)**
g Di chi sono quei giornali? **(R)**
h Di chi sono queste riviste?

5 Assurez-vous maintenant que les objets **a, b, d, f** et **g** appartiennent effectivement à **la signora Renata** en lui posant vous-même la question.

Esempio: **a È sua questa fotografia?**

6 **Ora tocca a te!** Vous demandez conseil à **una signorina**.

Vous	*J'ai perdu mon permis de conduire et je ne sais pas quoi faire.*
Signorina	Sa dove l'ha smarrita?
Vous	*Je ne suis pas sûr(e). Je l'ai peut-être laissé dans la voiture. Pendant la nuit, quelqu'un est entré dans ma voiture et a tout pris.*
Signorina	Non si preoccupi! Ci sono buone possibilità di ritrovarla, Perché di solito la spediscono in Questura.
Vous	*Qu'est-ce que c'est que la Questura?*
Signorina	È l'ufficio centrale di polizia. Vada lì a denunciare lo smarrimento.
Vous	*Et savez-vous où elle se trouve, s'il vous plaît ?*
Signorina	Certo. È in Via Mazzini.
Vous	*Merci. En attendant, qu'est-ce que je fais sans permis de conduire ?*
Signorina	Per il momento può usare una copia della denuncia come documento.

7 Lisez le paragraphe ci-dessous et répondez à la question.

In caso di emergenza, per un grave incidente stradale per esempio, che numero chiama?

NUMERI DI EMERGENZA

Soccorso pubblico di emergenza

Nell'interesse di tutti, è consigliabile ricorrere a questo numero soltanto in caso di reale e incombente pericolo alle persone o di gravi calamità e qualora non sia possibile chiamare i diversi enti direttamente interessati.

113

Emergenza Sanitaria

118

Soccorso stradale

Automobile Club d'Italia

116

NUMERO DI PUBBLICA UTILITÀ

INFORMAZIONI E SERVIZI PROVINCIA DI ROMA

Servizio ambulanze

Civitavecchia

Ambulanze C.R.I. **3333**

Tivoli

Ambulanze USL RM/26 **2439**

Ambulanze C.R.I. **2008**

25

scambio di opinioni

échange de points de vue

Dans ce chapitre vous apprendrez à :

- dire que vous pourriez...
- dire que vous devriez...
- dire que vous aimeriez...
- dire qu'il faudrait...
- poser des questions avec un verbe au conditionnel

1 La stampa italiana *La presse italienne*

Elsa et **Curzio** sont en Italie. Ils sont en train d'interviewer des passants. Apercevant un homme à l'air distingué, ils s'approchent de lui.

a **Vero o falso?** *Il Corriere della Sera, La Stampa* e *La Repubblica* sono giornali.
b Di dov'è il signor Neri, e qual è il giornale che di solito legge?

Elsa	Mi scusi, signore. Siamo due studenti della Svizzera italiana e vorremmo farle alcune domande sulla stampa italiana.
Sig. Neri	Sarò lieto di rispondervi.
Curzio	Potrebbe dirci quali sono i quotidiani più diffusi nel suo Paese?
Sig. Neri	Ho appena comprato *Il Corriere della Sera*. Sa, io sono di Milano. *Il Corriere* oltre ad essere il quotidiano della mia città, è anche uno dei più letti in Italia.
Curzio	Potrebbe mostrarmelo?
Sig. Neri	Con piacere. Se non trovo *Il Corriere*, compro *La Stampa*, o *La Repubblica*.

vorremmo	*nous voudrions*
stampa	*presse*
lieto/a di	*enchanté(e) de*
potrebbe dirci	*pourriez-vous nous dire*
quotidiano	*quotidien*
diffuso/a	*de grande diffusion*
oltre ad essere	*outre le fait qu'il est*
Potrebbe mostrarmelo?	*Pourriez-vous me le montrer ?*

2 Potrebbe darci qualche informazione...? *Pourriez-vous nous donner quelques renseignements... ?*

a **Vero o falso?** Quando il signor Neri è a Napoli e non vuole avere notizie di carattere economico-finanziario, legge *Il Mattino*.
b *L'Espresso* e *Panorama* escono ogni mese?

Sig. Neri	Quando sono a Napoli leggo *Il Mattino*. Se poi voglio avere notizie di carattere economico-finanziario compro *Il Sole 24 Ore*.
Elsa	Potrebbe darci qualche informazione sui settimanali più diffusi?
Sig. Neri	I settimanali di carattere politico, economico e culturale che io compro più frequentemente sono *L'Espresso* e *Panorama*.

Curzio	E che cosa leggono di preferenza le donne della sua famiglia?
Sig. Neri	*Grazia*, *Panorama*, e più o meno gli stessi giornali.
Elsa	Ci scusi per il disturbo!
Sig. Neri	Ma si figuri!

notizie (fpl)	*nouvelles*
carattere (m)	*caractère*
settimanale (m)	*hebdomadaire*
di preferenza	*de préférence*
disturbo	*dérangement*

3 La televisione: opinioni a confronto
La télévision : divergence d'opinions

Une journaliste demande à **Ezio** s'il est content de la programmation télévisuelle.

a **Vero o falso?** A Ezio e a Bruno non piacciono gli stessi programmi.
b Secondo Ezio, ci dovrebbero essere più film o più documentari?

Giornalista	È soddisfatto dei programmi televisivi?
Ezio	Sì. Ma vedrei volentieri dei cambiamenti.
Giornalista	Potrebbe suggerirne qualcuno?
Ezio	Secondo me ci dovrebbero essere più documentari, più programmi di informazione scientifica e culturale.
Bruno	Ma che dici! Più film, più sport, più musica: ecco cosa ci vorrebbe!
Giornalista	Allora, secondo lei, la televisione dovrebbe divertire il pubblico?
Bruno	Eh, certamente! Dopo una giornata di lavoro uno vuole distrarsi.

vedrei volentieri cambiamento	*j'aimerais bien qu'il y ait quelques changements*
suggerirne qualcuno	*en suggérer quelques-uns*
secondo me	*à mon avis*
ci dovrebbero essere	*il devrait y avoir*
ci vorrebbe	*il faudrait*
divertire	*divertir, distraire*
distrarsi	*se distraire, se changer les idées*

4 Non sono affatto d'accordo
Je ne suis pas du tout d'accord

Bruno est pour **le televisioni private** *les chaînes de télévision privées* ; **Ezio** est contre.

a **Vero o falso?** Ezio è d'accordo col suo amico sui programmi televisivi.
b Che cosa vorrebbe abolire Ezio?

Bruno	Meno male che ci sono le televisioni private!
Giornalista	E lei, che cosa pensa di quello che ha detto il suo amico?
Ezio	Non sono affatto d'accordo. Bisognerebbe abolirle, queste televisioni private.
Giornalista	Per lei, allora, quale dovrebbe essere il ruolo della televisione nella società moderna?
Ezio	Dovrebbe sì divertire, ma prima di tutto informare e offrire diverse visioni del mondo.

abolire	*abolir*
bisognerebbe	*il faudrait*
ruolo	*rôle*
mondo	*monde*

Grammaire

1 Le conditionnel : formation

Le conditionnel se forme, quel que soit le verbe, en remplaçant tout simplement la terminaison **-ò** du futur (1ère personne du singulier) par celles du tableau ci-dessous (en gras italique). Il n'y a aucune exception ; les désinences sont les mêmes pour les verbes en **-are, -ere** et **-ire**.

Infinitif	Futur	Conditionnel		
parlare	**parlerò**	**(io)**	**parler-**	***-ei***
vendere	**venderò**	**(tu)**	**vender-**	***-esti***
sentire	**sentirò**	**(lui/lei)**	**sentir-**	***-ebbe***
vedere	**vedrò**	**(noi)**	**vedr-**	***-emmo***
bere	**berrò**	**(voi)**	**berr-**	***-este***
avere	**avrò**	**(loro)**	**avr-**	***-ebbero***

Conditionnel **comprare**		**essere**	
comprere*i*	*j'achèterais*	**sare*i***	*je serais*
compreresti	*tu achèterais*	**sare*sti***	*tu serais*
comprere*bbe*	*il/elle achèterait, vous achèteriez*	**sare*bbe***	*il/elle serait, vous seriez*
comprere*mmo*	*nous achèterions*	**sare*mmo***	*nous serions*
comprere*ste*	*vous achèteriez*	**sare*ste***	*vous seriez*
comprere*bbero*	*ils/elles achèteraient*	**sare*bbero***	*ils/elles seraient*

Remarquez que la terminaison **-emmo** du conditionnel (1ère personne du pluriel) s'écrit avec deux 'm', qui doivent être clairement prononcés pour éviter toute confusion avec la terminaison **-emo** (un seul 'm') du futur.

Ces quelques exemples de verbes irréguliers montrent que la formation du conditionnel est aisée dès lors que l'on connaît le futur :

Futur	Conditionnel
avrò:	**avre*i*, avre*sti*, avre*bbe*, avre*mmo*, avre*ste*, avre*bbero*** *j'aurais, etc.*
andrò:	**andre*i*, andre*sti*, andre*bbe*, andre*mmo*, andre*ste*, andre*bbero*** *j'irais, etc.*
vedrò:	**vedre*i*, vedre*sti*, vedre*bbe*, vedre*mmo*, vedre*ste*, vedre*bbero*** *je verrais, etc.*
berrò:	**berre*i*, berre*sti*, berre*bbe*, berre*mmo*, berre*ste*, berre*bbero*** *je boirais, etc.*

2 Le conditionnel : emplois

Le conditionnel italien a les mêmes emplois que le conditionnel français :

***Prenderei* volentieri un aperitivo.**	*Je prendrais volontiers un apéritif.*
E tu?	*Et toi ?*
Che ne *diresti* di una passeggiatina?	*Que dirais-tu d'une petite promenade ?*
A quest'ora *sarebbe* impossibile trovarlo in casa.	*Ce serait impossible de le trouver chez lui à cette heure-ci.*
Non *saprei* dire Perché.	*Je ne saurais dire pourquoi.*
***Potresti* andare a trovarla.**	*Tu pourrais aller la trouver.*
***Dovrebbe* scrivere subito.**	*Vous devriez écrire tout de suite.*

Comme en français, le conditionnel de **volere** et de **potere** s'emploie fréquemment pour formuler des demandes polies :

***Potrebbe* farmi un favore?**	*Pourriez-vous me rendre un service ?*
***Vorrei* fare una telefonata.**	*Je voudrais passer un coup de fil.*

Les verbes réfléchis doivent bien entendu, au conditionnel comme aux autres temps, êtres précédés du pronom réfléchi qui convient (**mi, ti, si, ci, vi, si**) : **mi divertirei, ti divertiresti, si divertirebbe, ecc.** (*je m'amuserais, etc.*)

Pour former le conditionnel passé, il suffit de faire suivre le conditionnel de **essere/avere** du participe passé :

avrei comprato	*j'aurais acheté*
sarei uscito/a	*je serais sorti(e)*

3 Alcuno/a, qualcuno *Aucun, quelques-uns, quelqu'un*

Alcun, alcuno/a ne s'emploie au singulier que dans un sens négatif :

Senza *alcun* dubbio.	*Sans aucun doute.*

Au pluriel, **alcuni/e** équivaut à *quelques* :

***alcuni* mesi fa, *alcuni* giorni fa**	*il y a quelques mois, il y a quelques jours*

Alcuni/e peut également signifier *certains, certaines* (par opposition à *d'autres*). Dans ce cas, il peut être soit un adjectif, soit un nom :

***Alcune* notizie erano vere, altre false.**	*Certaines nouvelles étaient vraies, d'autres fausses.*
***Alcuni* lo approvano, altri no.**	*Certains approuvent, d'autres non.*

Qualcuno/a *quelques-uns, quelques-unes* est toujours au singulier, contrairement au français :

Potrebbe suggerirne *qualcuno*?	*Pourriez-vous en suggérer quelques-uns ?*

On trouve aussi **qualcuno** au masculin singulier, au sens de *quelqu'un* :

Cerca *qualcuno*? No.	*Vous cherchez quelqu'un ?*
Non cerco nessuno.	*Non. Je ne cherche personne.*
Perché non chiedi a *qualcuno*?	*Pourquoi tu ne demandes pas à quelqu'un ?*
C'è *qualcuno* che vorrebbe farlo?	*Y a-t-il quelqu'un qui voudrait le faire ?*

4 Nessuno/a *Personne, aucun(e)*

Nessuno/a (Chapitre 13, p. 151) peut être soit un adjectif, soit un nom. Il équivaut donc parfois à *aucun(e)* et parfois à *personne*. Il s'emploie au singulier uniquement et fonctionne de la même façon que **un, uno, una** :

***Nessuno* l'avrebbe creduto.**	*Personne ne l'aurait cru.*
***Nessuno* di noi andrà all'estero quest'anno.**	*Aucun d'entre nous n'ira à l'étranger cette année.*
Non ha *nessun* fratello.	*Il n'a pas de frère.* (mot à mot : *il n'a aucun frère*)

5 Giorno, giornata *Jour, journée*

La différence entre *jour* et *journée* se retrouve en italien entre **giorno** et **giornata** :

Lunedì è il primo *giorno* della settimana.	*Lundi est le premier jour de la semaine.*
Che *giorno* è?	*Quel jour sommes-nous ?*
Abbiamo passato una bellissima *giornata* a Firenze.	*Nous avons passé une très bonne journée à Florence.*
Che brutta *giornata*!	*Quelle horrible journée !*
Che bella *giornata*!	*Quelle belle journée !*

De même, **mattina** = *matin* et **mattinata** = *matinée*, **sera** = *soir* et **serata** = *soirée*.

6 Adjectifs + *di* + infinitif/nom/pronom

De même qu'en français, certains adjectifs peuvent être suivis de **di** + infinitif, nom ou pronom :

Sono *stufo di* lavorare.	*J'en ai assez de travailler.*
Sono *stanco di* aspettare.	*Je suis fatigué d'attendre.*
Sei *sicuro di* poterlo fare?	*Tu es sûr de pouvoir le faire ?*
Sono *contento di* rivederla.	*Je suis content de vous revoir.*
Sei *sicura del* colore?	*Es-tu sûre de la couleur ?*
Sono *soddisfatto di* lui.	*Je suis très content de lui.*
Sarò *lieto di* rispondervi.	*Je serai enchanté de vous répondre.*

7 Figurarsi *Se figurer*

On trouve **figurarsi** surtout dans des exclamations :

***Figurati* che è rimasto senza un centesimo!**	*Figure-toi qu'il n'a plus un centime !* (mot à mot : *il est resté sans un centime.*)

Si figuri! est une façon polie de dire *pas du tout* ou *je vous en prie* :

La disturbo?	*Je vous dérange ?*
Ma no, *si figuri*!	*Non, pas du tout !*
Molto gentile, grazie!	*C'est très aimable à vous, merci !*
Prego, *si figuri*!	*Je vous en prie !*

8 Prima, dopo *D'abord, après*

En tant qu'expressions de temps, **prima** et **dopo** se traduisent par *avant, d'abord* et *après, plus tard* :

Avresti dovuto dirmelo *prima*.	*Tu aurais dû me le dire avant.*
***Prima* vado in Francia, poi in Germania.**	*D'abord je vais en France, puis en Allemagne.*
Vengo a mezzogiorno.	*Je viens à midi.*
Se vuole, può venire *prima*.	*Si vous voulez, vous pouvez venir avant.*
È arrivato subito *dopo*.	*Il est arrivé tout de suite après.*
Mangio *dopo*.	*Je mangerai plus tard.*

9 Position du pronom inaccentué

Nous avons déjà vu qu'il y a deux positions possibles du pronom inaccentué employé avec **potere/dovere/volere** :

Non *posso* trovar*lo*.
Non *lo posso* trovare.

Avec des verbes impersonnels tels que **bisognare** ou **piacere** suivis d'un infinitif, le pronom complément d'objet doit être accolé à l'infinitif :

Bisogna far*lo* subito.	*Il faut le faire tout de suite.*
Bisogna parlar*gli*.	*Il faut lui parler.*
Non mi piace far*lo*.	*Je n'aime pas le faire.*

Comment dit-on... ?

1	Pour demander à quelqu'un s'il pourrait vous dire, vous montrer, vous donner, vous faire, etc.	**Potrebbe dirmi, mostrarmi, darmi, fare, ecc?**
	Pour dire que vous pourriez dire/ montrer, etc. à quelqu'un	**Potrei dirle/mostrarle, ecc.**
2	Pour dire que quelqu'un devrait...	**Dovrebbe...**
	Pour dire que vous devriez...	**Dovrei...**
3	Pour dire que quelqu'un voudrait...	**Vorrebbe...**
	Pour dire que vous voudriez...	**Vorrei...**
4	Pour dire qu'il faudrait...	**Bisognerebbe...**

Exercices

1 Pour compléter chacune des réponses, choisissez dans la liste ci-dessous un verbe que vous emploierez une fois seulement à la première personne du singulier du conditionnel.

guardare – mettere – mangiare – bere – ascoltare – prendere

a L'acqua? La ____ ma non ho sete.
b Gli spaghetti? Li ____ ma non ho appetito.
c Il cappotto? Lo ____ ma non ho freddo.
d Le aspirine? Le ____ ma non ho più mal di testa.
e Il concerto alla radio? L' ____ ma non ho tempo.
f Il programma alla tv*? Lo ____ ma devo uscire.

*se prononce **tivù**.

2 Le tableau ci-dessous récapitule ce que **Ada**, **Vittorio** et **i signori Miele** feraient s'ils en avaient les moyens.

a Dites ce que ferait **Ada**. (**Vivrebbe, ecc.**)
b Mettez-vous à la place de **Vittorio** et dites ce que vous feriez.
c Dites ce que feraient **i signori Miele**.

	vivere	comprare	andare	imparare a
Ada	in città	piccolo appartamento	ogni sera a ballare	guidare
Vittorio	al mare	villa	spesso a nuotare	suonare la chitarra
I signori Miele	in montagna	casetta (*petite maison*)	ogni tanto a sciare	dipingere (*peindre*)

3 Faites correspondre les phrases de gauche avec celles de droite.

- **i** Sono tanto stanco!
- **ii** Perché non me l'hai detto che non avevi i soldi?
- **iii** Perché non sei venuto alla festa di Sandro?
- **iv** Questo liquore è ottimo!
- **v** Quest'uva non è buona.
- **vi** Meno male che non ti sei fatto niente!
- **vii** È arrivato tuo nonno?
- **viii** Scusi signore, sa dov'è il consolato francese?

- **a** Avresti dovuto assaggiarla prima di comprarla.
- **b** Avresti potuto romperti la testa.
- **c** No. Mi dispiace. Non saprei dirglielo.
- **d** Ti saresti divertito molto.
- **e** No. Dovrebbe arrivare col treno delle dieci.
- **f** Ne berrei un altro bicchierino.
- **g** Avresti dovuto riposarti un po' prima di uscire.
- **h** Te li avrei prestati io.

4 **Conditionnel + pronoms doubles** : Il y a plusieurs choses que vous aimeriez ou devriez faire. Votre ami les ferait volontiers à votre place mais… Employez le conditionnel et le pronom qui convient dans chacune de vos réponses.

Esempio: **Dovrei pagare il conto ____ ma sono al verde.** (*je suis sans le sou*) **Te lo pagherei io, ma sono al verde.**

- **a** Dovrei portare le valigie alla stazione. ____ ma mi fa male la schiena.
- **b** Dovrei portare la macchina dal meccanico. ____ ma non ho tempo.
- **c** Non so fare la traduzione. ____ ma non ho il dizionario.
- **d** Dovrei pulire l'appartamento. ____ ma sono stanco.
- **e** Vorrei cambiare cento euro. ____ ma non ho spiccioli.
- **f** Vorrei fare la pizza. ____ ma non ho gli ingredienti.
- **g** Dovrei imbucare questa lettera. ____ ma non passo per la posta.

5 **Ora tocca a te!** Vous téléphonez à **Renata** pour l'inviter à une soirée.

Vous	*Bonjour, Renata ! Est-ce que tu peux venir à ma fête ce soir ?*
Renata	Vorrei tanto, ma sono molto impegnata in questo periodo.
Vous	*Mais qu'est-ce que tu as de si important à faire ?*
Renata	Devo riordinare la casa, devo lavare,... sono sola e devo pensare a tutto.
Vous	*Et tu ne pourrais pas faire tout ça à un autre moment ?*
Renata	Sì, potrei, solo che oggi ritornano i miei genitori da una vacanza all'estero.
Vous	*Mais ils ne devaient pas rentrer la semaine prochaine ?*
Renata	Sì, effettivamente, avrebbero voluto fermarsi per altri cinque o sei giorni, ma mia zia ha avuto un bambino e così hanno deciso di rientrare prima.
Vous	*À quelle heure arriveront-ils ?*
Renata	Dovrebbero essere all'aeroporto alle sei, e andrò io stessa a prenderli in macchina.
Vous	*Enfin, si tu changes d'avis, tu peux toujours me prévenir. Appelle-moi quand tu voudras.*
Renata	Ti ringrazio. Se posso, verrò volentieri, magari solo per salutarti e farti gli auguri.

6 a Cos'è la RAI?
 b Nel primo dialogo quali sono i quotidiani?

GRAZIE AGLI ABBONATI RAI

NON È MAI TROPPO TARDI PER DIVENTARE UN NUOVO ABBONATO.
RAI | RADIO | TELEVISIONE | ITALIANA

Pour plus de renseignements sur la radio et la télévision italiennes : http://www.rai.it. Pour les grands quotidiens en ligne :

http://www.lastampa.it
http://www.corriere.it
http://www.ilmanifesto.it
http://www.ilsole24ore.com
http://www.repubblica.it

Vous pouvez également écouter les radios italiennes à partir d'Internet. En effet la plupart des grandes radios privées italiennes ont un site qui permet de les écouter en ligne.

http://www.radio.rai.it/

Annexes

Test d'auto-évaluation I (Chapitres 1–6)

Bravo ! Vous avez terminé les six premiers chapitres et vous pouvez maintenant tester vos connaissances pour vous assurer que vous en avez bien assimilé le contenu. Par ailleurs, si vous avez déjà des notions d'italien, ce test vous permettra de décider si vous pouvez commencer votre apprentissage directement au Chapitre 7. Les réponses se trouvent p. 295 et suivantes.

1 Comment dit-on en italien ? Donnez vos réponses à voix haute, puis notez-les par écrit.

Chaque bonne réponse rapporte deux points, sauf **a** et **b**, qui n'en rapportent qu'un.

a Attirez l'attention d'un passant.
b Dites bonjour à votre interlocuteur et demandez-lui comment il va.
c Demandez **i** une bière **ii** une glace.
d Demandez où se trouvent les magasins.
e Vous êtes dans un café. Demandez à votre compagnon ce qu'il veut prendre.
f Dites que vous prenez un café.

Note : ____ /10

2 Même chose que ci-dessus, mais cette fois-ci chaque bonne réponse rapporte deux points.

a Demandez à votre interlocuteur comment il s'appelle, **i** en le vouvoyant **ii** en le tutoyant.
b Demandez-lui quel est son métier **i** en le vouvoyant **ii** en le tutoyant.
c Dites que vous êtes marié(e)/que vous n'êtes pas marié(e).
d Dites « au revoir » à votre professeur.

Note : ____ /8

3 Remettez ces phrases dans l'ordre. Chaque bonne réponse rapporte un point, sauf **e** et **f**, qui rapportent deux points.

a spagnolo vero anche parla?
b è la sinistra a biblioteca.
c la che a signora piano Verdi abita?

d giorno che per parte Parigi?
e usare conosco le vorrei lingue che.
f prendere davanti all' autobus università l' deve.

Note : ____ /8

4 Complétez les phrases en employant une fois seulement chaque préposition contractée dans l'encadré ci-dessous.

Chaque bonne réponse rapporte un point.

a Aspetto davanti ___ cinema.
b C'è un treno prima ___ otto?
c Non arriviamo prima ___ una.
d Scendo ___ prossima fermata.
e Deve andare ___ sportello N°8.
f L'ultimo treno parte ___ dieci.

al - alla - alle - allo - delle - dell'

Note : ____ /6

5 Trouvez l'intrus dans chacun des groupes de mots ci-dessous. Chaque bonne réponse rapporte un point.

a pasta - posta - pizza - panino.
b giacca - sciopero - vestito - gonna - guanti.
c orario - stazione - saldi - binario - biglietto.
d ragioniere - architetto - granita - dentista.

Note : ____ /4

6 Saurez-vous dire ceci en italien ? Chaque bonne réponse rapporte deux points.

a Demandez un billet pour Venise.
b Demandez à quelle heure part le prochain train.
c Demandez à quelle heure il arrive à Venise.
d Demandez s'il est à l'heure.

Note : ____ /8

7 Saurez-vous dire ceci en italien ? Chaque bonne réponse rapporte deux points, sauf la dernière, qui n'en rapporte qu'un.

Dites que vous aimeriez une paire de chaussures noires, un tee-shirt blanc et une paire de jeans.
Demandez combien ça fait (en tout).

Note : ____ /7

8 Marquez deux points pour chaque phrase correctement exprimée en italien :

a Dites dans quelle ville vous êtes né(e).
b Dites quel âge vous avez.
c Dites si vous travaillez, si vous êtes étudiant(e) ou au chômage.
d Dites : « Comment est-ce que ça se dit en italien ? »

Note : ____ /8

9 Vous avez aidé quelqu'un qui vous remercie en disant **Grazie!** Que répondez-vous ? (un point)
Note : ____ /1

45–60 points :	Bravo ! Vous êtes prêt(e) à passer aux chapitres suivants.
37–44 points :	Très bien, mais il reste quelques points faibles sur lesquels vous devez vous concentrer.
22–36 points :	C'est bien. Tâchez de comprendre pourquoi vous vous êtes trompé(e) à certains endroits.
Moins de 22 points :	C'est assez bien, mais il serait certainement préférable de réviser les six premiers chapitres avant de passer aux suivants.

Test d'auto-évaluation II (Chapitres 7–12)

1 Notez par écrit la traduction des phrases suivantes. Chaque bonne réponse rapporte deux points.

a J'ai un passeport.
b Quelle jolie maison !
c Ce n'est pas grave.
d J'ai faim.

Note : ____ /8

2 Comment poseriez-vous les questions suivantes en italien ? Chaque bonne réponse rapporte deux points.

a Y a-t-il un bon restaurant près d'ici ?

b Est-ce que ces places sont prises ?

c Est-ce qu'ils habitent dans le centre-ville ?

d Est-ce qu'ils jouent au tennis ?

Note : ____ /8

3 Vous êtes à l'Hotel Miramare. Posez les six questions suivantes en italien. Chacune rapporte deux points. (Les phrases entre parenthèses ne sont pas à traduire.)

a Dites que vous aimeriez une chambre avec douche, en pension complète, du 4 au 14 novembre.
b Demandez si le restaurant est ouvert. [La réponse est oui.]
c Demandez au serveur ce qu'il y a à manger.
d Demandez-lui où se trouve le téléphone.
e [Vous êtes maintenant au téléphone.] Demandez si le docteur Cortese est là.
f [Il est sorti.] Demandez si vous pouvez laisser un message.

Note : ____ /12

4 Complétez chacune des phrases suivantes à l'aide d'un verbe de l'encadré ci-dessous à la forme qui convient. Employez une seule fois chacun des verbes.

a Non voglio ___ niente oggi!
b ___ sempre tanti turisti qui?
c Tutte le camere ___ sul mare.
d Fa molto caldo. (Io) ___ sete.
e Non___ aprire la valigia.
f Comincio a lavorare alle otto e ___ alle due.

dare - fare - finire - venire - potere - avere

Note : ____ /6

5 Vous faites les courses. Dites en italien (chaque bonne réponse rapporte deux points) :

a Ce dont vous avez besoin : du fromage, des œufs, du jambon.
b Quelles quantités vous désirez : 400 grammes de fromage, six œufs, 100 grammes de jambon.

Note : ____ /12

6 Regardez les publicités p. 84. Nous sommes mercredi, il est midi et votre ami veut aller déjeuner à 'La Torinese' (**al ristorante 'la Torinese'**) ou à 'La Bella Napoli'. Expliquez-lui en italien tout d'abord pourquoi il ne peut pas aller à 'La Torinese', puis pourquoi il ne peut pas aller à 'La Bella Napoli'. Comptez six points si votre réponse est correcte.

Note : ____ /6

7 Écrivez en italien ce qu'Ida aime (3) et n'aime pas (7), puis faites de même pour Renzo, en remplaçant dans les deux cas le prénom par un pronom (p.ex. elle aime ... il aime ...). Chaque colonne rapporte deux points.

Ida	Renzo
l'insalata (3) i fagiolini (7)	la pasta (3) i funghi (7)

Note : ____ /4

8 Observez l'illustration p. 109 et répondez à chaque question en commençant par **Ce n'è** ou **Ce ne sono**. Chaque bonne réponse rapporte un point.

- **a** Quante sedie ci sono?
- **b** Quanti calendari?
- **c** Quante scrivanie?
- **d** Quanti cassetti?

Note : ____ /4

Comparez votre score total avec l'évaluation p. 288. Êtes-vous prêt(e) à passer au Chapitre 13 ?

Test d'auto-évaluation III (Chapitres 13–18)

1 Comment diriez-vous ceci en italien ? Chaque bonne réponse rapporte deux points.

- **a** Demandez à votre interlocuteur, en le vouvoyant, quels sports il pratique.
- **b** Demandez à un passant comment on fait pour aller à l'université.
- **c** Demandez à votre interlocuteur, que vous tutoyez, ce qu'il a fait aujourd'hui.
- **d** Demandez à votre interlocuteur, que vous tutoyez, s'il est déjà allé à Pise.
- **e** Dites que vous avez déjà mangé.

f Dites que vous n'avez pas encore payé.
g Dites que vous vous retrouverez plus tard.

Note : ____ /14

2 Choisissez la préposition contractée qui convient (**a/da/di/con** + article défini) pour compléter chacune des phrases ci-dessous. Chaque bonne réponse rapporte un point.

a Perché non esci ___ tuo ragazzo stasera?
b Vengo a prenderti ___ stazione.
c La pensione è lontana ___ mare.
d È stato il più bel viaggio ___ mia vita.
e Mi ha portato ___ fiori bellissimi.
f Mentre tu vai ___ pasticciere, io telefono a Marco.

Note : ____ /6

3 Dans ce texte, Diana récapitule ce qu'elle a fait hier. Mettez les verbes entre parenthèses au passé composé. À partir de l'astérisque (*),vous devrez employer la première personne du pluriel (masculin). N'oubliez pas que certains verbes ont un passé composé formé à partir d'**avere** et d'autres un passé composé formé sur **essere**. Le verbe de la première phrase est déjà au passé composé.

Chaque bonne réponse rapporte un point.

Ieri mattina sono andata a scuola. Dopo pranzo (*dormire*) un po'. Alle tre (*fare*) una bella passeggiata e (*prendere*) un gelato al Bar Europa. (*comprare*) dei regali ma non (*spendere*) molto. Quando (*tornare*) a casa (*rispondere*) alla lettera di Renzo e (*scrivere*) una cartolina a Roberta. Alle otto (*uscire*): per strada (*incontrare*) Giulia e Franco e* (*andare*) insieme alla trattoria 'Mamma Rosa'. (*bere*) e (*mangiare*) molto bene. Verso le undici (*andare*) al mare. Sulla spiaggia (*vedere*) Enrico e l' (*salutare*). A mezzanotte (*fare*) il bagno e poi (*tornare*) a casa.

Note : ____ /8

4 Vous êtes dans une agence immobilière. Complétez la partie du dialogue qui vous correspond. Les deux premières réponses rapportent deux points chacune, les deux dernières quatre point chacune.

Agente Desidera?
Vous *Je cherche un appartement.*
Agente Quante camere?
Vous *Deux suffisent.*

Agente Ne abbiamo uno vicino al duomo.
Vous *Vraiment je le préférerais* (employez le présent en italien) *près de la mer. J'aime nager.*
Agente Ma questo è vicino a una grande piscina.
Vous *Je n'aime pas les piscines. Je n'aime que la mer.*

Note : ____ /12

5 Répondez aux questions suivantes en disant que vous avez déjà fait ce dont il est question dans chacune. Employez le pronom complément qui convient et n'oubliez pas d'accorder les participes passés. Chaque bonne réponse rapporte un point.

a Quando vende la casa?
b Quando cambia i soldi?
c Quando compra le riviste?
d Quando vede Marisa?
e Quando scrive la lettera?
f Quando fa i bagagli?

Note : ____ /6

6 Choisissez la personne du présent de **conoscere**, **potere** ou **sapere** pour compléter chacune des phrases suivantes. Chaque bonne réponse rapporte un point.

a (Io) non ___ bene questa città.
b (Tu) ___ se Gianni è a casa?
c (Tu) ___ il mio amico Paolo?
d Marco non ___ giocare a tennis perché fa brutto tempo.

Note : ____ /4

Avant de commencer le Chapitre 19, évaluez vos résultats à paritr du tableau de la page 288.

Test d'auto-évaluation IV (Chapitres 19–25)

1 Traduisez les phrases suivantes en italien. **a, b, d** et **e** rapportent un point chacune ; **c** et **f** valent deux points chacune.

a Ne vous inquiétez pas. (vouvoiement sing.)
b Asseyez-vous ici. (vouvoiement sing.)
c Excuse-moi, je suis en retard.
d Fais attention !
e Aidez-moi, s'il vous plaît. (vouvoiement sing.)
f Je me suis bien amusé(e).

Note : ____ /8

2 Certains passages du texte suivant sont illisibles. À vous de retrouver les lettres manquantes. Pour comprendre le sens général du texte, il vous faudra peut-être deviner certains mots que vous ne connaissez pas. Chaque mot complété correctement vaut un point.

La piazza rappresenta una parte integrante della vita italia__
Per un caffè, per un appuntamento, per una discussione o per un p__ di musica, un italiano va generalmente in piazza dove c'è spesso un tea__ famoso, un monumento, una statua importante o un ristoran__ con un'orchestra. Famosa in tutto il mondo è Piazza San Pietro a Ro__ con il Vaticano e con una fontana a destra e una fontana a sini__

A Venezia, Piazza San Marco è veramente stupenda, e a Fir__ Piazzale Michelangelo offre un magnifico panorama di tutt__ la città.

Note : ____ /8

3 Trouvez le pronom double qui complète chacune des réponses suivantes. Chaque bonne réponse rapporte un point :

a Me lo farai sapere? Sì, sì. ___ farò sapere senz'altro.
b Mi farai questo favore? Ma certo che___ farò.
c Chi ti ha consigliato l'albergo?___ ha consigliato un mio collega.
d L'hai detto a Carlo?___ dirò domani.
e Ti ha firmato l'assegno? Sì. ___ ha firmato.
f Bambini, chi vi ha regalato i cioccolatini?___ ha regalati il nonno.
g Signora, chi le ha dato queste informazioni?___ ha date il direttore.

Note : ____ /7

4 Les phrases **a, b, c** décrivent ce que Stefano fera avant de partir en vacances avec Mara ; les phrases **d, e, f, g** décrivent ce qu'ils feront ensemble. Complétez chaque phrase avec un verbe au futur pris dans l'encadré ci-dessous. Les verbes ne doivent être employés qu'une seule fois chacun.

Chaque bonne réponse rapporte un point.

a ___ alla sua amica, Mara.
b Le chiederà se ___ libera.
c ___ i posti.
d ___ i soldi.
e ___ i bagagli.
f ___ i passaporti.
g ___ i loro amici.

salutare – telefonare – cambiare – fare – prenotare – essere – controllare

Note : ___ /7

5 Mario vit actuellement dans le nord de la France. Décrivez, en italien et à l'imparfait, la vie qu'il menait autrefois à Taormina. Trois points par bonne réponse.

a Il parlait uniquement italien.
b Il ne s'ennuyait jamais
c Il n'était jamais fatigué.
d Il avait beaucoup d'amis.
e Il les retrouvait tous les jours sur la place.
f Il travaillait de sept heures à une heure.
g Il allait à la plage tous les dimanches.
h Il voyait souvent sa famille.

Note : ___ /24

6 Trouvez, dans l'encadré ci-dessous, le verbe qui complète chacune des phrases. Vous emploierez une fois seulement chacun des verbes de l'encadré. Un point par bonne réponse.

a Sono tanto stanco! ___ riposarmi prima di uscire.
b ___ andare tu dal tabaccaio? Mi occorrono dei francobolli.
c Ho tanta fame! ___ volentieri un bel piatto di spaghetti.
d ___ a prenderlo volentieri all'aeroporto, ma non ho la macchina.
e Vuoi uscire stasera? Che ne ___ di un bel film?
f Perché non vai alla festa? ___ molto.

divertirsi – mangiare – andare – volere – dire - potere

Note : ___ /6

Bravo ! Vous avez maintenant achevé l'ensemble des leçons.

Lorsqu'il y a plusieurs réponses possibles, elles sont séparées par une barre oblique (p. ex. **per piacere/per favore**). Les mots qui ne sont pas absolument nécessaires à la formulation de la réponse sont donnés entre parenthèses : **(e) questa è Elena**. Dans les réponses aux questions **Vero o falso**, le '**V**' indique que l'affirmation est vraie ; si l'affirmation est fausse, c'est la version correcte qui est donnée.

Chapitre 1

Dialogues

1 a Parla francese? **b** Parlo francese e inglese. **c** Non parlo tedesco. **d** Parlo inglese. Parlo francese. Parlo tedesco. **e** Non parlo cinese. Non parlo giapponese. Non parlo russo. **f** Parla italiano? **g i** Gérard Dupont parla francese. **ii** Betty Warren parla inglese. **iii** Anna Muti parla italiano. **iv** Helga Weil parla tedesco. **2 a** Scusi, l'ascensore, per favore? **b** Grazie. **c** Scusi, il telefono, per favore? **3 a** per piacere. **b** Mi dispiace. **c** Scusi, la banca, per piacere/per favore? **d** Non lo so. **e** sinistra, stazione, ascensore, grazie, telefono. **f** La stazione è a destra. **g** La posta è a sinistra. **h** V. **i** La polizia è a destra. **j** Sempre dritto! **k** le musée ; le commissariat de police. **4** Buongiorno, signorina Giulia! Arrivederci professore! **5 a** Un gelato, signorina? **b** No, grazie. Sì, grazie. **c** thé ; café ; bière ; expresso. **d** acqua minerale. **e** Un gelato? Sì, grazie. **f** Una pasta? No, grazie. **g** Una limonata? Sì, grazie.

Exercices

1 b Anna: Una birra, per favore. **c** Alfredo: Un gelato, per favore. **d** Maria: Un tè, per favore. **e** Roberto: Un cappuccino, per favore. **f** Rita: Una granita di limone, per favore. **g** Carlo: Un cioccolato, per favore. **h** Olga: Una coca-cola, per favore.
2 b La birra è per Anna. **c** Il gelato è per Alfredo. **d** Il tè è per Maria. **e** Il cappuccino è per Roberto. **f** La granita di limone è per Rita. **g** Il cioccolato è per Carlo. **h** La coca-cola è per Olga. **3 a** Franco parla inglese. **b** Rita parla francese e spagnolo. **c** Carlo parla tedesco e spagnolo. **d** Carlo parla tedesco, ma non parla francese. **e** Non parlo spagnolo. **f** Parla francese? **g** Parlo inglese, francese e spagnolo; non parlo tedesco.

4 **Turista** *Excusez-moi !*
Vous Sì...? Prego?/Sì...?/Prego?
Turista *La poste, s'il vous plaît.*
Vous È lì, a sinistra.
Turista *Et la gare ?*
Vous Sempre dritto!
Turista *Merci.*
Vous Prego.

Chapitre 2

Dialogues

1 a Ecco il duomo! **b** il Museo Nazionale; la Banca Commerciale. **c** Questo è il museo. **2 a** Dopo il consolato **b** strada; via; la strada principale **c** Dov'è Piazza Municipio, per favore? **d** È vicino a Via Roma. **e** Dove sono i negozi, per favore? **3 a** (Io) prendo una pizza e un bicchiere di vino. **b** Cosa prende? **c** vino rosso **d** un'acqua minerale naturale **e** Un bicchiere di vino rosso, per piacere. **4 a** Altro? **b** E lo zucchero! **c** Lo zucchero, per piacere. **5 a** 7 bières ; 5 sandwiches; 1 glace.

Exercices

2 b Il Ponte Vecchio: Firenze **c** Il Palazzo del Parlamento: Londra **d** La Torre Eiffel: Parigi **e** La Torre Pendente: Pisa **f** Il Vesuvio: Napoli **g** Il Colosseo: Roma **h** Piazza San Marco: Venezia. **3** Dov'è il Colosseo? A Roma. Dov'è il Vesuvio? A Napoli. Dov'è la Torre Eiffel? A Parigi. La Scala è a Milano. Il Ponte Vecchio è a Firenze. Il Palazzo del Parlamento è a Londra. La Torre Pendente è a Pisa. Piazza San Marco è a Venezia. **4 a** Scusi, dov'è il consolato americano? (È) a sinistra dopo la posta. **b** Scusi, dov'è Piazza Garibaldi? (È) a destra dopo la stazione. **c** Scusi, dov'è il duomo? (È) a destra dopo il Museo Nazionale. **d** Scusi, dov'è l'Albergo Miramare? (È) a destra dopo Piazza Garibaldi. **e** (Sono) a sinistra dopo la posta. **5** *Boissons* : la limonata, la birra, l'acqua minerale, l'aranciata, il tè. *Plats* : la pizza, la pasta, il formaggio, il panino, il prosciutto. *Lieux* : la banca, il duomo, la piazza, il museo, l'albergo. **6** Marta prende il tè con latte e (con) zucchero. Filippo prende il tè con limone senza zucchero. Io prendo il tè... **7** Cos'è questo? (Questo) è un espresso. Cos'è questo? (Questo) è un gelato. Cos'è questa? (Questa) è una pasta. Cos'è questa? (Questa) è una limonata.

Chapitre 3

Dialogues

1 a A che piano abitano i signori Nuzzo, (per favore)? **2 a** Come si chiama? Mi chiamo Marco Russo. **b** Di dov'è? Sono di Napoli. **3 a** Come ti chiami? **b** Io sono di Milano. **c** Che cosa fai? Sono segretaria. **4 a** Di che nazionalità è, signorina? Sono italiana. **b** Anch'io sono italiano. **c** È greca. **5 a** Io sono Massimo. **b** (E) questa è Elena. Piacere. **c** Quanti anni hai? Ho diciotto anni. **6 a** Sono sposata. **b** Ha due fratelli e una sorella. **c** Quanti figli ha, signora? **d** Quanti anni hanno? **e** La bambina ha solo quattro anni.

Exercices

1 Les lettres **-i** et **-a** sont omises dans les chiffres 21, 28, 31, 38, 41 et 48 **2 a** I 12 **b** IV 47 **c** I 13 **d** III 38. **3 a** Il professor Russo è architetto. **b** Carlo Pini è ragioniere. **c** Olga Fulvi è dentista. **d** Anna Biondi è giornalista. **4 a** Helga è tedesca. **b** Gérard e Philippe sono francesi. **c** Juanita è spagnola. **d** Ivan e Natasha sono russi. **e** Anna e Pina sono italiane. **5 a** Helga è di Bonn. **b** Gérard e Philippe sono di Nizza. **c** Juanita è di Barcellona. **d** Ivan e Natasha sono di Omsk. **e** Anna e Pina sono di Trento. **6 a** Helga abita a Bonn. **b** Gérard e Philippe abitano a Nizza. **c** Juanita abita a Barcellona. **d** Ivan e Natasha abitano a Omsk. **e** Anna e Pina abitano a Trento. **7** Cara Luisa, ho diciassette anni. Sono di Siena ma abito a Lucca. Mio padre è italiano e mia madre è tedesca. Ho un fratello. Si chiama Luigi e ha diciotto anni./Mio fratello Luigi ha diciotto anni.

Chapitre 4

Dialogues

1 Alle otto. **2** mattina, sera **3 a** 41 centesimi. **b**Vuole queste? **c** 3 cartes postales et 2 journaux. **d iv e** È una cartolina di Roma. **4 a** Molto gentile. **b** 9.00 ; 8.00 **5 a** Desidera? **b** Quanto costa? **c** La camicetta è troppo cara. **6 a** Prendo un paio di sandali marroni. **b** Che numero?

Prononciation

lunedì, sabato, domenica, aprono, chiudono.

Exercices

1 a 9.30 – 1.00 **b** 3.00 – 4.00 **c** 9.00 – 2.00 **d** 9.00 – 1.30 **e** 9.00 – 7.30.
2 a la giacca **b** la maglietta **c** la cravatta **d** la gonna **e** i jeans **f** i pantaloni **g** le scarpe **h** i sandali **i** il vestito **j** la camicetta **k** i guanti **l** la camicia. **3 a** Quanto costa la maglietta? Diciotto euro e venticinque. **b** Quanto costano i pantaloni? Settantadue euro e trenta. **c** Quanto costano le scarpe? Ottantacinque euro e cinquanta.
4 a Carlo compra una maglietta rossa, tre magliette gialle, una cravatta gialla, una cravatta verde, due paia di scarpe nere, un paio di pantaloni gialli e un paio di pantaloni verdi. **b** Quattrocentoquarantacinque euro e quaranta (€445, 40).

5 **Tabaccaio** Vous désirez ?
Vous *Due francobolli.*
Tabaccaio Pour l'étranger ?
Vous *Sì. Per la Francia.*
Tabaccaio Autre chose ?
Vous *Una cartolina di Roma e questo giornale.*
Tabaccaio Et puis...
Vous *Nient'altro. Quant'è?*
Tabaccaio Deux euros dix.
Vous *Ecco!*

6 a fermé ; **b** ouvert ; **c** soldes. **7** 20 % de réduction sur les vêtements et accessoires d'hiver hommes/femmes/enfants du 17/10 au 19/11.

Chapitre 5

Dialogues

1 a Vado a Bologna. **b** In treno. **c** Solo per dieci giorni. **2 a** Scusi, sa dov'è la fabbrica di scarpe? **b** Non è lontano. **c una fermata** est un arrêt d'autobus. **3 a** Come si scrive? **b** Mio marito è svizzero. **c** Capisco tutto. **4 a** Sono nata a Lucca, ma abito a Siena. **b** Quante lingue parla?

Exercices

2 a 76 **b** 85 **c** 68 **d** 79 **e** 170 **f** 198 **g** 177 **h** 102

3 a ...va in ufficio in bicicletta. **b** ...va a Parigi in treno. **c** ...va a Roma in macchina. **d** ...va a casa a piedi. **e** ...vanno a scuola in autobus. **f** ...va a Milano in aereo.

4 – Dove vai, Franco? – Vado a Roma. – Come vai? – In macchina.
– Dove vai, Anna? – Vado a casa. – Come vai? – A piedi.
– Dove vai, Francesca? – Vado a Milano. – Come vai? – In aereo.

5 a Sono le dieci e cinque **b** È l'una meno un quarto **c** Sono le tre meno dieci **d** Sono le tre e venti **e** Sono le sei meno un quarto **f** Sono le sei e mezza **g** È mezzogiorno **h** È mezzanotte.

6 **Dirigente** Votre nom ?
Vous *Patricia Brun.*
Dirigente Brun ? Comment est-ce que ça s'écrit ?
Vous *B come Bari, R come Roma, U come Udine, N come Napoli.*
Dirigente Vous êtes française, c'est ça ?
Vous *No. Sono svizzera, ma abito a Parigi.*
Dirigente Quel âge avez-vous ?

Vous	*Ho trentatré anni.*
Dirigente	Que faites-vous comme travail ?
Vous	*Lavoro in un'agenzia di viaggi.*
Dirigente	Vous parlez anglais et allemand ?
Vous	*Capisco tutto ma non parlo bene.*

7 C'est un guide des filières professionnelles.

Chapitre 6

Dialogues

1 a Alle quindici e venticinque. **b** Da che binario? **2 a** Tre posti per domani mattina. **b** café, train rapide ; billet de banque, ticket.
3 a È in ritardo di due minuti. **b** Il treno è in partenza dal binario nove. **4 a** Dov'è la fermata del sessantotto? **b** Alla prossima fermata scendo anch'io. **c** per favore, per piacere, per cortesia.

Exercices

1 a Siena, 1, seconda, 16.20, 3. **b** Roma, 2, prima, 10.40, 15. **c** Genova, 1, seconda, 23.55, 7. **d** Novara, 1, prima, 18.30, 1.
2 a dell' **b** agli **c** delle **d** dello **e** allo **f** degli **g** all' **h** alle **i** della **j** al.
3 i-e ii-i iii-g iv-a v-b vi-c vii-d viii-f ix-h
4 In via Terni ci sono tre alberghi. In Piazza Dante c'è un palazzo. In Piazza Cavour ci sono quattro bar. A Roma ci sono due aeroporti.
5 a Pina va in banca fra un'ora. **b** Giorgio va al colloquio fra tre ore. **c** Enrico ritorna a casa fra un quarto d'ora/quindici minuti. **d** Carlo va in discoteca fra dieci minuti. **e** Il treno arriva fra cinque minuti.

6

Impiegato	Oui... Je peux vous aider ?
Vous	*Vorrei prenotare tre posti per dopodomani, giovedì.*
Impiegato	Pour quelle destination ?
Vous	*Firenze.*
Impiegato	Voulez-vous partir le matin ou le soir ?
Vous	*Non c'è un treno diretto alle undici?*
Impiegato	Non, mais il y a un express qui part à midi.
Vous	*Va bene. Tre posti per giovedì allora. Seconda classe.*

7 a Les voyages sont plus aisés et on dépense moins. **b** C'est une société d'État. **c** 167-431784 **d** (0766) 24975 ou (0774) 20268

Chapitre 7

Dialogues

1 Aa Bc Cd Da 2 a Ottima idea. **3 a** Ma oggi è chiuso. **b** C'è un buon ristorante qui vicino? **4 a** Tutti i giorni, eccetto il lunedì. **5 a** C'è molta gente oggi. **b** È una specialità della casa. **6 a** Un altro po' di vino? **b** Per me niente.

Exercices

1 *Antipasti* : antipasto misto, coppa di gamberetti, melone con prosciutto. *Primi*: lasagne al forno, risotto alla milanese, spaghetti alle vongole. *Secondi*: bistecca alla griglia, fritto misto di pesce, pollo arrosto, sogliola alla griglia. *Contorni*: fagiolini, insalata mista, patatine fritte. *Frutta – dolci*: gelati misti, macedonia di frutta, frutta fresca. *Da bere*: acqua minerale, vino rosso, vino bianco.

2 i-d ii-h iii-e iv-a v-f vi-g vii-c viii-b

3 i-b & d. ii-d iii-c : parce qu'il est situé au milieu d'un grand parc, dans la forêt **iv-d** : « Vous y mangerez bien tout en gardant la ligne » **v-a & c**

4

	Cameriere	Qu'est-ce que vous prendrez ?
	Vous	*(Vorrei) un antipasto misto.*
	Cameriere	Et comme entrée ?
	Vous	*Minestrone.*
	Cameriere	Voulez-vous commander le plat principal maintenant ?
	Vous	*Perché no? Cosa/che cosa mi consiglia?*
	Cameriere	Le poisson est très bon aujourd'hui.
	Vous	*Non mangio pesce. Bistecca alla griglia.*
	Cameriere	Certainement. Et comme garniture ?
	Vous	*Prendo insalata mista e/con patatine fritte.*
	Cameriere	Et comme boisson ?
	Vous	*Mezza bottiglia di vino locale.*
	Cameriere	Rouge ou blanc ?
	Vous	*Meglio il vino rosso con la bistecca.*
	Cameriere	Tout de suite.
		…
	Cameriere	Tout va bien ?
	Vous	*Sì. Benissimo. Un altro po' di pane, per piacere.*
	Cameriere	Voilà. Autre chose ?
	Vous	*No, grazie. Basta così.*

Chapitre 8

Dialogues

1 a Singola o doppia? **b** La colazione è compresa nel prezzo? **2 a** Dal ventisei luglio al nove agosto. **b** (la) colazione, (il) pranzo, (la) cena. **3 a** une semaine. **b** Abbiamo la carta d'identità... Eccola! **4 a** I bagagli sono nella macchina. **b** Lo chiamo subito. **5 a** Alle sei in punto. **b** La camera che dà sulla terrazza. **6 a** tanti turisti **b** Comincio alle sei e finisco verso l'una.

Grammaire

a Quando compra i libri? Li compro stasera. **b** Quando compra le riviste? Le compro subito. **c** Quando compra la rivista? La compro stamattina. **d** Quando paga il conto? Lo pago adesso.

Exercices

1 a chambre pour une personne, douche, pension complète, jeudi – lundi. **b** chambre pour deux personnes, baignoire, pension complète, 25 juin – 4 juillet. **c** chambre à deux lits, douche, demi-pension, 9 mai – 19 mai. **2 a** Eccolo! **b** Eccola! **c** Eccolo! **d** Eccoli! **e** Eccole! **f** Eccola! **g** Eccolo! **h** Eccolo! **3 a** Sì. La conosco molto bene. **b** Sì. Le conosco abbastanza bene. **c** La vedo verso le otto. **d** Lo invito/l'invito oggi. **e** Li invito spesso. **f** La guardo dopo cena. **g** Sì. Lo conosco bene. **h** No. Lo vedo stasera. **4 a** nello studio. **b** nell'acqua. **c** sul letto. **d** sulla spiaggia. **e** nel bicchiere. **f** nella borsa. **g** nelle valigie. **h** negli spaghetti. **5 a** No. Vengo in macchina. **b** No. Vengo a piedi. **c** No. Vengo in aereo. **d** No. Veniamo in metropolitana. **e** No. Veniamo in bicicletta. **6 a** Abito a Terni. Lavoro in un'agenzia di viaggi. La mattina esco alle otto e un quarto. Incomincio a lavorare alle nove. Finisco di lavorare alle 6.00. Torno a casa alle sette meno un quarto. Il sabato non lavoro. Vado in montagna con mio marito. Abitiamo a Napoli. Lavoriamo in un istituto di lingue. La mattina usciamo alle sette e venti. Incominciamo a lavorare alle otto. Finiamo di lavorare all'una. Torniamo a casa alle due meno venti. Il sabato non lavoriamo. Andiamo in campagna con i nostri genitori. **b** Anna lavora in una banca commerciale, ma i signori Spada lavorano in un istituto di lingue. La mattina Anna esce alle otto meno un quarto, ma i signori Spada escono alle sette e venti. Anna incomincia a lavorare alle otto e mezza, ma i signori Spada incominciano a lavorare alle otto. Anna finisce di lavorare alle cinque, ma i signori Spada finiscono di lavorare all'una. Anna torna a casa alle sei meno un quarto, ma i signori Spada tornano a casa alle due meno venti. Il sabato Anna va al mare con sua sorella, ma i signori Spada vanno in campagna con i loro genitori.

7 **Direttore** Bonjour.
Vous *Buongiorno! Ha due camere per dieci giorni?*
Direttore Pour combien de personnes ?
Vous *Per quattro persone.*
Direttore Nous avons deux chambres au troisième étage.
Vous *Con bagno?*
Direttore Une avec baignoire, l'autre avec douche.
Vous *Sì. Va benissimo. C'è il ristorante in questo albergo?*
Direttore Non. Il y a seulement un bar.
Vous *C'è un ristorante qui vicino?*
Direttore Il y a la « Trattoria Monti » sur la place.

8 a Accettazione carta di credito. **b** Si accettano piccoli animali domestici. **c** (Un) campo da tennis. **d** Complet. **e** Nettoyage à sec.

Chapitre 9

Dialogues

1 a Ha un appuntamento? **b** Le passo il dottor Fini. **2 a** Avanti! **b** Posso offrirle un caffè? **3 a** Mi dispiace, non c'è. **b** Un attimo. La chiamo. **c** Sono io.

Exercices

1 a Il n'est pas là. **b** Il demande si elle peut rappeler plus tard. **c** Elle dit qu'elle rappellera dans une demi-heure. **d** 10 juin. **e** Son nom.

2 Dove **lo** posso contattare? **La** chiamo io… **Le** dò… **La** richiamo io… **La** ringrazio.

3 i-b ii-g iii-d iv-f v-c vi-h vii-a viii-e

4 a Vuole telefonare ad Anna. **b** Vuole vedere un film. **c** Vuole uscire con Carla. **d** Deve lavorare fino a tardi. **e** Deve uscire con i suoi genitori. **f** Deve scrivere una lettera a suo zio. **g** Non può fumare. **h** Non può comprare un altro vestito **i** Non può venire a pranzo con noi.

5 a Puoi aspettare qui? **b** Puoi telefonare per me? **c** Puoi passare il sale e il pepe? **d** Puoi prenotare un'altra camera? **e** Puoi aprire la porta, per piacere?

6 **Segretaria** Allô !
Vous *Pronto! Posso parlare con Lisa, per piacere?*
Segretaria Lisa est en réunion.
Vous *Posso lasciare un messaggio?*
Segretaria Certainement. C'est de la part de qui ?
Vous *Patricia Fontaine.*
Segretaria Comment est-ce que ça s'écrit ?

Vous *P come Palermo, A come Ancona, T come Torino, R come Roma, I come Imola, C come Como, I come Imola, A come Ancona, F come Firenze, O come Otranto, N come Napoli, T come Torino, A come Ancona, I come Imola, N come Napoli, E come Empoli.*

Segretaria Et quel est le message ?

Vous *Patricia Fontaine non può andare alla riunione domani.*

8 Costa €55,78 (cinquantacinque euro e settantotto) ed è garantita per sei mesi.
9 È per i bambini. Non costa niente./È gratuito.

Chapitre 10

Dialogues

1 a Vivo e lavoro a Napoli. **b** Gioco a tennis. **2 a** Sono i suoi genitori? **b** E questi qui sono i miei nonni.

Exercices

1 a quel signore **b** quell'orologio **c** quella camicia **d** quell'istituto **e** quello studente **f** quegli appartamenti **g** quei libri **h** quei pomodori **i** quelle cartoline **j** quei bicchieri.
2 a bella macchina **b** bello studio **c** bel posto **d** bei bambini **e** bell'albero **f** bella spiaggia **g** belle camere **h** begli uccelli. **3 a** ...rimango a casa e guardo... **b** ...vado a ballare... **c** ...vado al cinema... **d** ...resto a casa a giocare a bridge. **e** ...gioco a tennis... **f** ...esco di casa... **g** ...mangio... **4 i-b ii-d iii-a iv-c**
5 Guido: Vado al cinema, leggo, ascolto la radio.
Carla: Guardo la televisione, gioco a tennis, vado a ballare.
Adamo e Ida: Andiamo al cinema, leggiamo, andiamo a teatro, ascoltiamo la radio.
Enzo e Rina: Guardiamo la televisione, giochiamo a tennis, leggiamo, andiamo a ballare.
6 I c Enzo è mio figlio. **d** Isabella è mia figlia. **e** Teresa è mia sorella. **f** Filippo è mio fratello. **g** Rina è mia nipote. **h** Pietro è mio nipote. **i** Guido e Elena sono i miei genitori. **II b** Anna è nostra madre. **c/d** Noi siamo i loro figli. **e** Teresa è nostra zia. **f** Filippo è nostro zio. **g** Rina è nostra cugina. **h** Pietro è nostro cugino. **i** Guido e Elena sono i nostri nonni.
7 Cara Laura, grazie della tua lettera. Ho diciassette anni e un giorno vorrei lavorare in Italia. Quest'anno studio l'italiano e l'inglese. Sono due lingue molto interessanti. Abito/Vivo in un villaggio vicino a Meaux che non è troppo lontano da Parigi. Mio padre è elettricista e mia madre lavora a casa per un'agenzia pubblicitaria. Ho un fratello che lavora a Parigi e una piccola sorella che ha sette anni. Si chiama

Sandra e passa molto tempo a giocare con il nostro cane Pastor. Vorrei venire in Italia a luglio. A presto. Un caro saluto. Charlotte.

8 **Angelo** Bonjour, Isa !
Vous *Ciao!*
Angelo Tu veux venir avec moi ?
Vous *Dove?*
Angelo Danser
Vous *Quando? Stasera?*
Angelo Demain à onze heures.
Vous *No. Domani non posso. Devo andare al cinema con un'amica.*
Angelo Tu peux venir samedi ? Ou est-ce que tu dois sortir aussi samedi ?
Vous *Sabato sera devo andare a teatro con i miei genitori.*
Angelo Dommage ! Dimanche à onze heures ?
Vous *Domenica va benissimo. Ma non posso venire prima di mezzanotte.*
Angelo D'accord pour minuit. Au revoir alors !
Vous *Ciao!*

Chapitre 11

Dialogues

1 a (Io) ho fame. **b** Vorrei mangiare qualcosa. **2 a** Vorrei dei panini. **b** Mezzo chilo di spaghetti. **3 a** Com'è bella questa borsa! **b** Non mi piace. **4 a** Mi piacciono moltissimo. **b** Allora li compro tutti e due. **c** Non ho più soldi!

Exercices

1 Maria vuol comprare del burro, del formaggio, della birra, dell'olio, degli spaghetti, dello zucchero, dei fiammiferi, dell'acqua minerale. **2 b** Il vino bianco le piace, ma preferisce il vino rosso. **c** Il cinema le piace, ma preferisce il teatro. **d** Milano le piace, ma preferisce Firenze. **e** Le melanzane le piacciono, ma preferisce i peperoni. **f** I libri le piacciono, ma preferisce le riviste. **3 b** Le piace il vino bianco o il vino rosso? Il vino bianco mi piace, ma preferisco il vino rosso. **c** Le piace il cinema o il teatro? Il cinema mi piace, ma preferisco il teatro. **d** Le piace Milano o Firenze? Milano mi piace, ma preferisco Firenze. **e** Le piacciono le melanzane o i peperoni? Le melanzane mi piacciono, ma preferisco i peperoni. **f** Le piacciono i libri o le riviste? I libri mi piacciono, ma preferisco le riviste. **4 a** Le piace...?

b Le piace...? **c** Ti piace...? **d** Ti piace...? **e** Ti piace...? **f** Le piacciono...? **g** Ti piacciono...? **5 a, b, c, f, g** Ti piace? **d, e** Le piace? **6 a** Ne devo pagare cento. **b** Ne devo scrivere due. **c** Ne voglio invitare dodici. **d** Ne devo comprare nove **e** Ne ho una. **f** Ne ho quattro. **g** Ne leggo molti. **7 a** Ne ha uno più corto? **b** Non ne ha una più grande? **c** Non ne ha uno più scuro? **d** Ne ha una più chiara? **e** Non ne ha uno più facile? **8 a** Pietro è più grande di Paolo. **b** Lino è più piccolo di Paolo. **c** Lino è più piccolo di Pietro. **d** Pietro è più grande di Lino. **e** Paolo è più piccolo di Pietro. **9 a** L'aereo è più veloce del treno. **b** Il treno è più veloce dell'autobus. **c** La macchina è più veloce della bicicletta. **d** La bicicletta è meno veloce dell'autobus. **e** L'autobus è meno veloce della metropolitana. **10 a** Une nouvelle voiture. **b** Oui, très bien. **c** Parce que sa voiture consomme trop d'essence. **d** Oui. **e** Non. **f** Il n'aime pas les petites voitures. **g** Non. Il pense qu'elles sont trop chères. **h** Il ne veut pas payer trop cher. **11** *Salumeria*: salame, olio, vino, olive, prosciutto, pasta, mortadella. *Macelleria*: vitello, maiale, agnello, manzo. *Pescheria*: trota, merluzzo, salmone. **12a** Ci vogliono cinque minuti per (cuocere) le pennette rigate, e undici minuti per gli spaghetti. **b** Sono cinquecento grammi.

Chapitre 12

Dialogues

1 a Roberto cerca un appartamento al centro. **b** Ne vuole quattro.

2 a La padrona di casa abita al pianterreno. **b** Si paga l'affitto.

3 a V. b La televisione è nel soggiorno, e la lavatrice è nel bagno.

Exercices

1 *Bagno*: il bidè, la doccia, la vasca da bagno, il water, il lavandino.
Cucina: la cucina, il frigorifero, la lavastoviglie, la lavatrice, l'acquaio.
Camera da letto: il letto, il comodino, lo scaffale. *Sala da pranzo*: le tende, le sedie, la tavola. *Salotto*: il divano, la libreria, le poltrone, il quadro, la scrivania, il tappeto, la televisione. *Ingresso*: il telefono, il tavolino, la pianta, lo specchio, l'orologio. **2 a** Ce ne sono due. **b** Ce ne sono quattro. **c** Ce n'è una. **d** Ce ne sono quattro. **e** Ce ne sono sette. **3 a** La presa per il rasoio è nel bagno. **b** Il citofono è nell'ingresso. **c** Il frigorifero è nella cucina. **d** Il letto è nella camera da letto. **e** Il divano è nel salotto. **f** Le coperte sono nell'armadio. **4 a** Le sedie a sdraio sono sul balcone. **b** Le lenzuola sono sul letto. **c** La televisione è sul tavolino. **d** I libri sono sullo scaffale.

5 a Davide cerca un appartamento di quattro camere, in periferia, vicino alla strada principale. **b** Bianca cerca un appartamento di tre camere, in periferia, vicino alla stazione. **c** Lola e Rita cercano un appartamento di cinque camere, al centro, vicino all'ufficio. **d** Cerchiamo un appartamento di cinque camere, al centro, vicino all'ufficio.**6 a** Ce ne sono dodici. **b** Ce ne sono sette. **c** Ce ne sono trecentosessantacinque. **d** Ce ne sono sessanta. **e** Ce ne sono cento. **f** Ce ne sono dieci. **g** Ce ne sono ventuno. **h** Ce n'è uno. **7 a** Le Colisée. **b** Il n'est pas très moderne. **c** Au quatrième. **d** Non. **e** Cinq. **f** Trois. **g** Salle de bains et cuisine. **h** La salle de bains est petite mais la cuisine est grande.**8 a** Un appartement de luxe dans une zone touristique. **b** Des appartements de 2 à 5 pièces. **c** Un appartement dans un quartier résidentiel près d'un parc. **d** Vente immédiate. **e** Une villa avec vues panoramiques, dans un site exceptionnel, composée de deux appartements indépendants. **f** C'est une villa de rêve, grand standing, située sur le front de mer. **g** Il cherche un appartement de luxe dans un immeuble récent, qui soit libre au mois de juin. **h** Étudiant anglais échangerait cours de conversation contre un logement meublé.

Chapitre 13

Dialogues

1 a Lo sport preferito di Giulio è il jogging. **b V**. **c** D'inverno va a nuotare in piscina, d'estate (va a nuotare) al lago. **2 a** Quando corre, la pioggia non fa nessuna differenza per lui. **b** No. Corre anche quando fa brutto tempo. **c** No. Non si sente affatto stanco. **3 a** Rita offre un bicchiere di vino al giornalista. **b** La mattina lei e suo marito si alzano presto. **c** No. Si alzano alle sei. **4 a V**. **b** No. Cenano piuttosto tardi. **5 a** Rina studia medicina. **b** Si laurea a giugno. **c** Fa l'ultimo anno.

Exercices

1 a Si sveglia alle sei e mezza. **b** Si alza alle sette. **c** Si lava. **d** Fa colazione alle otto. **e** Legge il giornale. **f** Esce di casa alle otto e mezza. **g** Torna a casa alle sei. **h** Cena alle otto. **i** Guarda la televisione. **j** Va a letto alle undici. **2 a** ...io mi riposo ... **b** ...io mi diverto... **c** ...io mi sveglio... **d** ...io mi alzo... **e** ...io mi lavo... **f** ...io mi vesto... **g** ...noi non ci riposiamo... **3** Non mi sveglio mai... Non mi alzo mai... Non mi lavo mai... Non mi vesto mai prima... **4 a** ...ci riposiamo. **b** ...ci cambiamo. **c** ...mi alzo. **d** ...mi ubriaco. **e** ...mi diverto. **f** ...mi lagno. **5 a** Lo prende al bar. **b** La prende in salumeria. **c** Li compra in panetteria. **d** Lo compra all'edicola. **e** L'aspetta all'edicola. **6 a** Nevica. **b** Piove. **c** C'è il sole/fa bel tempo. **d** Tira vento/c'è vento.

7 *Vous* — *Ma non si riposa mai, signora?*

Pina — Eh bien, avec un restaurant c'est difficile de se reposer. Nous nous couchons très tard le soir, et le matin nous nous levons très tôt.

Vous *Quante ore al giorno lavora?*
Pina 10, 12, parfois même 14 heures.
Vous *Lavora duro!*
Pina Mais je me repose pendant les vacances.
Vous *Quante volte all'anno va in vacanza?*
Pina Deux fois.
Vous *Quando? D'estate?*
Pina Non. En été c'est impossible. Nous avons trop de clients. Nous partons au printemps et en automne.
Vous *Dove va?*
Pina Je vais en Suisse avec ma fille. Nous allons skier.
Vous *Le piace sciare?*
Pina Oui, beaucoup. Le ski est mon sport préféré.

8 a Scia. **b** Nuota. **c** Fa il jogging. **d** Gioca a calcio. **e** Gioca a carte. **f** Gioca a tennis.

Chapitre 14

Dialogues

1 a La Posta Centrale è in Piazza Garibaldi. **b** No. Parla con un passante. **2 a** La fermata del 48 è dopo il ponte. **b** Deve scendere. **3 a** V. **b** Deve scrivere (il suo) nome, (il suo) cognome e (il suo) indirizzo. **4 a** Lo sportello N°9 chiude alle sei. **b** Vuole sapere dov'è la buca delle lettere.

Grammaire

3 pulisca, beva, faccia, esca, venga. **5 a** Pour féliciter les destinataires à l'occasion de leur mariage. **b** Grosseto.

Exercices

1 b Come si fa per andare a Ponte San Giovanni? Prenda la seconda traversa a sinistra. **c** Come si fa per andare alla stazione? Prenda la terza traversa a sinistra. **d** Come si fa per andare al museo? Prenda la terza traversa a destra. **e** Come si fa per andare alla Banca Commerciale? Prenda la seconda traversa a destra. **f** Come si fa per andare all'università? Prenda la prima traversa a destra.
2 a Giri a sinistra. **b** Vada sempre dritto. **c** Giri a destra. **3** ...vada... giri... scenda... attraversi...prenda. **4 a** Aspetti alla stazione! **b** Prenoti all'agenzia! **c** Legga qui! **d** Pulisca dappertutto! **e** Venga a casa! **f** Paghi all cassa! **5 a** ...Le mangi! **b** ...Lo beva! **c** ...L'apra! **d** ...Li faccia! **e** ...La prenda! **f** ...Lo prenoti! **6 a** Piazza Vittoria. **b** Porta Santa Margherita. **c** Chiesa di SS. (Santissima) Trinità.

Chapitre 15

Dialogues

1 a Elena ha mangiato in una rosticceria. **b** Ha bevuto il vino. **2 a** Il marito ha perso l'autobus. **b** Sta meglio. **3 a** V. **b** No. Ha visitato la moglie.

Exercices

1 a ...risposto ...ho messo in ordine... **b** Ho invitato... Abbiamo bevuto... giocato a bridge... **c** ...abbiamo visto... **d** ...ha chiamato...Ho passato...
2 i-f ii-d iii-e iv-a v-g vi-c vii-b 3 a Non ti vedo. **b** Non ti sento. **c** Non ti conosco. **d** Non mi vedi? **e** Non ti capisco. **f** Quando m'inviti? **g** Allora, mi accompagni? **h** Ti aspetto... **4 a** Vittoria ha visto il Papa in Piazza San Pietro. **b** Gino ha comprato una villa fra Siena e Firenze. **c** Roberto ha (finalmente) aperto un'agenzia immobiliare. **d** Renzo e Mara hanno fatto molti bagni. **e** Ada e Lino hanno giocato alla roulette e hanno perso. **f** Federico e Anna hanno visto l'Aida. **5** Ho visto tante cose interessanti. Saluti da Bari. **6 a** Ha pranzato dai suoi genitori. **b** Non ha chiamato l'elettricista. **c** Ha guardato il programma TV 7 speciale. **d** Non ha pulito la casa. **e** Non ha pagato l'affitto. **f** Ha giocato a tennis con Marco. **g** Ha portato la macchina dal meccanico. **h** Ha scritto una cartolina a sua zia Maria.

7	*Vous*	*Cos'hai fatto di bello oggi?*
	Olga	J'ai travaillé toute la journée.
	Vous	*Non hai visto il tuo ragazzo?*
	Olga	Si. À l'heure du déjeuner.
	Vous	*Avete mangiato insieme?*
	Olga	Oui. Dans une trattoria chic de la Via Manzoni.
	Vous	*Perché non sei contenta allora?*
	Olga	Parce que c'est moi qui ai dû payer le repas.

Chapitre 16

Dialogues

1 a L'immigrato ha lavorato prima a Roubaix. **b** È andato ad abitare a Parigi. **2 a** V. **b** Spera di ritornare in Italia. **3 a** V. **b** È partito col/con il treno delle dieci e quaranta. **4 a** V. **b** (Non l'accetta) perché deve scappare.

Exercices

1 a ...lunedì scorso è andato a teatro. **b** ...martedì scorso ha cenato tardi. **c** ...mercoledì scorso non ha studiato affatto. **d** ...giovedì scorso ha lavorato fino alle dieci. **e** ...venerdì scorso ha mangiato fuori. **f** ...sabato scorso ha giocato a scacchi. **g** ...domenica scorsa ha dormito fino a mezzogiorno. **2** Lunedì scorso sono andato a teatro. Giovedì scorso ho lavorato fino alle dieci. Domenica scorsa ho dormito fino a mezzogiorno. **3 b** Paolo Nuzzo è nato nel 69. È stato in Austria per due anni. È andato a Vienna. Poi è tornato in Italia. **c** Mirella Perrone è nata nel '57. È stata in Francia per un anno. È andata a Parigi. Poi è tornata in Sicilia. **d** I signori Caraffi sono nati nel '58. Sono stati in Spagna per dodici anni. Sono andati a Barcellona. Poi sono tornati in Sardegna. **e** Anna e Silvia sono nate nel '71. Sono state in Grecia per sei anni. Sono andate ad Atene. Poi sono tornate a Roma. **4 b** Ci sono andata in aprile. **c** Ci sono ritornata nel mese di agosto. **d** Ci sono andata in macchina. **e** No. Ci sono andata con la mia amica Francesca. **5 a** Non la vede da due anni. **b** La conosce da molti anni. **c** Lo suona da nove anni. **d** Lo studia da sei mesi. **e** Non lo vedono da molto tempo. **f** L'aspettano da poco tempo. **6 a** Mara è andata a fare la spesa due ore fa. **b** Sergio è venuto a pranzo un'ora fa. **c** Mario è tornato dal lavoro un'ora e mezza fa. **d** Carlo è andato a letto mezz'ora fa. **e** Filippo è uscito cinque minuti fa.

7 **Giornalista** Allez-vous parfois en Italie ?
Vous *Sì. Ci vado quasi ogni anno.*
Giornalista Où êtes-vous allé l'année dernière ?
Vous *Sono andato a Venezia e a Verona.*
Giornalista Vous êtes resté longtemps à Vérone ?
Vous *Due sere. Per l'opera.*
Giornalista Vous y êtes allé avec des amis ?
Vous *No. Preferisco viaggiare da solo.*
Giornalista Mais vous parlez très bien ! Est-ce que vos parents sont italiens ?
Vous *Sì. E... Ho studiato l'italiano all'università.*
Giornalista Où ? En Italie ?
Vous *Prima in Italia, poi all'università della Sorbona.*
Giornalista Il y a combien de temps ?
Vous *Due anni fa.*

8 Si trovano in Sicilia.

Chapitre 17

Dialogues

1 a Marisa è andata al supermercato con Valeria. **b** (L'ha messo) in frigorifero. **2 a** Daniele e Sonia hanno comprato una cravatta di seta pura per Sandro. **b** (Non li hanno prenotati) perché non hanno avuto tempo. **3 a V**. **b** Ha tolto la spina.

Exercices

1 a Ne ho mandato uno. **b** Ne ho visti molti. **c** Ne ho spedite sei. **d** Ne ho scritte quattro. **e** Ne ho visitata una. **f** Ne ho spesi molti. **g** Ne ho cambiati pochi. **h** Ne ho bevuti tre.**2 a** Le ho già scritte. **b** Li ho già comprati. **c** Li ho già visti. **d** Le ho già fatte. **e** L'ho già sbrigata. **f** L'ho già finito. **g** Li ho già preparati. **h** L'ho già consultata.**3 a** No. Non l'ho ancora fatto. **b** No. Non l'ho ancora pulito. **c** No. Non l'ho ancora pagato. **d** No. Non l'ho ancora fatta. **e** No. Non li ho ancora comprati. **f** No. Non l'ho ancora riparata. **4 a** ... ho scritto... **b** ... l'ho letto. **c** ... l'ho ascoltata. **d** ... l'ha bevuta. **e** ... l'ha messo. **f** ... hanno perso il treno.

5

5	**Moglie**	Alors, chéri, on y va ?
	Vous	*Non sono ancora pronto.*
	Moglie	Qu'est-ce que tu cherches ?
	Vous	*Il passaporto. Ma dove l'ho messo? L'hai preso tu?*
	Moglie	Non. Tu as regardé dans la voiture ?
	Vous	*Sì. Ho guardato. Non c'è.*
	Moglie	Tu ne l'as pas laissé à la banque ce matin quand tu as changé l'argent ?
	Vous	*No. Ah ... Un momento ... Forse l'ho messo in camera da letto.*
	Moglie	Non. Il n'y est pas. J'ai nettoyé toutes les pièces et je n'ai rien vu.
	Vous	*Non l'hai mica messo con gli altri documenti?*
	Moglie	Non, non. Dans mon sac je n'ai que les billets de train.
	Vous	*Che guaio! Come facciamo ora senza passaporto?*
	Moglie	Tu as regardé dans le bureau ?
	Vous	*Sì. Ho guardato dappertutto.*
	Moglie	Mon Dieu ! Et le train part dans une demi-heure !

Chapitre 18

Dialogues

1 a Renzo non usa mai il profumo./Renzo il profumo non lo usa mai. **b** Perché è il suo compleanno. **2 a** Beatrice prende un cd di musica classica per Renzo. **b** Vuole telefonare a Renzo. **3 a V. b** Devono andare a pranzo da Carla.

Exercices

1 a Anna gli dà una cravatta. **b** Renzo gli dà un libro. **c** Beatrice gli porta un cd. **d** Livio gli manda una cassetta. **e** Matteo gli regala un profumo. **f** Maria gli telefona per fargli gli auguri. **2 a** Le telefono stasera. **b** Gli telefono più tardi. **c** Gli telefono dopo cena. **d** Le scrivo domani. **e** Le scrivo oggi. **f** Gli parlo dopo la lezione./ Parlo loro dopo la lezione. **3 b** A chi vuole mandare la cartolina di auguri? Voglio mandarla a Beatrice. **c** A chi vuole regalare la borsa di pelle? Voglio regalarla a Maria. **d** A chi vuole portare i cioccolatini? Voglio portarli a Marco. **e** A chi vuole dare il portafoglio? Voglio darlo a Gino. **4** il francobollo – Non ce l'ho. – non lo compri? – la posta è chiusa – il tabaccaio è aperto – non c'è un tabaccaio – vuoi spedirla – devo mandargli – devi mandarli? **5 a** S'incontrano. **b** Si vedono. **c** Si parlano. **d** Si salutano. **e** Si baciano. **f** Si abbracciano.

6

Giorgio	Où vas-tu, Carla ?
Vous	*Prima vado alla posta, poi vado a comprare il regalo per Antonio.*
Giorgio	Pourquoi ? C'est son anniversaire ?
Vous	*No. È il suo onomastico.*
Giorgio	Qu'est-ce que tu lui achètes ?
Vous	*Non lo so ancora.*
Giorgio	Est-ce qu'il aime lire ?
Vous	*Mi sembra di no.*
Giorgio	Combien veux-tu dépenser ?
Vous	*Non troppo.*
Giorgio	Sais-tu s'il aime la musique ?
Vous	*So che gli piace ascoltare la musica quando guida.*
Giorgio	Tu peux lui acheter une cassette alors.
Vous	*Ottima idea!*

Chapitre 19

Dialogues

1 a V. **b** No. Non c'è mai stata. **2 a** V. **b** (C'è andata) per quattro giorni. **3 a** Marcello lavora in una fabbrica. **b** Si trova bene.

Exercices

1 Marco si è iscritto all'università di Roma. Si è laureato in medicina in sei anni. Anna si è iscritta all'università di Bologna. Si è laureata in matematica e fisica in sette anni. Carlo e Fillippo si sono iscritti all'università di Napoli. Si sono laureati in legge in quattro anni. **2** Mi sono vestito... ho fatto colazione... ho comprato... ho telefonato... gli ho chiesto... sono andato... ho detto... ho preso... ho fatto...
3 b Ci siamo visti. **c** Ci siamo parlati. **d** Ci siamo salutati. **e** Ci siamo baciati. **f** Ci siamo abbracciati. **4 a** di cui. **b** con cui. **c** da cui. **d** per cui. **e** a cui.

5

Giornalista	Vous êtes allemands ?
Vous	*No. Siamo francesi.*
Giornalista	Depuis combien de temps êtes-vous ici ?
Vous	*Siamo qui da una quindicina di giorni.*
Giornalista	Vous êtes venus en avion ?
Vous	*No. Siamo venuti in macchina.*
Giornalista	Et pourquoi êtes-vous venus à Pérouse ?
Vous	*Perché ci siamo iscritti all'università per studiare l'italiano.*
Giornalista	Combien de temps dure le stage ?
Vous	*Dura un mese.*
Giornalista	Avez-vous visité d'autres endroits ?
Vous	*Non molti. Ma/però domenica scorsa ci siamo alzati presto e siamo andati ad Assisi.*
Giornalista	Est-ce que vous vous êtes amusés ?
Vous	*Ci siamo divertiti moltissimo.*

6 a Cenano sulla spiaggia. **b** Il pomeriggio vanno al parco. **c** La fanno sul Mare Adriatico.

Chapitre 20

Dialogues

1 a La signorina prende le compresse senz'acqua. **b** Ne prende una. **2 a** V. **b** Deve andare in farmacia. **3 a** La signora ha mal di denti. **b** Le dà uno spazzolino e un dentifricio speciali. **4 a** V. **b** Deve riparare gli occhiali dell'avvocato.

Exercices

1 Anna: Mi fa male il braccio. Giorgio: Mi fa male il naso. Alessandro: Mi fa male il ginocchio. Livio: Mi fanno male gli occhi. Orazio: Mi fanno male i piedi. Gina: Mi fanno male le gambe. **2 a** ...le fa male il braccio. **b** ...gli fa male il naso. **c** ... gli fanno male gli occhi. **d** ...gli fanno male i piedi. **e** ...le fanno male le gambe. **f** ...gli fa male il ginocchio. **3 a** ...ha mal di gola. **b** ...ha mal di testa. **c** ...ha la febbre. **d** ...ha mal di stomaco. **e** ...ha mal di denti. **f** ...ha il raffreddore. **4 a** ...si riposi! **b** ...si asciughi! **c** ...si lavi i denti! **d** ...si metta il cappotto! **e** ...si diverta! **5 a** Non le prenda! **b** ...Non li faccia! **c** ...Non gli telefoni! **d** ...Non le scriva! **e** ...Non l'apra! **f** ...Non le chiuda!

6	*Vous*	*Non mi sento bene.*
	Mara	Qu'est-ce que tu as ? Tu as mal à la tête ?
	Vous	*No. Mi fanno male gli occhi.*
	Mara	Pourquoi est-ce que tu ne mets pas tes lunettes ?
	Vous	*Purtroppo sono dall'ottico.*
	Mara	Mais je peux conduire si tu veux.
	Vous	*Va bene. Così mi riposo un po'.*
	Mara	Et si nous nous arrêtions un moment à la pharmacie ? (mot à mot : « qu'en dis-tu de nous arrêter ? »)]
	Vous	*Buon'idea! E poi possiamo andare a prendere qualcosa da bere.*
	Mara	Alors, d'abord nous nous arrêtons à la pharmacie, puis nous allons au bar Quattro Fontane.

Chapitre 21

Dialogues

1 a V. **b** Andranno in Calabria dai loro parenti. **2 a** Il sole non dà fastidio a Massimo. **b** Perché dovrà ricominciare a lavorare. **3 a** V. **b** La rivedrà sabato. **4 a** La signorina vuole consultare il catalogo dei nuovi cd. **b** Deve riportarlo/lo deve riportare al commesso. **5 a** V. **b** Dovrà richiederli/Li dovrà richiedere alla casa discografica.

Exercices

1 b Berrò... **c** Andrò... **d** Farò... **e** Pulirò... **f** Preparerò... **g** Sparecchierò... **h** Laverò... **i** Mi riposerò... **j** Prenderò... **k** Andrò... **l** Finirò... **m** Uscirò...
2 a ...Usciranno... **b** ...Resteranno... **c** ...Verranno... **d** ...Potranno farlo... **e** Saranno qui... **f** ...Lo faranno... **g** ...Arriveranno... **h** ...La costruiranno...

3 ... andremo ... ... staremo ... trascorreremo ... torneremo ... daremo ... inviteremo ... guarderemo ... andremo ... ci siederemo ... prenderemo ... ascolteremo ...
4 a Me la riparerà il meccanico. **b** Me li cambierà il cassiere. **c** Ce lo prenoterà il nostro amico Sandro. **d** Me lo farà un pittore francese. **e** Ce lo porterà un nostro collega. **f** Me la disegnerà un architetto italiano. **g** Me lo regalerà mia sorella. **h** Ce lo troverà nostro cugino.

5

Vous	*Vorrei un libro sull'Italia.*
Libraio	Quel genre de livre ? Vous voulez quelque chose sur la politique ou l'économie ?
Vous	*Veramente cerco un libro per turisti.*
Libraio	Donc c'est un guide que vous cherchez ?
Vous	*Sì. Vorrei fare il giro dei laghi.*
Libraio	Ah ! Alors il vous faut un livre sur l'Italie du nord.
Vous	*Esattamente! Posso vedere ciò che ha?*
Libraio	Je regrette, mais en ce moment nous n'avons rien.
Vous	*Come mai?*
Libraio	Malheureusement j'ai vendu le dernier il y a une heure.
Vous	*Non ne aspetta altri?*
Libraio	Si, bien sûr ! Mais quand partez-vous ?
Vous	*Partirò il primo di giugno.*
Libraio	Bien. Si vous venez ici fin mai, j'aurai exactement ce que vous voulez.
Vous	*Posso prenotarne una copia adesso?*
Libraio	Bien sûr. Laissez-moi une avance de dix pour cent et votre adresse. Lorsque le livre arrivera, je vous le ferai savoir.

6 a Per vedere la Mostra dei mobili antichi si deve andare a Cortona. **b** Per vedere la Mostra (internazionale) dei telefilm si deve andare a Chianciano Terme. **c** Per vedere la Festa del lago si deve andare a Castiglione del Lago.

Chapitre 22

Dialogues

1 a V. **b** No. La trovava molto monotona. **2 a** Quando Nino e Dario erano scapoli uscivano ogni sera. **b** Dicevano sempre che non volevano sposarsi. **3 a** Eugenio Parisi lavorava in un'azienda agricola. **b** Perché non ha potuto./Perché suo padre era gravemente ammalato e non poteva più mantenerlo. **4 a V**. **b** No. Suonava la chitarra.

Exercices

1 b Faceva così caldo; fa così freddo. **c** C'era tanto sole; c'è tanta pioggia. **d** Uscivo ogni sera; non esco mai. **e** Venivano a trovarmi tante persone; non viene a trovarmi nessuno. **f** Andavo ogni domenica alla spiaggia; vado qualche volta in piscina. **g** Parlavo con tanta gente; non parlo con nessuno. **2 a** Perché era troppo forte. **b** Perché mi faceva male un dente. **c** Perché costavano poco. **d** Perché dov'ero prima dovevo lavorare troppo. **e** Perché era troppo cara. **f** Perché non avevamo appetito. **g** Perché avevano sete. **h** Perché eravamo stanchi morti. **i** Perché non mi sentivo bene. **j** Perché aveva bisogno di soldi. **3 a** ...si radeva, ha telefonato... **b** ...scriveva, si è rotta... **c** ...riparava, è arrivata... **d** ...cucinava, si è scottato... **e** ...leggeva, se n'è andata... **f** ...guardava...gli ha chiesto... **4 i a** No. È laureata da poco tempo. **b** Si offre come baby-sitter di pomeriggio e di sera. **c** Vive a Bergamo. **ii a** Ha il diploma di ragioniera. **b** Vuole lavorare per mezza giornata. **c** Bisogna telefonarle nelle ore dei pasti. **iii a** No. Sono prossimi alle nozze. **b** No. Vogliono prenderlo in affitto. **c** No. Può essere anche piccolo. **iv a** No. È laureato in scienze politiche. **b** Ha trent'anni./Ne ha trenta. **c** No. Lavora da molto tempo. **d** Conosce il francese, l'inglese e il tedesco. **5 A** Ma come! Già te ne vai? **B** Eh, sì. Me ne devo andare. **A** E Bruna, se ne va anche lei? **B** No. Bruna non se ne va ancora. Però Anna e Roberto se ne vanno. E voi quando ve ne andate? **A** Noi ce ne andiamo più tardi.

6 *Vous* *Dove lavorava, signora, quando era a Napoli?*
Signora Je travaillais dans une grosse exploitation agricole qui exportait des fruits dans toute l'Europe.
Vous *Ma lei, che faceva di preciso?*
Signora Je contrôlais la qualité des fruits.
Vous *Trovava il lavoro difficile?*
Signora Oui, parce qu'il suffisait d'une petite erreur pour perdre des clients très importants.
Vous *Quanto tempo ha lavorato in quell'azienda?*
Signora Trois ans et demi. Puis nous sommes allés à Sorrento parce que mon père en avait assez de vivre dans une grande ville.
Vous *È per questo che vuol cambiare lavoro?*
Signora Oui, surtout pour ça.

7 È il 91%.

Chapitre 23

Dialogues

1 a Quando hanno suonato, Bruna è andata ad aprire la porta. **b** Le ha scritto il suo indirizzo. **2 a V**. **b** No. (Gianna) ha smesso di fumare./Non fuma più. **3 a V**. **b** No. Non gli piace.

Exercices

1 b Torna...! **c** Va'...! **d** Copriti...! **e** Prendi...! **f** Chiama...! **g** Rimani...! **h** Non preoccuparti di...! **2 a** Non fumare! **b** Prendi l'aereo! **c** Non insistere! **d** Non parcheggiare lì! **e** Va' in macchina! **f** Porta l'ombrello! **g** Metti la data...! **h** Usa la scheda telefonica! **3 b** Non usarla! **c** Non comprarlo! **d** Non pagarlo! **e** Non berla! **f** Non prenderlo! **g** Non attraversarla! **h** Non perderli! **4 a** Luigi, sta' zitto! **b** Alfredo, fammi assaggiare il gelato! **c** Elena, va' all'altra tavola! **d** Vittorio, dammi il bicchiere! **e** Maria, dammi il sale e il pepe! **f** Nina, dimmi cosa vuoi per secondo piatto! **5 a** ...sta facendo il bagno. **b** ...sta cucinando. **c** ...sta piovendo. **d** ...sta per sposarsi. **e** ...sta suonando. **f** ...stanno per partire.**6 i-e** Sta mangiando. **ii-f** Stiamo comprando ... **iii-c** Stanno facendo... **iv-b** Sta cucinando. **v-d** Sta lavorando. **vi-a** Stanno chiacchierando.

7 **Mamma** Que fais-tu debout si tôt ? Il n'est pas encore cinq heures !

Vous *Vorrei studiare un po'.*

Mamma À cette heure-ci ? Comment ça se fait ?

Vous *Ma non sapevi che oggi ho un esame?*

Mamma Oh ! J'avais complètement oublié. Je te prépare une tasse de café ?

Vous *No grazie. Ritorna a letto.*

Mamma Tu as encore beaucoup à faire ?

Vous *No. Non molto.*

Mamma Tu travailles tellement, c'est vrai ; mais dans deux ans tu seras médecin !

Vous *Sì. Ma solo se riesco a superare questo esame. È uno dei più difficili.*

Mamma Mais pourquoi te fais-tu tant de souci ?

Vous *Perché questa volta non sono sicura di me.*

Mamma Ne t'inquiète pas ! Tout ira parfaitement, tu verras.

Chapitre 24

Dialogues

1 a V. b (Se n'è accorta) quando è uscita dal duomo **2 a V. b** È nata a Lugano nel '70. **3a V. b** di usare il suo telefono; di aiutarla a cercare il numero telefonico del suo medico. **4a V. b** Ha telefonato al pronto soccorso. **5a** La macchina è della signora. **b** No. Gli ha chiesto di controllare (solo) l'olio e l'acqua.

Exercices

1 a Lavatevi le mani! **b** Aspettate qui! **c** Venite a tavola! **d** Sedetevi! **e** Non gridate! **f** Non fate troppo rumore! **g** Non toccate i fiori sulla tavola! **h** Bevete piano piano! **i** Non parlate con la bocca piena! **2 i-i ii-f iii-a iv-c v-b vi-e vii-d viii-g ix-h.** **3 a** ...Glieli faccio io. **b** ...Glielo compro io. **c** ...Gliell cambio io. **d** ...Glieli riporto io. **e** ...Gliela imbuco io. **f** ...Glielo prendo io. **g** ...Gliele chiudo io. **4 a** È sua. **b** È suo. **c** È mio. **d** Sono suoi. **e** Sono miei. **f** Sono sue. **g** Sono suoi. **h** Sono mie. **5 b** È suo quest'ombrello? **d** Sono suoi questi occhiali? **f** Sono sue quelle chiavi? **g** Sono suoi quei giornali?

6 *Vous* — *Ho perso la patente di guida e non so (che) cosa fare.*

Signorina — Savez-vous où vous l'avez perdu ?

Vous — *Non ne sono certo. Forse l'ho lasciata in macchina. Durante la notte qualcuno è entrato nella mia auto e ha preso tutto.*

Signorina — Ne vous inquiétez pas ! Il y a de bonnes chances pour que nous le retrouvions, parce que d'habitude ils l'envoient à la Questura.

Vous — *Che cos'è la Questura?*

Signorina — C'est le commissariat central. Allez y déclarer la perte.

Vous — *E sa dov'è, per cortesia?*

Signorina — Bien sûr. Il est Via Mazzini.

Vous — *Grazie. Intanto come faccio senza patente?*

Signorina — Pour le moment, vous pouvez utiliser une copie de la déclaration comme document officiel.

7 Il 113.

Chapitre 25

Dialogues

1 a V. **b** È di Milano ed il giornale che di solito legge è Il Corriere della Sera. **2 a** V. **b** No. Escono ogni settimana. **3 a** V. **b** Secondo lui ci dovrebbero essere più documentari. **4 a** Ezio non è d'accordo col suo amico sui programmi televisivi. **b** Vorrebbe abolire le televisioni private.

Exercices

1 a La berrei ... **b** Li mangerei... **c** Lo metterei ... **d** Le prenderei ... **e** L'ascolterei ... **f** Lo guarderei ... **2 a** Ada vivrebbe in città. Comprerebbe un piccolo appartamento. Andrebbe ogni sera a ballare. Imparerebbe a guidare. **b** Vivrei al mare. Comprerei una villa. Andrei spesso a nuotare. Imparerei a suonare la chitarra. **c** I signori Miele vivrebbero in montagna. Comprerebbero una casetta. Andrebbero ogni tanto a sciare. Imparerebbero a dipingere. **3 i-g ii-h iii-d iv-f v-a vi-b vii-e viii-c**.
4 a Te le porterei io... **b** Te la porterei io... **c** Te la farei io... **d** Te lo pulirei io... **e** Te li cambierei io... **f** Te la farei io... **g** Te la imbucherei io...

5

Vous	*Ciao Renata! Puoi venire alla mia festa stasera?*
Renata	Je voudrais bien, mais je suis très occupée en ce moment.
Vous	*Ma cos'hai di così importante da fare?*
Renata	Je dois ranger la maison, je dois faire la lessive, je suis seule et je dois penser à tout.
Vous	*E non potresti fare tutte queste cose in un altro momento?*
Renata	Oui, je pourrais, seulement mes parents rentrent aujourd'hui de vacances à l'étranger.
Vous	*Ma non dovevano ritornare la settimana prossima?*
Renata	Si, effectivement, ils auraient voulu rester encore cinq ou six jours, mais ma tante a eu un bébé, alors ils ont décidé de rentrer avant.
Vous	*A che ora arriveranno?*
Renata	Ils devraient être à l'aéroport à six heures, et j'irai les chercher moi-même en voiture.
Vous	*Comunque, se cambi idea, puoi sempre farmelo sapere. Chiamami quando vuoi.*
Renata	Merci. Si je peux, je viendrai volontiers, même si ce n'est que pour te dire bonjour.

6 a RAI: Radio Televisione Italiana. **b** La Stampa, La Repubblica e (il) Corriere della Sera.

Lorsqu'il y a plusieurs réponses possibles, elles sont séparées par une barre oblique : un gelato/un caffè. Les mots donnés entre parenthèses sont facultatifs.

Test d'auto-évaluation I (Chapitres 1–6)

1a Scusi! **b** Buongiorno, come sta? **c i** Una birra, per piacere/per favore. **ii** Un gelato, per piacere/per favore. **d** Dove sono i negozi? **e** Cosa prende? **f** (Prendo) un caffè. **2a i** Come si chiama? **ii** Come ti chiami? **b i** (Che) cosa fa? **ii** (Che) cosa fai? **c** Sono sposato/sposata ou Non sono sposato/sposata. **d** Arrivederci, professore. **3a** Parla anche spagnolo, vero? **b** La biblioteca è a sinistra. **c** A che piano abita la signora Verdi? **d** Che giorno parte per Parigi? **e** Vorrei usare le lingue che conosco. **f** Deve prendere l'autobus davanti all'università. **4a** ...davanti al cinema. **b** ...prima delle otto. **c** ...prima dell'una. **d** ...alla prossima... **e** ...allo sportello... **f** ...alle dieci. **5a** posta **b** sciopero **c** saldi **d** granita **6a** (Vorrei) un biglietto per Venezia. **b** A che ora parte il prossimo treno? **c** A che ora arriva a Venezia? **d** È in orario? **7** Vorrei un paio di scarpe nere, una maglietta bianca e un paio di jeans. Quant'è (in tutto)? **8a** Sono nato/nata a... **b** Ho ... anni. **c** Lavoro/sono studente/studentessa/sono disoccupato/disoccupata. **d** Come si dice in italiano?
9 Prego!

Test d'auto-évaluation II (Chapitres 7–12)

1a Ho il passaporto. **b** Che bella casa! **c** Non importa/non fa niente. **d** Ho fame. **2a** C'è un buon ristorante qui vicino? **b** (Scusi,) sono occupati questi posti? **c** Abitano al centro? **d** Giocano a tennis? **3a** Vorrei una camera con doccia, pensione completa, dal quattro al quattordici novembre. **b** Il ristorante è aperto?/È aperto il ristorante? **c** (Che) cosa c'è da mangiare? **d** Dov'è il telefono? **e** C'è il dottor Cortese? **f** Posso lasciare un messaggio? **4a** ...fare... **b** Vengono... **c** ... danno... **d** ...ho... **e** ...posso... **f** ...finisco... **5a** del formaggio, delle uova, del prosciutto. **b** quattro etti di formaggio, sei uova, un etto di prosciutto. **6** Non puoi andare al ristorante 'La Torinese' perché è chiuso il mercoledì, e non puoi andare al ristorante 'La Bella Napoli' perché è aperto solo la sera. **7** Le piace l'insalata, (ma) non le piacciono i fagiolini; gli piace la pasta (ma) non gli piacciono i funghi. **8a** Ce n'è una. **b** Ce n'è uno. **c** Ce n'è una. **d** Ce ne sono tre.

Test d'auto-évaluation III (Chapitres 13–18)

1a Che sport fa? **b** Come si fa per andare all'università?/Sa dov'è l'università? **c** (Che) cos'hai fatto oggi? **d** Sei mai stato/a a Pisa? **e** Ho già mangiato. **f** Non ho ancora pagato. **g** C'incontriamo più tardi. **2a** col **b** alla **c** dal **d** della **e** dei **f** dal **3** ho dormito – ho fatto – ho preso – ho comprato – ho speso – sono tornata – ho risposto – ho scritto – sono uscita – ho incontrato – siamo andati – abbiamo bevuto e (abbiamo) mangiato – siamo andati – abbiamo visto – l'abbiamo salutato – abbiamo fatto – siamo tornati. **4** Cerco un appartamento ... Due bastano/due sono abbastanza ... Veramente lo preferisco vicino al mare ... Mi piace nuotare ... Non mi piacciono le piscine/le piscine non mi piacciono ... Mi piace solo il mare. **5a** L'ho già venduta. **b** Li ho già cambiati. **c** Le ho già comprate. **d** L'ho già vista. **e** L'ho già scritta. **f** Li ho già fatti. **6a** conosco... **b** sai... **c** conosci... **d** può...

Test d'auto-évaluation IV (Chapitres 19–25)

1a Non si preoccupi! **b** Si sieda qui!/Si accomodi qui! **c** Scusami del ritardo! **d** Sta' attento! **e** Mi aiuti! (Per piacere) **f** Mi sono divertito/a molto. **2** italiana – po' – teatro – ristorante – Roma – sinistra – Firenze – tutta. **3a** ...te lo **b** te lo **c** Me l' **d** Glielo **e** Me l' **f** Ce li **g** Me le **4a** Telefonerà **b** se sarà **c** Prenoterà **d** Cambieranno **e** Faranno **f** Controlleranno **g** Saluteranno **5a** Parlava solo italiano. **b** Non si annoiava mai. **c** Non era mai stanco. **d** Aveva molti amici. **e** Li vedeva ogni giorno in/nella piazza. **f** Lavorava dalle sette all'una. **g** Andava alla spiaggia ogni domenica/tutte le domeniche. **h** Vedeva spesso la sua famiglia. **6a** Vorrei **b** Potresti **c** Mangerei **d** Andrei **e** diresti **f** Ti divertiresti...

adjectif L'adjectif a pour rôle de donner des précisions sur le nom qu'il accompagne : La *nouvelle* maison est *confortable*. **La casa *nuova* è *comoda*.** Cette année les prix sont *élevés*. **Quest'anno i prezzi sono *alti*.**

adverbe L'adverbe sert généralement à préciser le verbe : Tu le trouveras *certainement*. **Lo troverai *certamente*.** J'y vais *régulièrement*. **Ci vado *regolarmente*.** Il peut également apporter des précisions sur un adjectif : C'est un film *vraiment* magnifique. **È un film *veramente* bello.** En français, les adverbes se terminent souvent en **-ment**. L'équivalent italien est **-mente**.

article Il y a deux sortes d'articles : l'article défini et l'article indéfini. En français, les articles définis sont *le, la, l', les* et en italien **il/lo/la/l'/i/gli/le**. L'équivalent italien de l'article indéfini français *un, une* est **un/uno/una/ un'**.

complément d'objet direct/indirect, *voir* **objet**

genre *voir* **masculin/féminin**

impératif L'impératif est la forme verbale qui sert à donner des ordres ou des instructions : *Signez* ici ! ***Firmi* qui!** *Tournez* à droite ! ***Giri* a destra!** *Tais*-toi ! ***Stai* zitto!**

infinitif L'infinitif est la forme de base du verbe, celle que l'on trouve dans les dictionnaires. En français, les infinitifs sont classés en trois groupes selon leur terminaison (*-er, -ir, -re*) ; en italien, les terminaisons possibles sont **-are**, **-ere** ou **-ire** : *parler* **parlare**, *voir* **vedere**, *finir* **finire**.

intransitif (verbe) Les verbes qui ne peuvent pas être suivis d'un complément d'objet direct et qui doivent donc être séparés du complément par une préposition, sont dits *intransitifs*. Leur passé composé est généralement formé avec **essere** : Maria est allée *au* marché. **Maria è andata *al* mercato.** Elle n'est pas restée *à la* maison. **Non è rimasta *a* casa.**

irrégulier (verbe) L'italien, tout comme le français, possède un certain nombre de verbes qui ne se conjuguent pas selon le modèle habituel. On peut citer, parmi les verbes irréguliers italiens les plus courants, *aller* **andare**, *avoir* **avere** et *être* **essere**, mais il y en a évidemment bien d'autres.

masculin/féminin Bien que le principe du genre des noms soit le même en italien et en français, certains noms qui sont masculins en français ont un équivalent italien féminin (*le lave-vaisselle* ***la* lavastoviglie**) et vice versa (*une paire* ***un* paio**). D'autre part, certains mots italiens ont un genre inattendu par rapport à leur terminaison : ***il* problema, *la* mano**. La meilleure façon de ne pas se tromper est d'apprendre ces quelques mots et leur genre par cœur.

nom Les noms (ou *substantifs*) sont des mots tels que *porte* **porta** ou *pain* **pane**. Pour savoir si vous avez affaire à un nom, posez-vous la question : peut-on faire précéder ce mot de l'article défini ? Si oui, il s'agit bien d'un nom : *la* porte ***la* porta**, *le* pain ***il* pane**.

objet direct/indirect Le terme « objet » ou « complément d'objet » désigne la personne ou la chose sur laquelle s'exerce l'action exprimée par le verbe. Par exemple, « le patient » est l'objet sur lequel s'exerce l'action d'examiner dans la phrase : Le médecin a examiné *le patient*. **Il medico ha visitato *il malato***. *Le patient* est donc le complément d'objet du verbe *examiner*. Dans la phrase Ma mère a offert à *ma femme une bague très coûteuse* **Mia madre ha regalato a *mia moglie un anello molto caro***, le groupe de mots *une bague très coûteuse* est le complément d'objet direct du verbe *offrir* car la bague est la chose que ma mère a effectivement offerte, tandis que le groupe de mots *ma femme* est le complément d'objet indirect, *ma femme* étant la bénéficiaire du cadeau. Voir aussi **sujet**.

pluriel voir **singulier**

possessif Des mots tels que *mon, le mien* **il mio**, *ton, le tien* **il tuo**, *son, le sien* **il suo**, *notre, le nôtre* **il nostro ecc.** sont des possessifs.

préposition On appelle prépositions les mots tels que *dans* **in**, *sur* **su**, *entre* **fra**, *pour* **per**. Les prépositions servent souvent à décrire la position d'un objet ou d'une personne. Elles sont en règle générale suivies d'un nom ou d'un pronom : Le consulat est *entre* la banque et l'église. **Il consolato è *fra* la banca e la chiesa.** Ce cadeau est *pour* toi. **Questo regalo è *per* te.**

pronom Les pronoms ont un rôle proche de celui des noms. Ils remplacent souvent un nom qui a déjà été mentionné. Lorsqu'un pronom se rapporte à une ou plusieurs personnes, on dit qu'il s'agit d'un *pronom personnel*.

	singulier	pluriel
1ère personne 2ème personne 3ème personne	**io** *je* **tu, lei** *tu, vous* (vouvoiement singulier) **lui, lei** *il, elle*	**noi** *nous* **voi** vous **loro** ils, elles

pronom réfléchi Un pronom réfléchi est un mot tel que *me* **mi**, *te* **ti**, *se* **si**, *nous* **ci**, qui représente en tant que complément la personne qui est le sujet du verbe : je *me* lave ***mi* lavo** ; tu *t*'es trompé ***ti* sei sbagliato**.

singulier Les mots *singulier* et *pluriel* s'emploient pour marquer le contraste entre « un » et « plus d'un » : *marché/marchés* **mercato/mercati.**

sujet Le mot *sujet* sert à décrire une certaine relation entre le nom et le verbe. Par exemple, dans la phrase *Le médecin* a examiné le patient ***Il medico*** **ha visitato il paziente**, le médecin est la personne qui pratique l'examen : on dit qu'il est le sujet du verbe *examiner*.

temps Pour traduire les différents aspects du temps qui s'écoule, la plupart des langues modifient la forme des verbes. On appelle ces modifications temps verbaux ; il existe trois temps principaux : le *présent*, le *passé* et le *futur*.

Présent *Aujourd'hui je suis* très occupé. **Oggi *sono* molto occupato.**

Passé *Hier j'ai travaillé* jusqu'à minuit. **Ieri *ho lavorato* fino a mezzanotte.**

Futur *Demain je ne ferai* rien. **Domani non *farò* niente.**

verbe Les verbes servent le plus souvent à décrire une action, un état ou une sensation : action : *jouer* **giocare** ; état : *exister* **esistere** ; sensation : *entendre, (res)sentir* **sentire**.

verbe réfléchi Lorsque le sujet et l'objet d'un verbe sont les mêmes, on dit que le verbe est *réfléchi* : *Je me suis lavé* avant de sortir. ***Mi sono lavato*** **prima di uscire.** *Nous nous sommes* bien *amusés*. ***Ci siamo divertiti*** **molto.**

Pour les nombres, les jours de la semaine, les mois et les saisons, reportez-vous à l'*Index* p. 354. Sauf indication contraire (m. ou f.), les noms se terminant en **-o** sont masculins et les noms se terminant en **-a** sont féminins. Autres abréviations : adj. = adjectif ; irr. = irrégulier ; pl. = pluriel ; p.p. = participe passé ; s. = singulier. Les accents toniques irréguliers ou inattendus sont indiqués par un soulignage : **accendere**.

a *à, dans, sur*
abbastanza *assez*
abbigliamento *habillement*
abbonato/a *abonné(e)*
abbracciare *serrer dans ses bras*
abbraccio *étreinte*
abitante (m. *ou* f.) *habitant(e)*
abitare *habiter*
abituato/a *habitué(e)*
abolire *abolir*
accanto a *à côté de*
accendere (p.p. acceso) *allumer*
accendino *briquet*
acceso *p.p. de* accendere
accettare *accepter*
acciuga *anchois*
accomodarsi *s'asseoir* ; si accomodi! *asseyez-vous !*
accompagnare *accompagner*
accordo: essere d'accordo *être d'accord*
accorgersi (p.p. accorto) *s'apercevoir*
aceto *vinaigre*
acqua *eau* ; – gasata *eau gazeuse* ; – minerale *eau minérale* ; – naturale *eau plate*
acquaio *évier*
acquistare *acheter*
ad *voir* à
adesso *maintenant*
aereo *avion*
aeroporto *aéroport*
affare (m.) : gli affari *les affaires*
affatto (non) *pas du tout*
affettuoso/a *affectueux(euse)*
affittare *louer*
affitto *loyer*
agenda *agenda*
agenzia di viaggi *agence de voyages*
agenzia immobiliare *agence immobilière*
agitarsi *s'inquiéter, s'agiter*
agli = a + gli
aglio *ail*
agnello *agneau*
ai = a + i
aiutare *aider*
aiuto *aide*
al = a + il
albergo *hôtel*
albero *arbre*
alcuni/e *quelques, certains*
all' = a + l'
alla = a + la
alle = a + le
allo = a + lo
alloggio *logement*
allora *alors*

alto/a *grand(e)*
altrettanto : grazie, –! *merci, à vous aussi !*
altrimenti *autrement*
altro ieri (l') *avant-hier*
altro/a *autre* ; senz'altro *certainement, sans faute* ; altro? *autre chose ?* ; un altro po'? *encore un peu ?*
altrochè! *et comment !*
alzare la voce *parler plus fort*
alzarsi *se lever*
amaro/a *amer(ère)*
ambulanza *ambulance*
americano/a *américain(e)*
amico/a *ami(e)*
ammalato/a *malade*
ammobiliato/a *meublé(e)*
anche *aussi* ; anch'io *moi aussi*
ancora *encore*
andare (irr.) *aller* ; – d'accordo *s'entendre* ; – in giro *se promener*
andarsene (irr.) *s'en aller*
anello *bague*
angolo *angle, coin*
animale (m.) *animal*
anno *année, an*
annoiarsi *s'ennuyer*
anticipo *avance, caution, arrhes* ; in – *en avance*
antico/a *ancien(enne)*
antipasto *hors-d'œuvre*
anzi *et même, au contraire*
aperto/a *ouvert(e)* ; all'aperto *en plein air*
appartamento *appartement*
appena *à peine*
appetito *appétit*
approvare *approuver*
appuntamento *rendez-vous*
aprire (p.p. aperto) *ouvrir*
apriscatole (m.) *ouvre-boîtes*
aranciata *orangeade*
architetto *architecte*
argento *argent*
armadio *armoire*
arrivare *arriver*
arrivederci, arrivederla *au revoir*
arrivo *arrivée*
arrosto *rôti*
arte (f.) *art* ; – culinaria *cuisine*
artista (m. *ou* f.) *artiste*
ascensore (m.) *ascenseur*
asciugamano *serviette*
asciugarsi *se sécher, s'essuyer*
ascoltare *écouter*
aspettare *attendre*
aspettarsi *s'attendre à*
aspirapolvere (m.) *aspirateur*
aspirina *aspirine*
assaggiare *goûter*
assegno *chèque*
attendere (p.p. atteso) *attendre* ; – in linea *ne pas quitter*
attenzione! *attention !*
attento/a *attentif(ive)*
attimo *instant*
attività *activité*
attraversare *traverser*
attraverso *à travers, par (le biais de)*
attuale *actuel(elle)*
attualmente *actuellement*
auguri (m. pl) *vœux*
aumento *augmentation*
australiano/a *australien(enne)*
auto (f.) *voiture*
autoambulanza *ambulance*
autobus (m.) *bus, autobus*
autostrada *autoroute*
avanti! *avance(z) !, entre(z) !*
avere (irr.) *avoir*

avvicinarsi *s'approcher*
avvocato *avocat(e)*
azienda *entreprise*
azienda agricola *grosse exploitation agricole*
azzurro/a *bleu(e)*

baciare *embrasser*
bacio *baiser*
bacione (m.) *gros baiser*
bagagli (m. pl.) *bagages* ; un bagaglio *un bagage* ; fare i – *faire ses bagages*
bagnato/a *trempé(e)*
bagno *bain, salle de bains* ; fare il – *prendre un bain, se baigner*
balcone (m.) *balcon*
ballare *danser*
bambino/a *enfant, bébé, petit garçon/petite fille*
banana *banane*
banca *banque*
bancario/a *bancaire*
bar (m.) *bar, café*
basta *assez* ; – così *ça suffit*
be' *eh bien*
beato/a *chanceux(euse)* ; beata lei! *vous avez bien de la chance !*
beh *eh bien*
bei *voir* bello/a
bel *voir* bello/a ; – tempo *beau temps*
Belgio *Belgique*
bellino/a *mignon(onne)*
bello/a *beau/belle, bon/bonne*
bene *bien*
benissimo! *parfait !, formidable !, très bien !*
benzina *essence* ; – verde *essence sans plomb*
benzinaio *pompiste*
bere (irr.; p.p. bevuto) *boire* ; qualcosa da – *quelque chose à boire*
bevuto/a *voir* bere
bianco/a *blanc/blanche*
biblioteca *bibliothèque*
bicchiere (m.) *verre*
bicchierino *petit verre*
bicicletta *vélo, bicyclette*
bidè (m.) *bidet*
biglietteria *billetterie*
biglietto *billet (de banque), ticket* ; – d'auguri *carte de vœux* ; faire il – *acheter un billet*
binario *quai*
birra *bière*
biscotto *biscuit*
bisognare *falloir*
bisogno : aver – di *avoir besoin de*
bistecca *steak, bifteck*
blu *bleu marine*
bocca *bouche*
boh! *je ne sais pas !*
bollente *bouillant(e)*
borsa *sac (à main)*
bosco *bois*
bottiglia *bouteille*
box (m.) *garage*
bracciale (m.) *bracelet*
braccio *bras*
bravo/a *bon/bonne, sage, doué(e)*
breve *bref/brève*
brutto tempo *mauvais temps*
buca delle lettere *boîte aux lettres*
buonanotte *bonne nuit*
buonasera *bonsoir*
buongiorno *bonjour*
buon = buono
buono/a *bon/bonne*
burro *beurre*
busta *enveloppe*

c'è *il y a, il/elle est là*
cadere *tomber*
caffè (m.) *café*
calamari (m. pl.) *calamars*
calcio *foot(ball)*
caldo/a *chaud(e)* ; fa caldo *il fait chaud*
calendario *calendrier*
calmarsi *se calmer*
calzino *chaussette*
cambiamento *changement*
cambiare *changer* ; – discorso *changer de sujet* ; – idea *changer d'avis*
cambiarsi *se changer*
cambio *(taux de) change*
camera (da letto) *chambre (à coucher)*
cameriera *serveuse*
cameriere (m.) *serveur*
camicetta *chemisier*
camicia *chemise*
camminare *marcher*
campagna *campagne*
campanello *sonnette*
campeggio *camping*
campo da tennis *court de tennis*
candelina *petite bougie*
cane (m.) *chien*
canzone (f.) *chanson*
capire *comprendre* ; ho capito *je comprends*
capolinea (m.) *terminus*
cappello *chapeau*
cappotto *manteau*
capsula *gélule*
carattere (m.) *caractère*
caratteristico/a *caractéristique*
carciofo *artichaut*
cariato/a *carié(e)*
carino/a *mignon(onne)*
carne (f.) *viande*
caro/a *cher/chère, chéri(e)*
carriera *carrière*
carta *papier, carte* ; alla – *à la carte* ; – bollata *papier timbré* ; – di credito *carte de crédit* ; – di identità *carte d'identité*
carte (f. pl) *cartes à jouer*
cartolina *carte postale*
casa *maison*
casetta *petite maison, maisonnette*
caso *hasard* ; per – *par hasard*
cassetta *cassette*
cassetto *tiroir*
cassiera *caissière*
cassiere (m.) *caissier*
castello *château*
catalogo *catalogue*
cattedrale (f.) *cathédrale*
cattivo tempo *mauvais temps*
celeste *bleu ciel*
cellulare (m.) *(téléphone) portable*
cena *dîner*
cenare *dîner*
cento *cent* ; per – *pour cent*
centrale *central(e)*
centralinista (m. *ou* f.) *standardiste*
centralino *standard*
centro *centre* ; – storico *vieille ville* ; – città *centre-ville*
cercare *chercher*
certamente, certo *certainement*
certo/a *certain(e)*
che *que, qui* ; che? *que ?, qu'est-ce que ?* ; – cos'è? *qu'est-ce que c'est ?* ; – cosa? *que ?, qu'est-ce que ?* ; – ora/ore...? *quelle heure... ?*
chi *qui* ; – si vede! *ça alors !, quelle surprise !*
chiacchierare *bavarder*
chiamare *appeler*
chiamarsi *s'appeler*
chiaro/a *clair(e)*

chiave (f.) *clé, clef*
chiedere (p.p. chiesto) *demander*
chiesa *église*
chiesto *voir* chiedere
chilo *kilo*
chitarra *guitare*
chitarrista (m. *ou* f.) *guitariste*
chiudere (p.p. chiuso) *fermer*
chiuso/a *fermé(e)*
chiusura *fermeture*
ci *y* ; *nous* ; – vediamo! *à la prochaine !* ; – vuole, – vogliono *il faut*
ciao! *bonjour !, salut !, au revoir !*
cin cin! *tchin tchin !*
cinema (m.) *cinéma*
cinese *chinois(e)*
ciò che *ce qui, ce que*
cioccolatino *chocolat*
cioccolato *chocolat*
cioè *c'est-à-dire (que)*
cipolla *oignon*
circa *environ*
citofono *interphone*
città *ville*
civico/a *municipal, civique*
classe (f.) *classe*
classico/a *classique*
cliente (m. *ou* f.) *client(e)*
cognome (m.) *nom de famille*
colazione (f.) *petit déjeuner* ; far – *prendre son petit déjeuner*
collega (m. *ou* f) *collègue*
colloquio *entretien*
colore (m.) *couleur*
coltello *couteau*
come *comme* ; come? *comment ?, pardon ?* ; – no! *bien sûr !* ; – si dice in italiano? *comment est-ce que ça se dit en italien ?* ; – sta/stai? *comment allez-vous/vas-tu ?*
cominciare a *commencer à*
commerciale *commercial(e)*
commesso/a *vendeur(euse)*
commissariato *commissariat*
comodino *table de chevet*
comodità *confort*
comodo/a *confortable*
compleanno *anniversaire*
completo/a *complet(ète)*
complimenti : far(e) – *faire des facons, faire des manieres*
complimenti! *félicitations !* ; senza – ! *sans façons !, ne faites pas de façons !*
comprare *acheter*
compreso/a *compris(e)*
compressa *comprimé, cachet*
comunicazione (f.) *communication*
comunità *communauté*
comunque *de toute façon, mais*
con *avec*
concerto *concert*
condire *assaisonner*
conferenza *conférence*
confortevole *confortable*
confronto *comparaison* ; in – a *comparé à, par rapport à*
congelatore (m.) *congélateur*
conoscere *connaître*
conseguire *obtenir*
conservare *garder, conserver*
consigliare *conseiller*
consolato *consulat*
consultare *consulter*
consumare *consommer*
contabilità *comptabilité*
contattare *contacter*
contatto *contact* ; mettersi in – *contacter*
contento/a *content(e)*

continuare a *continuer à*
conto: per – mio *tout(e) seul(e), à mon compte*
conto *addition* ; fare il – *faire l'addition*
contorno *garniture, accompagnement*
contratto *contrat*
controllare *contrôler*
conveniente *avantageux(euse)*
convento *couvent*
conversazione (f.) *conversation*
coperta *couverture*
coperto *couvert*
coppa di gamberetti *cocktail de crevettes*
coprire (p.p. coperto) *couvrir*
correre (p.p. corso) *courir*
corrispondenza *correspondance*
corsa *course*
corso *voir* correre
corso *cours, avenue*
cortesia : per – *s'il vous/te plaît*
cortile (m.) *cour*
corto/a *court(e)*
cosa *chose* ; – da niente *rien* ; – sono? *qu'est-ce que c'est ?* ; che –? *quoi ?*
cos'è? *qu'est-ce que c'est ?*
così *ainsi, comme ça* ; basta – *ça suffit*
costare *coûter*
costruire *construire*
costruzione (f.) *construction*
costume (m.) (da bagno) *maillot de bain*
cotoletta *côtelette*
cotone (m.) *coton*
cotto/a (*voir* cuocere) *cuit(e)*
cottura *temps de cuisson*
cravatta *cravate*
creare *créer*
credere *croire*
crisantemo *chrysanthème*
cristallo *cristal*
crudo/a *cru(e)*
cucchiaino *cuiller à café, petite cuiller*
cucchiaio *cuiller*
cucina *cuisine*
cucinare *faire la cuisine, cuisiner*
cugino/a *cousin(e)*
cui *qui, lequel, laquelle* ; il/la – *dont*
culturale *culturel(elle)*
cuocere *cuire*
cuoio *cuir*

da *de, chez, à, par, depuis*
dappertutto *partout*
dare *donner* ; – su *donner sur*
data *date*
datore (m.) di lavoro *employeur*
davanti a *devant*
decimo/a *dixième*
dei = di + i
della = di + la
dente (m.) *dent* ; al – *al dente, ferme*
dentifricio *dentifrice*
dentista (m. *ou* f.) *dentiste*
dentro *à l'intérieur, dedans, dans*
denuncia *déclaration*
deposito *dépôt, caution*
desidera? *vous désirez ?*
desiderare *désirer*
destro/a *droit(e)* ; a destra *à droite*
detto *voir* dire
devo *voir* dovere
dialogo *dialogue*
diamoci del tu (*de* dare) *on se tutoie*
diapositiva *diapositive*
dica! (*de* dire) *dites-moi !*
dietro *derrière*
differenza *différence*
difficile *difficile*
diffuso/a *répandu(e), de grande diffusion*

dilettante (m. *ou* f.) *amateur(trice)*
dipendere *dépendre*
dipingere (p.p. dipinto) *peindre*
diploma (m.) *diplôme*
dire (irr ; p.p. detto) *dire*
diretto/a *direct(e)*
direttore (m.) *directeur*
direttrice (f.) *directrice*
dirigente (m. *ou* f.) *dirigeant(e)*
disco *disque, CD*
discoteca *discothèque*
discretamente *assez bien*
disegnare *dessiner*
disoccupato/a *au chômage, sans emploi*
distinto/a *distingué(e), distinct(e)*
distrarsi (p.p. distratto) *se distraire, se changer les idées*
disturbare *déranger, ennuyer*
disturbo *dérangement* ; – allo stomaco *maux d'estomac*
dito *doigt*
ditta *entreprise*
divano *canapé*
diventare *devenir*
diversi/e (pl.) *plusieurs*
diverso/a *différent(e)*
divertimento *amusement*
divertire *amuser*
divertirsi *s'amuser*
dizionario *dictionnaire*
do *voir* dare
doccia *douche*
documentario *documentaire*
documento *document*
dolce (m.) *dessert*
dolci (pl.) *sucreries*
dollaro *dollar*
domanda : fare una – *poser une question*
domani *demain*
domenica *dimanche*
domestico/a *domestique*
donna *femme*
dopo *après*
dopodomani *après-demain*
doppio/a *double*
dormire *dormir*
dottore (dott.) (m.) *docteur*
dottoressa (dott.ssa) *docteur (femme)*
dov'è? *où est(-il/elle) ?*
dove *où* ; – di dov'è?, di dove sono? *d'où êtes-vous ?*
dovere (irr.) *devoir*
dunque *où en étais-je ?, donc, alors, voyons*
duomo *cathédrale*
durante *pendant*
durare *durer*
duro/a *dur(e)*

è *est, c'est, vous êtes, etc.*
e *et*
ecc. *etc.*
eccetto *sauf*
eccezione (f.) *exception*
ecco! *voilà !* ; *regarde(z) !* ; – fatto! *voilà !*
economico/a *économique*
ed *et*
edicola *kiosque à journaux*
edificio *bâtiment*
effettivamente *effectivement, en fait*
elegante *élégant(e)*
elettricista (m. *ou* f.) *électricien(enne)*
elettrodomestici (m. pl.) *appareils ménagers*
entrare *entrer*
entrata *entrée*
entro *avant, d'ici*

ero *voir* essere
esame (m.) *examen*
esaminare *examiner*
esatto/a *exact(e), exactement*
esco *voir* uscire
esempio *exemple*
esistere (p.p. esistito) *exister*
esperienza *expérience*
esportare *exporter*
esposizione (f.) *exposition*
espressione (f.) *expression*
espresso *express (train, café)*
essere (irr.) *être*
esterno/a *externe*
estero *étranger* ; all'– *à l'étranger*
età *âge*
etto *cent grammes*
europeo/a *européen(enne)*
evidente *évident(e)*

fabbrica *usine, fabrique*
facile *facile*
fagiolino *haricot vert*
fai (*de* fare) *tu fais*
falso/a *faux/fausse*
fame (f.) *faim* ; aver – *avoir faim*
famiglia *famille*
fare (irr ; p.p. fatto) *faire*
farmacia *pharmacie*
farmacista (m. *ou* f.) *pharmacien(enne)*
fastidio *gêne, ennui* ; dare – *embêter, ennuyer*
fatto *voir* fare
favore (m.) *service, faveur* ; per – *s'il te/vous plaît*
fazzoletto *mouchoir*
febbre (f.) *fièvre*
felicità *bonheur*
ferie (f. pl.) *vacances*
fermarsi *s'arrêter, séjourner, rester*
fermata *arrêt (d'autobus)*
ferragosto *15 août*
ferri: ai ferri *grillé(e)*
ferrovia *chemin de fer*
Ferrovie dello Stato *compagnie nationale des chemins de fer*
festa *fête*
fetta *tranche*
fiammifero *allumette*
fidanzato/a *fiancé(e)*
figli *enfants*
figlio/a *fils/fille*
figurarsi *se figurer, imaginer*
figuri: si – ! *pas du tout !*
fila *queue, file* ; fare la – *faire la queue*
film (m.) *film*
finanziario/a *financier(ère)*
finché (non) *jusqu'à ce que, tant que*
fine (f.) *fin*
finestra *fenêtre*
finire *finir*
fino a *jusqu'à*
fioraio/a *fleuriste*
fiore (m.) *fleur*
Firenze (f.) *Florence*
firma *signature*
firmare *signer*
fisica *physique*
fisso/a *fixe*
fiume (m.) *rivière, fleuve*
foglio *feuille*
fondo: là in – *là-bas*
fontana *fontaine*
forchetta *fourchette*
formaggio *fromage*
forno *four* ; al – *au four*
forte *fort(e)*
fotografia *photographie*
fra *dans, entre, parmi* ; – poco *dans peu de temps*; – un'ora *dans une heure*

francese *français(e)*
Francia *France*
francobollo *timbre*
fratello *frère*
freddo/a *froid(e)*
frequentare *fréquenter, suivre*
fresco/a *frais/fraîche*
frigorifero *réfrigérateur*
fritto/a *frit(e)*
fronte: di – *en face*
frontemare (m.) *front de mer*
frutta *fruits*
fruttivendolo *marchand de fruits et légumes*
fuori *dehors*

gabinetti (m. pl.) *toilettes*
gamba *jambe*
garantire *garantir*
garanzia *garantie*
gasata *gazeuse (eau)*
gatto *chat*
gelateria *glacier*
gelato *glace*
generale *général(e)*
generalità (f. pl.) *identité (date de naissance, adresse, etc.)*
generi (m. pl.) alimentari *épicerie*
generoso/a *généreux(euse)*
genitore (m.) *parent*
Genova *Gênes*
gente (f.) *gens*
gentile *gentil(ille)*
Germania *Allemagne*
ghiaccio *glace*
già *déjà ; eh oui !*
giacca *veste*
giallo/a *jaune*
giapponese *japonais(e)*
giardino *jardin* ; – pubblico *jardin public*
ginocchio *genou*
giocare a *jouer à*
giornale (m.) *journal*
giornalista (m. *ou* f.) *journaliste*
giornata *journée* ; che bella –! *quelle belle journée !*
giorno *jour, journée*
gioventù (f.) *jeunesse*
girare *tourner*
giro: in – *en promenade*
giù *en bas*
gli *les, lui, leur*
glielo = gli + lo
gola *gorge*
gomma *pneu, caoutchouc*
gonna *jupe*
grammo *gramme*
gran *grand(e)* ; in – parte *en grande partie*
grande *grand(e)*
granita di caffè *café avec de la glace pilée*
granita di limone *granité au citron*
gratuito/a *gratuit(e)*
grave *grave, dans un état grave*
grazie (mille) *merci (beaucoup)*
greco/a *grec(que)*
gridare *crier*
grigio/a *gris(e)*
griglia: alla griglia *grillé(e)*
gruppo *groupe*
guadagnare *gagner*
guaio *problème, ennui* ; il – è *le problème, c'est* ; che –! *que c'est embêtant !*
guanto *gant*
guardare *regarder*
guasto/a *en panne*
guida (f.) *guide*
guidare *conduire*

ha, hai, hanno *voir* avere
ho (*de* avere) *j'ai* ; – capito (*de* capire) *je comprends, j'ai compris*

i (m. pl.) *les*
ideale *idéal(e)*
ieri *hier*
il (m. s.) *le*
imbucare *poster*
immaginare *imaginer*
immediato/a *immédiat(e)*
immigrato/a *immigré(e)*
imparare *apprendre*
impegnato/a *pris(e), occupé(e)*
impiegarsi *trouver un emploi*
impiegato/a *employé(e)*
impiego *emploi*
importa *c'est important* ; non – *ça n'a pas d'importance, ça ne fait rien*
importante *important(e)*
impossibile *impossible*
in *dans, à, en*
incidente (m.) *accident* ; – stradale *accident de la route*
incominciare a = cominciare a
incontrare *rencontrer*
incontrarsi *se rencontrer*
incrocio *croisement*
indietro *derrière*
indirizzo *adresse*
infatti *en effet*
infine *enfin*
influenza *influence, grippe*
informare *informer*
informatica *informatique*
informazione (f.) *information, renseignement*
ingegnere (m. *ou* f.) *ingénieur*
ingegneria *ingénierie*
Inghilterra *Angleterre*
inglese *anglais(e)*
ingrediente (m.) *ingrédient*
ingresso *entrée*
insalata *salade*
insegnante (m. *ou* f.) *enseignant(e)*
insegnare *enseigner, apprendre*
inserzione (f.) *(petite) annonce*
insieme *ensemble*
insolazione (f.) *insolation*
intanto *en attendant*
intelligente *intelligent(e)*
interessante *intéressant(e)*
interessare *intéresser*
interno *bâtiment (dans une adresse)*
intervista *interview*
intervistare *interviewer*
invece *mais, au lieu de, au contraire*
invitare *inviter*
io *je, moi*
iscriversi (p.p. iscritto) *s'inscrire*
istituto *institut*
Italia *Italie*
italiano/a *italien(enne)*

jeans (m. pl.) *jean*
jogging (m.) *jogging*

lagnarsi *se plaindre*
lago *lac*
lana *laine*
lasagne al forno *lasagnes*
lasciare *laisser*
latte (m.) *lait*
laurea *diplôme de fin d'études universitaires*
laurearsi *obtenir son diplôme de fin d'études universitaires*
laureato/a *diplômé(e)*
lavanderia *blanchisserie* ; – a secco *nettoyage à sec*

lavandino *lavabo*
lavare *laver*
lavarsi *se laver*
lavastoviglie (f.) *lave-vaisselle*
lavatrice (f.) *machine à laver*
lavorare *travailler*
lavoro *travail*
le (m. *ou* f.) *lui, vous (vouvoiement singulier)* ; le (f. pl.) *les*
legge (f.) *loi*
leggere (p.p. letto) *lire*
lei *elle, vous (vouvoiement singulier)*
lenzuolo (pl. lenzuola) *drap*
lettera *lettre*
letto *lit*
letto (*de* leggere)
lezione (f.) *leçon*
lì *là(-bas)*
libero/a *libre*
libreria *librairie, bibliothèque*
libro *livre*
licenziare *licencier*
liceo *lycée*
lieto/a *enchanté(e), ravi(e)*
limonata *citronnade*
limone (m.) *citron*
linea *ligne*
lingua *langue*
liquore (m.) *liqueur*
litro *litre*
lo *le*
locale (m.) *pièce* ; (adj.) *local(e)*
Londra *Londres*
lontano *loin* ; – da *loin de*
loro *ils, elles, eux, leur* ; il/la/i/le – *le/la leur, les leurs*
luce (f.) *lumière*
lui *il, lui*
lungo/a *long(ue)* ; lungo *le long de*

ma *mais*
macchè! *pas du tout !, oh non alors !*
macchina *voiture*
macedonia (di frutta) *macédoine de fruits*
macellaio *boucher*
macelleria *boucherie*
madre (f.) *mère*
magari *peut-être (que), si seulement je pouvais, je voudrais bien*
magazzino *magasin*
maglietta *tee-shirt, maillot de corps*
mai *jamais, déjà*
maiale (m.) *porc, cochon*
mal (m.) di denti *rage de dents*
mal (m.) di gola *mal de gorge*
mal (m.) di testa *maux de tête*
male *mal* ; non c'è – *pas mal* ; far(e) – *faire mal*
mamma *mère, maman*
mancia *pourboire*
mandare *envoyer*
mangiare *manger*
mano (f.) *main*
mantenere (irr.) *maintenir, entretenir*
manzo *bœuf*
marche (f. pl.) da bollo *timbres fiscaux*
mare (m.) *mer*
marinaro/a *de pêcheurs, de poisson*
marito *mari*
marmellata *confiture*
marrone *marron*
matematica *mathématiques*
matita *crayon*
matrimoniale: camera – *chambre à un grand lit*
mattina *matin, matinée*
maturità classica *équivalent du baccalauréat littéraire*
mazzo *bouquet*

me *me*
meccanico *mécanicien*
medicazione (f.) *pansement*
medicina *médecine, médicament*
medico *médecin*
meglio *(le) mieux, meilleur(e)*
mela *pomme*
melanzana *aubergine*
melone (m.) *melon*
meno *moins* ; – male *heureusement*
mentre *pendant que, alors que*
menù (m.) *menu*
mercato *marché*
merluzzo *morue*
mese (m.) *mois*
messaggio *message*
messicano/a *mexicain(e)*
metro *mètre, métro*
metropolitana *métro*
mettere (p.p. messo) *mettre*
mettersi *(se) mettre*
mezzanotte (f.) *minuit*
mezza pensione *demi-pension*
mezzi (m. pl.) *moyens* ; – di comunicazione (di massa) *médias*
mezzo/a *demi(e)*
mezzogiorno *midi*
mi *me* ; – dispiace *je suis désolé(e), je regrette*
mica: non ... – *pas du tout* ; non ... – ? *pas ... par hasard ?*
migliore *meilleur(e)*
mila *milliers*
milione (m.) *million*
mille *mille*
minerale *minéral(e)*
minestra *soupe*
minestrone (m.) *minestrone (soupe de légumes aux pâtes ou au riz)*
minicrociera *mini-croisière*
minuto *minute*
mio/a *mon, ma* ; il/la – *le/la mien(ne)*
misto/a *mixte*
mittente (m.) *expéditeur*
mobili (m. pl.) *meubles*
moderno/a *moderne*
modo *façon*
modulo *formulaire*
moglie (f.) *femme, épouse*
molti/e *beaucoup de*
molto *très, beaucoup*
molto/a *beaucoup de*
momento *moment*
mondo *monde*
monotono/a *monotone*
montagna *montagne*
monumento *monument*
morire irr. (p.p. morto) *mourir*
mortadella *mortadelle*
morto/a *mort(e)*
mostra *exposition*
mostrare *montrer*
municipio *mairie*
museo *musée*
musica *musique*
musicassetta *cassette*

Napoli (f.) *Naples*
naso *nez*
Natale (m.) *Noël*
nativo/a *natal(e), natif(ive)*
nato/a *né(e)*
natura *nature*
naturalmente *naturellement*
nazionale *national(e)*
nazionalità *nationalité* ; di che –? *de quelle nationalité ?*
né ... né *ni ... ni*
neanche *même pas, non plus*
necessario/a *nécessaire*

necessità *nécessité*
negozio *magasin*
nei = in + i
nell', nella, nei, negli, etc. *dans le/la/ l'/les*
nero/a *noir(e)*
nessuno/a *aucun(e), personne*
neve (f.) *neige*
nevicare *neiger*
niente *rien* ; non fa – *ça ne fait rien*
nipote (m. *ou* f.) *neveu/nièce, petit-fils/ petite-fille*
Nizza *Nice*
no *non* ; no, grazie *non, merci*
noi *nous*
nome (m.) *nom, prénom*
non *pas* ; – ... ancora *pas encore* ; – lo so *je ne sais pas* ; – ... proprio *ne ... pas du tout*
nonno/a *grand-père/grand-mère*
nono/a *neuvième*
nostalgia *nostalgie* ; sentire la – di *avoir la nostalgie de*
nostro/a *notre* ; il/la – *le/la nôtre*
notizia *nouvelle*
notte (f.) *nuit*
nulla *rien*
numero *numéro, pointure*
nuotare *nager*
nuoto *nage, natation*
nuovo/a *nouveau(elle), neuf/neuve*

o *ou*
obbligatorio/a *obligatoire*
occhiali (m. pl.) *lunettes*
occhiata *coup d'œil, regard*
occhio *œil*
occorrere (p.p. occorso) *falloir*
occuparsi di *s'occuper de*
occupato/a *occupé(e), pris(e)*
oddio! *mon Dieu !*
odore (m.) *odeur*
offrire *offrir*
oggetto *objet*
oggi *aujourd'hui*
ogni *chaque, tous les* ; – tanto *de temps en temps*
olimpico/a *Olympique*
olio *huile*
oliva *olive*
oltre a *en plus de, à part*
ombrello *parapluie*
ombrellone (m.) *parasol*
onomastico *fête*
operaio/a *ouvrier(ère)*
opinione (f.) *opinion*
oppure *ou (bien)*
ora *heure* ; *(adv.) maintenant*
orario *horaire* ; in – *à l'heure*
ordinare *commander*
ordine (m.) *ordre* ; mettere in – *ranger*
orecchio *oreille*
organizzare *organiser*
origine (f.) *origine*
oro *or* ; d'– *d'or, en or*
orologio *montre, horloge*
ospedale (m.) *hôpital*
ospitalità *hospitalité*
ospite (m. *ou* f.) *hôte*
ostello *auberge*
ottavo/a *huitième*
ottico *opticien*
ottimo/a *excellent(e)*

pacco *paquet, colis*
padre (m.) *père*
padrone (m.) *propriétaire, patron*
padrone/a di casa *propriétaire*
Paese (m.) *pays*
paese (m.) *village, petite ville*

pagare *payer*
paio *paire* ; un – di *deux (ou trois)*
palazzo *palais, immeuble*
pallone (m.) *ballon*
pane (m.) *pain*
panetteria *boulangerie*
panettiere (m.) *boulanger*
panino *sandwich*
pantaloni (m. pl.) *pantalon*
Papa (m.) *pape*
pappagallo *perroquet*
parcheggiare *se garer*
parcheggio *parking*
parco *parc*
parecchio/a *beaucoup de, pas mal de* ; parecchio tempo *longtemps*
parente (m. *ou* f.) *parent (membre de la famille)*
parere *paraître, sembler*
Parigi (f.) *Paris*
parla...? *parlez-vous... ?*
parlare *parler*
parlarsi *se parler*
parola *mot*
parrucchiere (m.) *coiffeur*
parte (f.) *côté, partie* ; a – *à part, non compris* ; mettere da – *mettre de côté*
partenza *départ*
parti: da queste – *par ici*
partire *partir*
passaggio: di – *au passage, de passage*
passante (m. *ou* f.) *passant(e)*
passaporto *passeport*
passare *passer*
passato *passé*
passeggiata *promenade*
passeggiero *passager*
passo *pas* ; a due passi da... *à deux pas de...*

pasta *pâtes, gâteau*
pasticceria *pâtisserie*
pasticciere (m.) *pâtissier*
pasto *repas*
patata *pomme de terre*
patatina *frite*
patente (f.) (di guida) *permis de conduire*
paura: aver – *avoir peur*
pazienza! *tant pis !*
peccato: (che) peccato! *(quel) dommage !*
pelle (f.) *cuir, peau*
pendente *penché(e)*
penna *stylo*
pennette rigate (f. pl.) *type de pâtes*
pensare *penser*
pensiero *pensée*
pensione (f.) *pension* ; – completa *pension complète*
pepe (m.) *poivre*
peperone (m.) *poivron*
per *pour, par* ; – carità! *pas du tout !, de rien !* ; – forza *à tout prix, forcément* ; – piacere *s'il te/vous plaît* ; – terra *par terre*
pera *poire* ; – avocado *avocat*
percentuale (f.) *pourcentage*
perché *pourquoi, parce que*
perdere (p.p. perso) *perdre, rater*
pericoloso/a *dangereux(euse)*
periferia *banlieue*
periodo *période*
permesso! *excusez-moi !, je peux entrer ?*
però *mais, pourtant*
perso *voir* perdere
persona *personne*
personale (m.) *personnel*
personalmente *personellement*

pesca *pêche*
pesce (m.) *poisson*
pescheria *poissonnerie*
pescivendolo *poissonnier*
piacciono *voir* piacere
piacere: mi piace *j'aime* ; mi – di più *je préfère*
piacere (m.) *plaisir*
piacere! *enchanté(e) !*
pianista (m. *ou* f.) *pianiste*
piano *doucement*
piano *étage*
pianoforte (m.) *piano*
pianta *plant, plante*
pianterreno *rez-de-chaussée*
piatto *plat*
piazza *place*
piccolo/a *petit(e)*
piede (m.) *pied* ; a piedi *à pied* ; in piedi *debout*
pieno/a *plein(e)* ; fare il pieno *faire le plein*
pigiama (m.) *pyjama*
pillola *pillule*
pioggia *pluie*
piombare *plomber*
piovere *pleuvoir*
piscina *piscine*
pittore (m.) *peintre*
pittrice (f.) *peintre (femme)*
più *plus, le/la plus* ; – avanti *plus loin* ; – presto (al) *très bientôt, au plus vite* ; – tardi *plus tard*
piuttosto *plutôt*
plastica *plastique*
po': un – di *un peu de*
poco/a *peu de*
poco a poco *peu à peu*
poi *après*
politica *politique*
politico/a *politique*
polizia *police*
pollo *poulet*
poltrona *fauteuil*
pomeriggio *après-midi*
pomodoro *tomate*
ponte (m.) *pont*
porta *porte*
portafoglio *portefeuille*
portare *porter, apporter, amener, emporter*
portiere (m.) *portier*
portoghese *portugais(e)*
possibile *possible*
possibilità *possibilité*
posso (*de* potere) *je peux*
posta *poste*
posto *poste, place, endroit* ; – di lavoro *lieu de travail*
potabile *potable*
potere (irr.) *pouvoir*
povero/a *pauvre*
pranzare *déjeuner*
pranzo *déjeuner*
pratico/a *pratique*
preferenza *préférence* ; di – *de préférence, surtout*
preferibilmente *de préférence*
preferire *préférer*
preferito/a *préféré(e)*
prego *je vous en prie, de rien, je peux vous aider ?, etc.*
prende *prend(s)*
prendere (p.p. preso) *prendre, attraper, acheter*
prendo *je prends*
prenotare *réserver*
prenotazione (f.) *réservation*
preoccuparsi *s'inquiéter*
preparare *préparer*

presa *prise (de courant)*
preso *voir* prendere
presso *chez*
prestare *prêter*
presto *tôt, bientôt, vite* ; far – *faire vite, se dépêcher* ; a – *à bientôt*
prezzo *prix*
prima *avant, d'abord* ; – di *avant de* ; – di tutto *avant tout*
primi (di) agosto *début août*
primo = primo piatto
primo/a *premier(ère)* ; primo piatto *entrée*
principale *principal(e)*
privato/a *privé(e)*
problema (m.) *problème*
processione (f.) *procession*
produrre (irr. ; p.p. prodotto) *produire*
produzione (f.) *production*
prof. = professor(e)
professionista (m. *ou* f.) *profession-nel(elle)*
professore/a (m.) *professeur*
profondo/a *profond(e)*
profumo *parfum*
progetto *projet*
programma (m.) *programme, émission*
promettere (p.p. promesso) *promettre*
pronto/a *prêt(e)* ; pronto? *allô ?* ; pronto soccorso *urgences*
pronuncia *prononciation*
proposta *proposition*
proprio *juste, justement, très*
proprio/a *propre*
prosciutto *jambon* ; – crudo *jambon cru*
prossimo/a *prochain(e)*
provare *essayer, goûter*
pubblico/a *public(que)*
pulire *nettoyer*
pullman (m.) *autocar*
punto: in – *juste*
puntuale *ponctuel(elle)*
può *voir* potere
pure *aussi, donc*
puro/a *pur(e)*
purtroppo *malheureusement*

qua *ici* ; di – *par ici*
quadro *tableau*
qual = quale *quel, quelle, lequel, laquelle*
qualche *quelques* ; – volta *parfois*
qualcosa *quelque chose*
qualcuno *quelqu'un, quelques-uns*
qualunque *quelconque*
quando *quand*
quant'è? *c'est combien ?*
quanti/quante? *combien ?*
quanto fa? *combien ça fait ?*
quarto/a *quatrième*
quasi *presque*
quattro chiacchiere: fare – *faire un brin de causette*
quegli *ces, ceux(-là)* ; *voir* quel
quel/quello/a *ce, celui(-là)*
questo/a *ce/cette, celui-ci/celle-ci*
questura *commissariat central*
qui *ici* ; – vicino *près d'ici*
quindi *donc*
quindicina: una – *une quinzaine (de jours)*
quinto/a *cinquième*
quotidiano/a *quotidien(enne)*

racchetta *raquette*
raccolta *collection, récolte, collecte*
raccomandata *lettre recommandée*
radersi *se raser*
radio (f.) *radio*
raffreddore (m.) *rhume*

ragazza *fille, petite amie, copine*
ragazzo *garçon, petit ami, copain*
ragione (f.) *raison* ; aver – *avoir raison*
ragioneria *comptabilité*
ragioniere (f. *ou* m.) *comptable*
rallegramenti! *félicitations !*
rapido *(train) rapide*
rapporto *rapport*
rasoio *rasoir*
ravioli (m. pl.) *raviolis*
recente *récent(e)*
regalare *offrir*
regalo *cadeau*
regolare *régulier(ère)*
reparto *rayon, service*
repubblica *république*
residente *résident(e)*
residenziale *résidentiel(elle)*
respirare *respirer*
restare *rester*
resto *monnaie, reste*
ricetta *ordonnance*
ricevere *recevoir*
ricevuta *reçu*
richiamare *rappeler*
richiedere *demander, réclamer*
ricordarsi *se rappeler*
rientrare *rentrer*
rilassarsi *se détendre*
rilevante *important(e)*
rimanere (irr. ; p.p. rimasto) *rester*
rimasto *voir* rimanere
ringraziare *remercier*
riordinare *ranger*
riparare *réparer*
ripetere *répéter*
riportare *rapporter*
riposarsi *se reposer*
riposo *repos*
risolto (*de* risolvere) *résolu*
rispondere (p.p. risposto) *répondre*
risposta *réponse*
ristorante (m.) *restaurant*
ritardo *retard* ; essere in – *être en retard*
ritirare *retirer, récupérer*
ritornare *retourner, revenir*
ritorno *retour*
ritrovare *retrouver*
riunione (f.) *réunion*
riuscire (irr. ; p.p. riuscito) *réussir* (*comme* uscire)
rivestirsi *se rhabiller*
rivista *revue, magazine*
rivolgersi *s'adresser*
roba *affaires*
romanzo *roman*
rompere (p.p. rotto) *casser*
rosa *rose*
rosso/a *rouge*
rosticceria *magasin qui vend des plats à emporter*
rotto *voir* rompere
ruba: andare a – *se vendre comme des petits pains*
rumore (m.) *bruit*
ruolo *rôle*
Russia *Russie*
russo/a *russe*

sa *voir* sapere
sacco *sac* ; un – di soldi *beaucoup d'argent*
sala da pranzo *salle à manger*
salame (m.) *saucisson*
saldi (m. pl.) *soldes*
sale (m.) *sel*
salire *monter*
salmone (m.) *saumon*
salone (m.) *grand salon*

salotto *petit salon*
salsa *sauce*
salumeria *épicerie (fine)*
salumiere (m.) *épicier*
salutare *saluer*
salutarsi *se saluer*
salute (f.) *santé* ; alla –! *santé !*
saluto *salut*
San Marco *Saint-Marc*
San Pietro *Saint-Pierre*
sandalo *sandale*
sanitario/a *sanitaire*
sanno *voir* sapere
sapere *savoir* ; far(e) – *faire savoir, informer*
sarete (*de* essere) *vous serez*
sbagliato/a *faux/fausse*
sbaglio *erreur, faute*
sbrigare *expédier*
sbrigarsi *se dépêcher*
scacchi (m. pl.) *échecs*
scaffale (m.) *étagère*
scambio di ospitalità *échange*
scambio *échange*
scapolo *célibataire*
scappare *s'échapper*
scarpa *chaussure*
scatola *boîte*
scelta *choix*
scendere (giù) *descendre*
scheda telefonica *carte de téléphone*
schiena *dos*
sci (m.) *ski*
sciare *skier*
scientifico/a *scientifique*
scienza *science*
scienze economiche *économie*
sciopero *grève*
sconto *remise*
scontrino *ticket de caisse*
scorso/a *dernier(ère)*
scottarsi *se brûler*
scritto *voir* scrivere
scrivania *bureau*
scrivere (p.p. scritto) *écrire*
scuola *école*
scuro/a *foncé(e), obscur(e)*
scusare *excuser* ; scusi! *excusez-moi !, pardon !*
se *si*
secco/a *sec, sèche*
secolo *siècle*
secondo *selon*
secondo/a *second(e), deuxième*
sede (f.) centrale *siège*
sedere, sedersi (irr.) *s'asseoir*
sedia (a sdraio) *chaise (longue)*
seduto/a *assis(e)*
segnale (m.) acustico *bip, signal sonore*
segretaria *secrétaire* ; – telefonica *répondeur (téléphonique)*
sei (*de* essere) *tu es*
semaforo *feu (de signalisation)*
sembrare *sembler, avoir l'air*
semola di grano duro *semoule de blé dur*
semplice *simple*
sempre *toujours* ; – dritto *tout droit*
sentire *entendre, (res)sentir*
sentir dire *entendre dire* ; senti! *écoute !*
sentirsi *se sentir* ; – male/bene *se sentir mal/bien*
senza *sans*
senz'altro *certainement, sans faute*
separato/a *séparé(e)*
sera *soir*
servire *servir* ; mi servono per domenica *j'en ai besoin pour dimanche*

servirsi da soli *se servir*
servizio *service*
sesto/a *sixième*
seta *soie*
sete (f.) *soif* ; aver – *avoir soif*
settentrionale *nord, du nord*
settimana *semaine*
settimanale *hebdomadaire*
settimo/a *septième*
si *on, se* ; – dice *on (le) dit* ; – figuri! *pas du tout !* ; – prega di *prière de*
sì *oui* ; – grazie *oui, merci*
Sicilia *Sicile*
sicuro/a *sûr(e)*
sig. = signor(e)
sig.na = signorina
sig.ra = signora
sigaretta *cigarette*
signora *dame, madame*
signore (m.) *monsieur*
signorile: appartamento – *appartement de luxe*
signorina *demoiselle, mademoiselle*
simpatico/a *sympathique*
singolo/a *pour une personne (chambre)*
sinistro/a *gauche* ; a sinistra *à gauche*
sistema (m.) *système*
sistemare *régler, arranger*
sistemarsi *s'arranger, s'installer*
smarrimento *perte*
smarrire *perdre, égarer*
smettere (p.p. smesso) *arrêter*
so *voir* sapere ; non lo so *je ne sais pas*
soccorso *secours*
sociale *social(e)*
società *société*
soddisfatto/a *satisfait(e), content(e)*
soggiorno *salon, séjour*
sogliola *sole*
sognare *rêver*
solamente *seulement*
soldi (m. pl.) *argent*
sole (m.) *soleil*
solito; di solito *d'habitude*
solo *seulement*
solo/a *seul(e)* ; da – *tout(e) seul(e)*
soltanto *seulement*
sono (*de* essere) *je suis, ils/elles sont* ; – io *c'est moi*
sopportare *supporter*
sopra *en haut*
soprattutto *surtout*
sorella *sœur*
sorpreso/a *surpris(e)*
sotto *sous, au-dessous de*
sottopassaggio *passage souterrain*
spaghetti (m. pl.) *spaghettis*
Spagna *Espagne*
spagnolo/a *espagnol(e)*
sparecchiare *débarrasser la table*
spazzolino *brosse à dents*
specchio *miroir, glace*
speciale *spécial(e)*
specialità *spécialité*
spedire *expédier*
spegnere (irr.) *éteindre*
spendere (p.p. speso) *dépenser*
spensierato/a *insouciant(e)*
spento *voir* spegnere
sperare di *espérer*
spesa *courses*
speso *voir* spendere
spesso *souvent*
spettacolo *spectacle*
spiacere = dispiacere
spiaggia *plage*
spiccioli (m. pl.) *(petite) monnaie*
spiegazione (f.) *explication*
spina *prise*

sport (m.) *sport*
sportello *guichet*
sposarsi *se marier*
sposato/a *marié(e)*
sposo/a *marié, mariée*
sta: come –? *comment allez-vous ?*
stadio *stade*
stagione (f.) *saison*
stamattina *ce matin*
stampa *presse*
stanco/a *fatigué(e)*
stanotte *cette nuit*
stanza *pièce*
stare *rester, habiter*
stare + gérondif *être en train de + infinitif* ; – attento *faire attention* ; – male/bene *aller mal/bien* ; – meglio/ peggio *aller mieux/moins bien* ; – per *être sur le point de*
stasera *ce soir*
Stato *État* ; gli Stati Uniti *les États-Unis*
stato *voir* essere, stare
statua *statue*
stazione (f.) *gare* ; – di servizio *station-service*
stesso (lo) *quand même*
stesso/a *même* ; io – *moi-même*
stia tranquillo/a! *ne vous inquiétez pas !*
stipendio *salaire*
stomaco *estomac*
strada *rue, route* ; per – *dans la rue*
straniero/a *étranger(ère)*
strano/a *étrange*
studente (m.) *étudiant*
studentessa *étudiante*
studiare *étudier, réviser*
studio *étude, bureau, cabinet* ; – legale *cabinet d'avocat*
stufo/a: essere – (di) *en avoir assez (de)*
su *sur*
subito *tout de suite*
succedere (p.p. successo) *se passer*
successo *voir* succedere
sud (m.) *sud*
sugo *sauce*
suo/a *son, sa, votre* ; il/la – *le sien/la sienne, le/la vôtre*
suonare *jouer de (un instrument)*
superare *réussir (un examen)*
supermercato *supermarché*
supplemento *supplément*
svegliare *réveiller*
svegliarsi *se réveiller*
Svizzera *Suisse*
svizzero/a *suisse*

tabaccaio, tabaccheria *bureau de tabac*
tabacco *tabac*
taglia *taille*
tagliatelle (f. pl) *tagliatelles*
taglio *coupe, coupure*
tanto/a, tanti/e *tant de* ; tanto da vedere *tant de choses à voir*
tappeto *tapis*
tardi *tard* ; far – *rentrer tard*
tasca *poche*
tassì (m.) *taxi*
tavola/o *table*
tavolino *petite table*
tazza *tasse*
tazzina *petite tasse*
tè (m.) *thé*
teatro *théâtre*
tecnico/a *technique, technicien(enne)*
tedesco/a *allemand(e)*
telefonare *téléphoner*

telefonata *coup de téléphone*
telefonino *(téléphone) portable*
telefono *téléphone*
telegramma (m.) *télégramme*
televisione (f.) *télévision*
televisivo/a *télévisé(e)*
tema (m.) *thème*
tempio *temple*
tempo *temps*
tenda *rideau*
tenere (irr.) *tenir, garder*
terrazza/o *terrasse*
terzo/a *troisième*
testa *tête*
testo *texte, paroles*
ti *te*
tipo *type, sorte*
tirare *tirer* ; tira vento *il y a du vent*
titolo di studio *diplômes*
tocca a te! *à ton tour !*
toccare *toucher*
togliere (irr.) *enlever, ôter*
tolto (p.p.) *voir* togliere
Torino (f.) *Turin*
tornare = ritornare
torre (f.) *tour*
torto: aver – *avoir tort*
tosse (f.) *toux*
tovagliolo *serviette (de table)*
tra = fra
traduzione (f.) *traduction*
tramezzino *sandwich*
tranquillo/a *tranquille*
trascorrere (p.p. trascorso) *passer*
trasferirsi *déménager*
trasporto *transport*
trattare *traiter*
trattoria *petit restaurant ou restaurant au décor recherché*
traversa *rue transversale*
treno *train*
trentenne *de trente ans, trentenaire*
trentina: una – *une trentaine*
trimestre (m.) *trimestre*
troppo (adv.) *trop*
troppo/a *trop (de)*
trota *truite*
trovare *trouver, voir*
trovarsi *se trouver* ; – bene *se plaire (quelque part)*
tu *tu, toi*
tuo/a *ton/ta* ; il/la – *le tien/la tienne*
turismo *tourisme*
turista (m. *ou* f.) *touriste*
tutti e due/tutte e due *tous/toutes les deux*
tutto *tout* ; – a posto *tout va bien, tout est arrangé*
tutto/a *tout(e)*
tv private *chaînes de télévision privées*

ubriacarsi *se soûler*
uccello *oiseau*
ufficio *bureau*
uliva = oliva
ultimo/a *dernier(ère)*
un, un' *un/une*
università *université*
universitario/a *universitaire*
uno/a *un/une* ; è l'una *il est une heure*
uomo (pl. uomini) *homme*
uovo (pl. uova) *œuf*
urgente *urgent(e)*
usare *utiliser*
uscire (irr.) *sortir*
uscita *sortie*
utile *utile*
uva *raisin*

va bene *ça va, d'accord, ça (me/te, etc.) va*
va/vado *voir* andare
vacanza *vacances*
vaglia (m.) *mandat postal*
vasca da bagno *baignoire*
vasto/a *vaste*
vecchio/a *vieux, vieille*
vedere (p.p. visto) *voir*
vediamo un po' *voyons (voir)*
vegetariano/a *végétarien(enne)*
veloce *rapide*
vendere *vendre*
vendita *vente*
Venezia *Venise*
venire (irr ; p.p. venuto) *venir*
ventina: una – *une vingtaine*
vento *vent*
venuto *voir* venire
verde *vert(e), sans plomb (essence)* ; al – *sans le sou*
verità *vérité*
vero/a *vrai(e)* ; vero? *n'est-ce pas ?, non ?*
versare *verser*
verso *vers*
vestirsi *s'habiller*
vestito *costume, robe* ; – da sera *robe de soirée*
Vesuvio *Vésuve*
vetrina *vitrine*
vi/ve *vous (pluriel)*
via *rue, chemin* ; andare – *s'en aller*
viaggiare *voyager* ; il – *les voyages*
viaggiatore (m.) *voyageur*
viaggiatrice (f.) *voyageuse*
viaggio *voyage*
vicino *près* ; – a *près de*
vicino/a di casa *voisin(e)*
videoregistratore (m.) *magnétoscope*
vietato/a *interdit(e)*
villa *villa*
villaggio *village*
villeggiatura *vacances*
villetta *petite villa, petite maison*
vino *vin*
viola *volet(ette)*
violinista (m. *ou* f.) *violoniste*
violino *violon*
visione (f.) *vision*
visitare *visiter, examiner*
vissuto *voir* vivere
visto *voir* vedere
vita *vie*
vitello *veau*
vittoria *victoire*
vivere (p.p. vissuto) *vivre*
voce (f.) *voix*
vogliamo *voir* volere
voi *vous* (pluriel)
volentieri *volontiers*
volere *vouloir*
volta: una – *une fois* ; due volte *deux fois*
vongola *palourde*
vorrei *je voudrais*
vostro/a *votre (pluriel)*
vuole *voir* volere ; ci vuole *il faut*
vuoto/a *vide*

water (m.) *W.-C.*

zero *zéro*
zio/zia *oncle/tante*
zitto/a *silencieux(euse)* ; sta' –! *tais-toi !*
zona *zone*
zucchero *sucre*

Ceci n'est pas une liste de vocabulaire exhaustive ; elle est simplement conçue pour vous aider à faire les exercices à la fin de chaque chapitre.
Abréviations : f. = féminin ; fam. = familier ; m. = masculin ; p.p. = participe passé ; pl. = pluriel ; prép. = préposition ; pron. = pronom ; s. = singulier.

à a, ad
acheter comprare, prendere
addition conto
âge età ; *quel – as-tu ?* quanti anni hai?
agence agenzia ; *– de voyages* agenzia di viaggi
agricole agricolo/a
ah ! ah!
aider aiutare ; *aidez-moi !* mi aiuti!
aimable gentile ; *c'est très – à vous !* molto gentile!
aimer : *j'aime* mi piace ; *je n'aime pas* non mi piace ; *il aime* gli piace ; *elle aime* le piace ; *j'aimerais* mi piacerebbe ; *aimes-tu... ?* ti piace... ?
Allemagne (l') la Germania
allemand(e) tedesco/a
aller andare ; *– prendre...* andare a prendere... ; *je vais acheter...* vado a comprare... ; *il est allé* è andato ; *es-tu déjà allé(e) à... ?* sei mai stato/stata a...? ; *êtes-vous déjà allé(e) à... ?* è mai stato/stata a...? ; *il allait* andava ; *– en vacances* andare in vacanza ; *s'en –* andarsene
allô ! pronto!
alors allora
ambulance (auto)ambulanza
américain(e) americano/a
Amérique (l') l'America
ami(e) amico, amica; amici, amiche (pl.)
amicalement (dans une lettre) un caro saluto
amitiés (dans une lettre) saluti
amuser (s') divertirsi ; *amuse-toi bien !* buon divertimento!
an anno ; *j'ai 18 ans* ho diciott'anni
anglais(e) inglese (m./f.)
Angleterre (l') l'Inghilterra
année anno
appartement appartamento
appeler chiamare
appeler (s') chiamarsi ; *il/elle s'appelle...* si chiama... ; *comment t'appelles-tu ?* come ti chiami? ; *comment vous appelez-vous ?* come si chiama?
après dopo
après-demain dopodomani
arriver arrlvare
asseoir (s') sedersi ; *assieds-toi !* siediti! ; *asseyez-vous !* si sieda!
assez abbastanza
attendre aspettare
attention attenzione ; *fais – !* sta' attento! ; *faites – !* stia attento!
aujourd'hui oggi
au revoir ! arrivederci!, ciao (fam.)!
aussi anche, pure
autre altro/a ; *un(e) –* un altro, un'altra ; *à un – moment* in un altro momento ; *– chose ?* altro?

avant prima (di) ; – *neuf heures* prima delle nove
avant-hier l'altro ieri
avec con
avis : *changer d'–* cambiare idea
avoir avere

beau, belle bello/a ; *quel – tableau !* che bel quadro! ; *qu'est-ce que tu as fait de – ?* cos'hai fatto di bello?
beaucoup molto, moltissimo ; *– de* molto/a/i/e ; *pas* – non molto
bibliothèque biblioteca
bicyclette bicicletta
bien bene ; *se sentir* – sentirsi bene
bientôt : *à – !* a presto!
bière birra
bifteck bistecca ; – *grillé* bistecca alla griglia
billet biglietto
billetterie biglietteria
blanc, blanche bianco/a
bleu(e) azzurro/a ; – *ciel* celeste ; – *marine* blu
boire bere (p.p. bevuto)
bon, bonne buono/a
bonjour ! buongiorno!
bouteille bottiglia
bras braccio
briquet accendino

cadeau regalo
café caffè (m.)
carte postale cartolina
cartes (à jouer) carte (f. pl.)
cathédrale duomo
ce, cette, cet, ces questo/a/i/e
celui(-là) quello/a
celui-ci, celle-ci, ceux-ci, celles-ci questo/a/i/e
centime centesimo
centre centro ; *au* – al *ou* in centro ; *dans le* – nel centro
centre-ville centro città
certain(e) certo/a, sicuro/a
c'est è
chambre (à coucher) camera (da letto)
changer cambiare ; – *de travail* cambiare lavoro; – *d'avis* cambiare idea
chaque ogni
chaussure scarpa
chercher cercare
chez da
chien cane (m.)
chômage : *au* – disoccupato/a
chose cosa
cinéma cinema (m.)
classe classe (f.)
Colisée Colosseo
combien ? quanto/i/e? ; – *de temps... ?* quanto tempo...? ; – *de fois par an ?* quante volte all'anno? ; – *d'heures par jour ?* quante ore al giorno? ; – *ça fait ?* quant'è?
comme come
commencer (in)cominciare
comment come ; – *vas-tu ?* come stai? ; – *allez-vous ?* come sta? ; – *est-ce que ça se dit en italien ?* come si dice in italiano? ; – *fait-on pour aller à... ?* come si fa per andare a...? ; – *ça se fait ?* come mai?
comprendre capire
conduire guidare
conseiller consigliare
content(e) contento/a
copain (fiancé) ragazzo
copie copia

d'abord prima
d'accord d'accordo, va bene ; *être – essere* d'accordo
dans in
de di ; *je viens/suis – Pise* sono di Pisa
déjà già
demain domani
demi(e) mezzo/a ; *demi-pension* mezza pensione
depuis da ; *nous sommes ici –...* siamo qui da...
dernier(ère) ultimo(a), scorso/a ; *le – de la liste* l'ultimo della lista ; *l'année dernière* l'anno scorso
dès que possible al più presto
deux due
deuxième secondo/a
devoir dovere ; *je dois* devo ; *ils devaient* dovevano
difficile difficile
dimanche domenica
dîner cena
direct diretto(a) ; *train –* treno diretto
docteur medico ; dottore, dottoressa
document documento
donc dunque
donner dare
douche doccia
droit dritto ; *tout –* sempre dritto
du, de la, des del, della, dei, delle
dur(e) duro/a
durer durare ; *ça dure...* dura...

écouter ascoltare
écrire scrivere (p.p. scritto)
embêtant : *que c'est – !* che guaio!
en (pron.) ne ; *(prép.)* in ; *– voiture* in macchina
encore : *pas –* non ancora
enfant bambino/a ; *enfants (fils, filles)* figli
ennui guaio
ennuyer (s') : annoiarsi
ensemble insieme
entreprise azienda
entrer entrare
environ circa
espagnol(e) spagnolo/a
espérer sperare
et e, ed
étais : *tu étais* eri
été estate (f.) ; *en –* d'estate
étiez : *vous étiez* era *(vouvoiement)*
étranger : *à l'–* all'estero ; *pour l'–* per l'estero
être essere (p.p. stato)
étudiant(e) studente (m.), studentessa (f.)
étudier studiare
exactement esattamente, di preciso
examen esame (m.)
excellent(e) ottimo/a
excuser scusare ; *excusez-moi !* (mi) scusi! ; *excuse-moi, je suis en retard* scusami del ritardo ; *excusez-moi, je suis en retard* mi scusi del ritardo
exploitation agricole azienda agricola

facile facile
façon : *de toute –* comunque
faim : *avoir –* aver fame
faire fare (p.p. fatto) ; *ça ne fait rien* non fa niente ; *qu'est-ce que vous faites (comme métier) ?* che cosa fa? ; *– le tour de... (excursion)* fare il giro di...
famille famiglia
fatigué(e) stanco/a
femme donna

fête festa ; *(du saint)* onomastico
fois volta ; *une* – una volta ; *cette fois-ci* questa volta
fonctionner funzionare
foot(ball) calcio
français(e) francese
France (la) la Francia
frère fratello
frire friggere
frites patatine fritte
fromage formaggio

garçon ragazzo
gâteau pasta, torta
gauche sinistro/a ; *à* – a sinistra
genou ginocchio
gens gente (f. s.)
gentil(ille) gentile
glace gelato
gramme grammo ; *100 grammes* un etto
grand(e) grande
grave : *ce n'est pas* – non importa
Grèce (la) la Grecia
grec(que) greco/a
grillé(e) alla griglia
gris(e) grigio/a

habiter abitare
hasard caso ; *tu ne l'as pas par –... ?* non l'hai mica...?
heure ora ; *à quelle – ?* a che ora? ; *deux heures par jour* due ore al giorno ; *à l'–* in orario
hier ieri
horaire orario
hors-d'œuvre variés antipasto misto
hôtel albergo

ici qui
idée idea
il y a c'è (s.), ci sono (pl.) ; *(temps)* fa
important(e) importante ; *de si* – di così importante
inquiéter (s') preoccuparsi ; *ne t'inquiète pas !* non preoccuparti! ; *ne vous inquiétez pas !* non si preoccupi!
inscrire (s') iscriversi (p.p. iscritto)
instant : *un – !* un momento! un attimo!
intéressant(e) interessante
Italie (l') l'Italia
italien(enne) italiano/a

jamais mai ; *ne... –* non... mai
jambe gamba
jambon prosciutto ; *– cru* prosciutto crudo
jaune giallo
je io ; *– suis* sono ; *– voudrais* vorrei
jean jeans (m. pl.)
jeudi giovedì
jogging jogging ; *faire du* – fare il jogging
joli(e) bello/a, carino/a
jouer à giocare a
jour giorno ; *un* – un giorno
journal giornale (m.)
juillet luglio ; *en* – a luglio
jusqu'à a, fino a

là lì, là ; *il est – ?* c'è? ; *il n'est pas* – non c'è
là-bas lì ; *–, près de...* lì, vicino a...
lac lago
laisser lasciare
langue lingua
le, la, l', les il, lo, la, l', i, gli, le
les (pron. objet) li/le
leur (pron. objet) (a) loro/gli ; *(possessif)* (il/la/i/le) loro

lever (se) alzarsi
lit letto
livre libro
local(e) locale
loin de lontano da
Londres Londra
longtemps molto tempo
lui (pron. objet m.) gli ; *(pron. objet f.)* le

madame signora
magasin negozio
maintenant adesso, ora
mairie municipio
mais ma, però, invece
maison casa ; *à la* – a casa
mal male ; *faire* – far male
malheureusement purtroppo
manger mangiare
marcher (fonctionner) funzionare
mari marito
marié(e) sposato/a
marron marrone
me mi
médecin medico ; dottore, dottoressa
mer mare (m.)
merci grazie ; – *de/pour...* grazie di/ per...
mère madre (f.)
message messaggio
mettre mettere (p.p. messo)
mieux meglio
Milan Milano (f.)
mixte misto/a ; *salade* – insalata mista
moi io, mi ; – *aussi* anch'io
mois mese (m.)
moment momento ; *à un autre* – in un altro momento
mon, ma, mes (il) mio, (la) mia, (le) mie, (i) miei
musique musica

nager nuotare ; *j'aime* – mi piace nuotare
Naples Napoli (f.)
ne... pas non ; *il ne parle pas* non parla
né(e) nato/a ; *je suis* – sono nato/a
n'est-ce pas ? vero?
nez naso
noir(e) nero/a
nom nome (m.)
non no ; – *merci* no, grazie
notre, nos (il) nostro, (la) nostra, i nostri, le nostre
novembre novembre (m.)
nuit notte (f.)

œil occhio ; *j'ai mal aux yeux* mi fanno male gli occhi
œuf uovo ; *les œufs* le uova
on si, un, una, uno
opéra opera
opticien ottico ; *chez l'*– dall'ottico
où dove
oui sì ; – *s'il te plaît/– merci* sì, grazie ; – *?* prego?
ouvert(e) aperto/a
ouvrir aprire (p.p. aperto)

pain pane (m.)
paire paio
par per
parce que perché
parents genitori (m. pl.)
parking parcheggio
parler parlare ; *je parle* parlo; – *avec/à* parlare con/a
parmi fra
partir partire, andar via
partout dappertutto
pas non ; – *encore* non ancora
passeport passaporto

passer passare
passer : – *beaucoup de temps à jouer avec...* passare molto tempo a giocare con...
payer pagare
pendant durante ; – *ce temps* intanto
penser pensare
pension complète pensione completa
perdre perdere, smarrire
père padre (m.)
permis de conduire patente (f.)
personne persona ; *quatre personnes* quattro persone
petit(e) piccolo/a
peu : *un* – un po' ; *un – plus de...* un altro po' di...
peut-être forse
pied piede (m.)
piscine piscina
place (d'une ville) piazza ; *(espace, siège)* posto ; *la – Saint-Marc* Piazza San Marco
plage spiaggia
plus : *le/la* – il/la più
poisson pesce (m.)
poivre pepe (m.)
pomme mela
pont ponte (m.)
porte porta
poste posta
pour per ; *c'est – ça que... ?* è per questo che...?
pourquoi ? perché? ; – *pas ?* perché no?
pouvoir potere ; *je peux (entrer) ?* permesso?/posso? ; *tu ne peux pas...?* non puoi...? ; *vous ne pouvez pas... ?* non può..? ; *pourrais-tu...?* potresti...?
préférer preferire
premier(ère) primo/a ; *le – juin* il primo giugno
prendre prendere (p.p. preso) ; *je prendrai un café* prendo un caffè
près vicino ; – *de* vicino a ; – *d'ici* qui vicino
presque quasi
prêt(e) pronto/a
prévenir : *tu peux me* – puoi farmelo sapere
prier : *je vous en prie* prego
pris(e) occupato/a
prix prezzo
prochain(e) prossimo/a
professeur professor(e) (m.)
puis poi

quand quando ; – *tu veux,* – *tu voudras* quando vuoi
quatre quattro
que che ; *que... ?, qu'est-ce que... ?* (che) cosa...? ; *qu'est-ce que je vais faire ?* come faccio? ; *qu'est-ce que nous allons faire ?* come facciamo? ; *qu'est-ce que tu dois faire... ?* cos'hai da fare...? ; *qu'est-ce qu'il y a à manger ?* cosa c'è da mangiare?
quel, quelle che ; *à quelle heure ?* a che ora? ; *quelle heure est-il ?* che ora è?/che ore sono? ; *quelle belle maison !* che bella casa!
quelque chose qualcosa ; – *à boire* qualcosa da bere
quelques-uns qualcuno
quelqu'un qualcuno
qui che
qui ? chi?
quinzaine quindicina ; *une – (de jours)* una quindicina di giorni

quitter lasciare

regarder guardare
reposer (se) riposarsi ; *je me repose* mi riposo
réserver prenotare, riservare
restaurant ristorante (m.), trattoria
retourner ritornare ; *– à* ritornare a ; *– se coucher* ritornare a letto
retrouver (se) incontrarsi ; *on se retrouve...* ci incontriamo..., ci vediamo...
réunion riunione (f.)
réussir riuscire ; *(un examen)* superare
revenir ritornare
réviser studiare
rien niente, nulla ; *– d'autre* nient'altro
Rome Roma
rose rosa
rouge rosso/a

salle de bains (stanza da) bagno ; *avec –* con bagno
sans senza
savoir sapere ; *je ne sais pas* non lo so ; *– que* sapere che ; *savez-vous où se trouve... ?* sa dov'è...?
second(e) secondo/a
sel sale (m.)
semaine settimana
sembler sembrare, parere ; *il me semble que non* mi sembra di no
sentir (se) sentirsi
serviette asciugamano
seul(e) : *tout(e) –* da solo/a
seulement solo
si se ; *s'il te/vous plaît* per piacere, per favore, per cortesia
skier sciare
sœur sorella
soif : *avoir –* aver sete
soir sera ; *ce –* stasera
sommes : nous – siamo
son, sa, ses (il) suo, (la) sua, (i) suoi, (le) sue
sont : *ils –* sono
sortir uscire
souvent spesso
sport sport (m.) ; *quel – pratiquez-vous ?* che sport fa?
steak bistecca ; *– grillé* bistecca alla griglia
suffire bastare ; *ça suffit !* basta (così)!
sur su ; *un livre – l'Italie* un libro sull'Italia
sûr(e) certo/a, sicuro/a ; *– de moi* sicuro di me

tant de... tanti/tante...
tard tardi ; *plus –* più tardi
te ti
tee-shirt maglietta
téléphone telefono
téléphoner telefonare
temps tempo
tennis tennis (m.)
théâtre teatro ; *au –* a teatro
ticket biglietto
timbre francobollo
ton, ta, tes (il) tuo, (la) tua, (i) tuoi, (le) tue
tort : *avoir –* aver torto
tôt presto
toujours sempre
tour torre (f.) ; *la – penchée* la Torre Pendente
touriste turista (m./f.)
tous, toutes tutti, tutte ; *tous les trois jours* ogni tre giorni
tout(e) tutto/a

train treno ; *en* – in/col treno
travail lavoro
travailler lavorare
très molto ; – *bien* benissimo
trop troppo ; – *de* troppo/a/i/e
trouver trovare
tu tu

université università ; *à l'*– all'università

vacances : *en* – in vacanza
vaste vasto/a
vélo bicicletta
vendre vendere
venir venire (p.p. venuto)
Venise Venezia
Vérone Verona
vers verso
vert(e) verde
Vésuve (le) il Vesuvio
vieux, vieille vecchio/a
village villaggio, paese (m.)
ville città ; *vieille* – centro storico
vin vino
vivre vivere
voilà ! ecco!
voir vedere (p.p. visto)
voiture macchina, auto (f.) ; *en/dans la* – in macchina
votre, vos (vouvoiement) (il) suo, (la) sua, (i) suoi, (le) sue ; *(pl.)* (il) vostro, (la) vostra, (i) vostri, (le) vostre
vouloir volere ; *je voudrais* vorrei
vous (sujet, vouvoiement) lei ; *(sujet, pl.)* voi ; *(objet direct, vouvoiement)* la ; *(objet indirect, vouvoiement)* le ; *(objet, pl.)* vi
vous-même lei
voyager viaggiare
vraiment veramente

y ci

index grammatical